DET BLÅSER PÅ MÅNEN

ERIC LINKLATER

Det blåser på månen

ÖVERSÄTTNING AV

Hugo Hultenberg

Modernista
STOCKHOLM

Till Sally, Bobby, Kristin, Susan & Magnus

1

En gren av det åldersgrå äppelträdet knackade på fönstret till det rum där major Rytter höll på att packa sin koffert. Den knackade häftigt och hårt, alldeles som en arg brevbärare en kall morgon. Majoren tittade upp med rynkad panna, Dina tappade resflaskan av silver som hon höll i handen, och Dorinda gav till ett gällt skrik som en liten uggla. Majoren gick bort till fönstret och drog undan gardinen.

»Se på månen«, sade han.

Genom äppelträdets grenar tittade månen rakt in i rummet. Den var blek och suddig, och runt omkring sig hade den en vit krage av glänsande dimma.

»Det blåser uppe på månen«, sade han. »Jag tycker inte alls om när den ser ut så där. När det blåser på månen får man tänka mycket noga på hur man uppför sig. För om det är en ond vind och man uppför sig illa blåser den vinden rakt in i hjärtat, och sedan uppför man sig illa en lång tid framåt. Jag hoppas därför att ni är riktigt snälla i kväll, för jag ska resa långt bort till ett främmande land och inte komma igen på minst ett år, och jag vill inte att ni ska ställa till tråkigheter för mamma med allt ert ofog nu när hon blir ensam. Tror ni att ni kan vara snälla om ni försöker riktigt?«

»Det blir nog mycket svårt«, sade Dina.

»Ja, mycket svårt«, sade Dorinda.

»Vi blir nog stygga om vi också försöker att vara snälla«, sade Dina och suckade.

»Ibland när vi tror att vi är snälla«, sade Dorinda, »så kommer en stor människa och säger att vi är riktigt stygga. Det är svårt att veta hur man ska vara.«

»Kanske det skulle hjälpa er«, sade fadern,»om jag gav er ett kok stryk innan jag reser.«

Han talade ofta om att ge dem ett kok stryk, för när han själv var liten hade han fått smörj varenda vecka, och han trodde att det hade gjort honom gott. Men han var för ömhjärtad för att omsätta sin tro i praktiken.

»Ett riktigt ordentligt kok stryk«, sade han,»skulle nästan säkert göra er gott. Det skulle hjälpa er att komma ihåg mig.«

»Då skulle vi skrika«, sade Dina.

»Vi skulle skrika så högt vi kunde«, sade Dorinda.

»Och då skulle mamma bli nervös«, sade Dina,»för hon tål inte att vi skriker.«

»Jag blir borta ett helt år«, sade deras far,»och eftersom månen har en vit krage på sig som betyder att det blåser en ond vind där uppe, så är jag ganska orolig för er.«

»Jag är inte orolig«, sade Dina.

»Inte jag heller«, sade Dorinda.

»Tänk vad mina råttsvansar ska ha vuxit tills du kommer tillbaka«, sade Dina.

»Och jag har nog lärt mig att simma«, sade Dorinda.

Deras far såg olycklig ut och lämnade rummet för att gå och hämta två pistoler som han tänkte ta med sig i kofferten, för i det land som han skulle resa till fanns det fullt av elaka människor, och han visste att stora farligheter väntade honom.

När han hade gått sade Dina:

»Vi får väl försöka att vara snälla för att göra honom glad, för pappa vill att man ska göra honom glad.«

»Vi kan hjälpa honom att packa«, sade Dorinda.

»Vi kan packa mycket bättre än han.«

»Titta så mycket som ska ner i kofferten.«

»Och inte finns det mycket plats kvar«, sade Dina.

»Det kunde få rum mycket mer om man rullade ihop hans rockar och byxor till långa korvar i stället för att hänga upp dem så där.«

Och så tog de ner tre vanliga kostymer och två uniformer

från galgarna på ena sidan av kofferten och rullade ihop dem till långa bylten i form av korvar. Sedan stuvade de ner korvarna i kofferten, stampade på dem för att de skulle ta mindre plats, lade sex vita skjortor i mitten och sedan två par skor ovanpå skjortorna.

»Det här är mycket bättre«, sade Dina.

Men Dorinda stod och lyssnade på hur äppelträdet knackade på fönstret med sina längsta grenar. Det blåste upp mer och mer och grenen lät riktigt arg – knack-knack, knackknack – det var ett så otäckt ljud när kvistarna skrapade mot glaset.

»Om det växte klockor på äppelträden i stället för äpplen«, sade Dorinda,»tänk vad det skulle låta vackert då när det blåser.«

»Vi kunde kanske binda fast några klockor på grenarna«, sade Dina.

»Jag tänkte just på det, jag också«, sade Dorinda.

»Vi har ju den stora klockan i skolrummet, och i salongen finns det sju silverklockor och i hallen de där tre bronsklockorna som pappa hade med sig från Kina.«

»Och jag vet var det finns ett snörnystan«, sade Dorinda.

»Tänk så roligt för pappa«, sade Dina,»att minnas hur äppelträdet ringde med alla sina klockor den sista kvällen han var hemma.«

De gick nerför trappan och tog silverklockorna och bronsklockorna från Kina och den stora klockan i skolrummet och sprang ut i trädgården. Äppelträdet svängde sina grenar mot himlen, som om det varit alldeles rasande, och det ställde till ett oväsen som när en stor folkhop upprörd mumlar och knorrar i harm och förtrytelse. Men det var i själva verket inte alls rasande, det lekte bara sin älsklingslek med den växande vinden, och när Dina och Dorinda kom stod det alldeles stilla och lät dem klättra upp ända till toppen. Barnen var duktiga att klättra i träd, och de knöt fast silverklockorna i de översta grenarna, de kinesiska klockorna i de mellersta och den stora skolrumsklockan vid den lägsta grenen.

9

De hade inte väl blivit färdiga med detta och kommit ner på marken igen, förrän trädet gav sina grenar en omruskning och klockorna började ringa.

I rummet där deras far hållit på att packa sin koffert stod Dina och Dorinda och hörde på konserten.

»Bing bång«, sade den stora skolrumsklockan. »Bing bång, hör klockans sång. Två gånger två är bing bang bång.«

»Lull lull, gula som gull«, sjöng bronsklockorna från Kina. »Hej ho, hej ho! Till gamla Hongkong är vägen lång.«

Och de små silverklockorna högst uppe i trädet sjöng: »Tingel tangel stal en styver, ta fast'en, ta fast'en, han är en tjyver. Lilla fröken glad! Fina äpplen månen har, inga körsbär mer är kvar, lördag blir det bad!«

»En sån vacker musik«, sade Dina.

»Den är härlig«, sade Dorinda.

Men just då kom deras mamma och pappa in i rummet, och det syntes med detsamma att båda två var oroliga och förargade. Mamma var lång och vacker, men hon blev så lätt nervös. Hon hade alltid ett långt band av pärlor på sig. Ibland var det vita pärlor, ibland gröna och ibland röda, och de svängde alltid av och an när hon gick, och när hon hastigt vände sig om, hände det ofta att de svepte ner någonting från bordet.

»Vad har hänt?« sade hon. »Vad är detta för gräsligt oljud?«

»Det är vackert«, sade Dina.

»Jag trodde elden var lös«, sade fru Rytter. »Å, vad ni alltid skrämmer mig!«

»Två gånger två är bing bang bång«, sjöng skolrumsklockan.

»Äppelträdet ger konsert«, sade Dina.

»För att det är sista kvällen pappa är hemma«, förklarade Dorinda.

»Till gamla Hongkong är vägen lång«, sjöng de kinesiska klockorna.

»Ni borde ha tänkt på hur nervös jag skulle bli«, sade fru Rytter. »Det var mycket, mycket obetänksamt av er att ställa till så här.«

»Jag har ju förbjudit er att klättra i träd när det är mörkt«, sade deras far. »Det är mycket farligt. Ni är två mycket olydiga små flickor.«

»Tingel tangel stal en styver«, skvallrade silverklockorna uppe i trädet. »Ta fast'en, ta fast'en, han är en tjyver!«

»Det var inte farligt alls«, sade Dina, »trädet stod alldeles stilla medan vi klättrade upp.«

»Men vad i all sin dar!« utbrast modern. »Titta på det här!«

»Neej, vet någon«, sade fadern och stirrade häpen på kofferten, där hans kläder låg prydligt hoprullade i långa smala korvar och hans skor stod ordentligt uppställda ovanpå hans vita skjortor.

»Nu går det verkligen för långt«, sade fru Rytter. »Det här är ju så man kan bli förtvivlad!«

»Jag tycker ni är för svåra«, sade major Rytter. »Sannerligen jag vet vad jag ska ta mig till med er. Jag tror jag måste ge er ett ordentligt kok stryk.«

»Vi ville ju bara hjälpa dig med packningen«, sade Dina.

»Det var så ont om plats i din koffert«, sade Dorinda.

»Men vi har fått ner alltihop«, sade Dina.

»Min bästa uniform!« stönade major Rytter, när han rullade upp en av de långa korvarna och såg framför sig en röd vapenrock som var veckig som ett dragspel.

»Usch, såna stygga barn!« sade fru Rytter.

Dina såg förnärmad ut, Dorinda ond. De tyckte att föräldrarna var mycket otacksamma. Inte satte de värde på den goda hjälp de fått med att packa kofferten, och inte uppskattade de det vackra klockspelet i äppelträdet. Föräldrarna var riktigt dumma, tyckte Dina och Dorinda.

»Vad tjänar det till att försöka vara snälla«, sade Dina, »när ni aldrig förstår hur snälla vi är?«

»Vi kunde lika gärna vara stygga, det är mycket lättare«, sade Dorinda.

»Ni är stygga«, sade modern.

»De rår kanske inte för det«, sade fadern. »Det blåser en

11

vind på månen, och om det är en ond vind har den kanske blåst in i deras hjärtan.«

»Det är bäst att ni går och lägger er med detsamma, innan ni ställer till mer ofog«, sade modern.

Men det dröjde länge innan Dina och Dorinda somnade, för när de drog upp gardinen tittade månen in genom fönstret, och de tyckte båda att det såg ut som om han skrattade. Och i stället för att vara ledsna för vad de gjort började de också skratta.

Men morgonen därpå strax efter frukosten var de mycket ledsna när deras far kysste dem till avsked, för de visste att han skulle bli borta länge. Hela den dagen satt de alldeles stilla och gjorde ingenting alls, varken gott eller ont. Och deras mor tyckte att de verkligen uppförde sig riktigt väl.

2

HUSET där de bodde låg i utkanten av en by som hette
Medelby. På ena sidan om byn låg Lyckoskogen och på den
andra ett stort gods omgivet av en hög mur, och det tillhörde
en godsherre som hade egen djurpark. Hans namn var baron
Dagobert Druva. Mitt i byn fanns ett torg, och där bodde
doktorn i ett stort hus. Det var doktor Snällman, och han hade
ett öga av emalj. Han gav sina patienter större medicinflaskor
än någon annan doktor de någonsin hört talas om, och därför
var han också mycket omtyckt.

På andra sidan torget låg ett bageri, en speceriaffär och en
slakteributik. Slaktaren hette herr Filén, specerihandlaren herr
Russinkvist och bagaren herr Krans. Herr Filén var en liten
tjock karl med rött ansikte och alldeles kal hjässa. Herr Russin-
kvist var lång och mager, med smal hals och sorgsen uppsyn.
Herr Krans hade träben. Alla hade de hustrur som pratade i ett
kör, och herr och fru Filén hade fyra söner, herr och fru Krans
tre döttrar, men herr och fru Russinkvist hade inga barn alls.

En liten å flöt fram norr om byn, och vid en krök av ån låg
prästgården och inte långt från den ett stort hus där domaren
bodde. Han hette Strängberg och var en av konungen tillsatt
domare. Så förtjust var han i att döma, att han bar sin domar-
peruk redan vid frukostbordet.

Pastor Nådendal, som bodde i prästgården, var en snäll och
vänlig man. Han tyckte om att höra folk sjunga och gav alla sina
pengar till de fattiga. Hans hustru var snålare och gav honom
inte tillräckligt att äta. Hennes far hade också varit präst, och
hon hade sju systrar. En av dem var guvernant åt Dina och
Dorinda Rytter och hette fröken Tjatlund.

Fröken Tjatlund trodde att kunskaper var det viktigaste på

jorden, och varje timme av dagen gjorde hon sitt bästa för att lära Dina och Dorinda så mycket som möjligt, vare sig det var till någon nytta eller inte. Till och med vid frukostbordet och vid middagsbordet var hon undervisande.

»Vill du räcka mig pepparen, Dorinda? Peppar, det är som du vet en krydda. Det finns svart peppar och vit peppar och röd peppar. Förr var det bara kungen av Portugal som fick handla med peppar. Men nu odlas mycket peppar i Penang. Penang, det är betelnötternas ö. En gång i tiden var det en straffkoloni där eller ett fängelse. Ordet fängelse är av samma stam som fånge. Våra fängelser var förr mycket illa skötta, men småningom har förbättringar införts. Newgate var på sin tid ett mycket beryktat fängelse. Sing Sing är ett allmänt känt modernt fängelse. Tack, kära du. Ställ nu pepparen tillbaka på sin rätta plats.«

En dag när hon hade talat så där sade Dina:

»Jag vet något som är mycket viktigare än kunskaper.«

»Vad är det?« frågade fröken Tjatlund.

»Mat«, sade Dina. »Får jag lite mer pudding?«

»Jag är också hungrig«, sade Dorinda.

»Jag måste visst be doktor Snällman komma och titta på er«, sade deras mor. »Ni äter mycket mer än vanligt, och ni håller på att bli alldeles för feta båda två.«

»Vi tycker det är gott att äta«, sade Dina.

»Mycket gott«, sade Dorinda.

»För mat är det viktigaste i världen«, sade Dina. »Jag älskar mat.«

Just då Dina sade detta kände hon med sig att hon höll på att bli riktigt stygg. Hon och Dorinda hade talat mycket om vinden på månen, som kanske hade blåst in i deras hjärtan, och de hade nu en tydlig förnimmelse av att den tid närmade sig då de skulle bli styggare än någonsin förut. De motsåg detta med stor spänning, för de trodde att det skulle bli hemskt roligt. Och så gick det plötsligt upp för Dina att man knappast kunde tänka sig ett bättre sätt att vara stygg på än att äta skamlöst glupskt.

På samma gång kände hon sig förfärligt hungrig, så det var det naturligaste i världen för henne att vara glupsk.

»Jag *älskar* mat«, sade hon på nytt.

»Det gör fru Häxelin också«, sade Dorinda, och Dina skrattade förtjust när hon hörde det, för fru Häxelin var en person som de var förbjudna att tala om. Så nu förstod Dina att Dorinda tänkte bli lika stygg som hon själv.

»Barn«, sade deras mor, »jag har ju förbjudit er att nämna det namnet. Jag tror inte det finns någon fru Häxelin.«

»Jo, det finns det visst«, sade Dina.

»Du får aldrig säga emot din mor«, sade fröken Tjatlund. »Alla mödrar älskar sina barn och vet vad som är bäst för dem. I det gamla Grekland fanns det en mor som hette Niobe, och hon hade inte mindre än tolv barn, sex pojkar och sex flickor. Och jag är säker på att ingen av dem någonsin sade emot henne.«

»Fru Häxelin bor i Lyckoskogen och jag var där och hälsade på henne i går«, sade Dina envist. »Får jag lite mer pudding?«

Det var mycket få som hade sett fru Häxelin, fastän många hade hört talas om henne. Dina sade att hon var en gammal gumma med en hårig vårta på hakan och det ena ögat större än det andra. Hon bodde alldeles för sig själv, sade Dina, i ett litet grönt hus med gula luckor och en röd dörr, i den allra mörkaste delen av Lyckoskogen.

»Första gången jag såg henne«, fortsatte Dina, »höll hon just på att äta en härlig middag. Först åt hon en omelett på tolv rapphönsägg som hon hade hittat. Sen åt hon upp själva rapphönan också, stekt, med sås och blomkål och potatis. Och sen var det kalvdans med grädde och en bit födelsedagskaka med glaserade mandlar på.«

»Om det finns en sådan person som fru Häxelin«, sade fröken Tjatlund, »varför har *vi* då aldrig sett henne?«

»För att hon kan trolla«, sade Dina, »och göra sig osynlig för såna som hon inte tycker om.«

»Nu pratar du dumheter«, sade hennes mor. »Du pratar riktigt stygga dumheter, och om pappa vore hemma skulle jag

15

be honom ge dig smäll och det ordentligt.«
»Men det skulle han inte göra«, sade Dorinda. »Det har han
aldrig gjort.«
»Fy, vad du är stygg«, sade hennes mor. »Du gör mig riktigt
ledsen.«
Fröken Tjatlund, som ville sätta Dina på det hala, sade:
»Jag skulle bra gärna vilja träffa fru Häxelin. Kan du inte ta
mig med när du går till henne härnäst?«
»Det skulle inte tjäna något till«, sade Dina, »för fröken hör
till dem som hon inte tycker om.«
»Då hör jag också till dem som vägrar att tro på henne«,
sade fröken Tjatlund förargad. »För varken du eller hon tycks
kunna ge mig något bevis på att hon finns till.«
»Jo, det kan vi«, sade Dina.
»Hur då?« frågade modern.
»Får jag lite mer efterrätt, så ska jag tala om det.«
»Jag vill också ha mer«, skrek Dorinda.
»Ni har redan fått alldeles för mycket«, sade modern, »men
jag måste väl ge med mig, kan jag tro.« Och så gav hon dem
båda två var sin stor portion efterrätt till.
»Nå, låt höra nu hur du kan bevisa att fru Häxelin verkligen
finns«, sade fröken Tjatlund.
»Vänta bara till i morgon, så ska jag bevisa det.«
Nästa morgon gick hon och Dorinda upp till fröken Tjat-
lunds rum och knackade på dörren. Det var ett vackert rum
med ett fönster rakt i söder, en säng av atlasträ, ett toalettbord
av atlasträ och ett skrivbord av atlasträ, vid vilket fröken Tjat-
lund brukade sitta och skriva brev till sina sju systrar. Väggarna
var nytapetserade med tapeter som fröken Tjatlund själv hade
valt. Mönstret utgjordes av små skära rosor och stora blå duvor.
Rosorna hängde i girlander, och mitt på varje girland satt en
duva med ett skärt band om halsen.
»Kom in«, ropade fröken Tjatlund, som satt vid sitt skrivbord
av atlasträ och skrev brev till en av sina sju systrar. »Ni kommer

väl för att uppfylla ert löfte och bevisa för mig att fru Häxelin finns till.«

»Ja«, sade Dina.

»Det ska bli högst intressant«, sade fröken Tjatlund kallt.

Dina visade henne en liten ask full med gula frön.

»Det här är duvfrö«, sade hon. »Jag har fått det av fru Häxelin. När jag strör ut det på golvet blir alla duvorna på frökens tapeter levande och flyger sin väg. Det är bäst att vi öppnar fönstret.«

»Jag har väl aldrig hört såna dumheter«, sade fröken Tjatlund. »Det kommer inte i fråga att ni får skräpa till här med fågelfrö.«

Men Dina slängde med en hastig rörelse ut fröna på mattan, och genast började alla duvorna på tapeterna att röra på huvudena och lyfta vingarna och fylla rummet med sitt mjuka kutter. »Koo-koooo-roo, koo-roo«, sade de.

Fröken Tjatlund blev först bara förvånad, men när sedan en duva och så en till och en till knöt upp den lilla skära rosetten kring halsen och kastade den på golvet, blev hon alldeles vit i ansiktet. »Koo-koooo-rooo«, sade de medan de knöt upp sina rosetter, och på tonen i deras röst kunde man tydligt förstå att de tyckt illa om det där dumma bjäfset.

Sedan flög de ner på golvet och åt upp duvfröna. Golvet var alldeles fullt av dem, och när de flög upp igen var deras vingslag så starka att det drog som en vind genom rummet. Fröken Tjatlunds hår blåste ner i hennes ögon, Dinas kjol flög upp och Dorinda höll alldeles på att svepas bort.

Men Dina öppnade fönstret, och genast flög alla duvorna ut och bort till Lyckoskogen.

»Nu tror väl fröken ändå på fru Häxelin?« frågade Dina triumferande.

Fröken Tjatlund var så tagen av vad hon sett att hon inte visste vad hon skulle svara. Utan att ens ge sig tid att snygga till sig i håret rusade hon ner till fru Rytter och berättade vad som hänt. Fru Rytter trodde henne inte förrän hon själv sett tapeterna i fröken Tjatlunds rum. Rosengirlanderna var alltjämt kvar, men alla duvorna hade försvunnit, och på golvet låg ännu de små skära rosetterna som de hade haft om halsen. När fru Rytter fick se detta blev hon så upprörd att hon måste lägga sig och vila en hel timme.

Till middag fick de den dagen tomatsoppa, kall tunga med sallad och krusbärstårta. Dina åt två tallrikar soppa, tre portioner tunga och tre bitar krusbärstårta. Dorinda åt tre tallrikar soppa, en portion tunga och fyra bitar tårta. Deras mor förstod nog att det var alldeles för mycket för dem, men hon hade blivit så förskräckt av händelsen med duvorna att hon inte vågade säga nej till något som de begärde. Fröken Tjatlund var alltjämt mycket blek, och fastän hon såg ogillande på de stora portioner barnen åt sade hon just ingenting. Hon yttrade i alla fall ett par ord om salladen.

»Ordet sallad«, sade hon, »kommer av det latinska *salare*, som betyder beströ med salt. Själv sätter jag inte så mycket värde på salt, men Platon säger att det är ett ämne som gudarna älskar. I vissa delar av Centralafrika uppskattas det också mycket, och det är endast de rika som har råd att använda det. Det är inte många som har klart för sig hur ofantligt stort Afrika är. Det är trettio miljoner kvadratkilometer, och från den norra kusten till Kap Agulhas i söder är avståndet åttatusen kilometer. Till de mest berömda personer som har levat i Afrika hör Kleopatra och doktor Livingstone...«

Men ingen brydde sig om vad hon sade, och om en stund tystnade hon.

Allteftersom tiden gick åt Dina och Dorinda mer och mer. Till frukost stoppade de i sig gröt med grädde, fisk och skinka med ägg och korv och tomater, rostat bröd och marmelad, bullar och honung. Till middag åt de rostbiff och kall lammstek, kokt fårkött med kaprissås, skotsk köttsoppa och klar buljong, oxsvanssoppa och ärtsoppa, stekt kyckling fylld med timjan och persilja, kokt höns fyllt med ris och lök, stekt anka med äppelmos, äppeltårta och körsbärspaj, makaronipudding och

plommonkaka, tunna pannkakor med sylt, potatis och bryssel-
kål och blomkål och gröna bönor och ärter och alla sorters ost.

Till teet fick de små färska bröd och rån och sockerkakor och
pepparkakor och munkar och vaniljbullar och russinkakor och
kumminmunkar och gräddbakelser och chokladbakelser och
ofta smör och bröd på köpet. Och till kvällsmat fick de kokt
frukt och färsk frukt, apelsiner och bananer och stekta äpplen
och minst ett par liter mjölk till det.

De blev tjockare och tjockare. De blev så tjocka att de var
tredje eller fjärde dag spräckte sönder sina klänningar och
tröjor och inte på några villkor kunde få strumporna på sina
runda, feta ben. Jämt och samt måste deras mor köpa nya
kläder åt dem. Men om hon köpte dem nya klänningar på
tisdagen, så var de redan uppspräckta i sömmarna på fredagen
eller senast lördagen.

Och barnen fortsatte att bara äta och äta. De visste ju att det
var fult av dem att vara så glupska, men när de väl börjat var
det nästan omöjligt för dem att hejda sig.

»Mat«, sade de, »är det bästa i världen. Vi älskar mat och vi
tänker äta mer och mer.«

Deras mor var mycket orolig för dem och sade att hon skulle
bli tvungen att tillkalla doktor Snällman. Några av hans allra
största medicinflaskor kunde nog bota deras hemska aptit,
tänkte hon. Men Dina sade utmanande:

»Doktor Snällman har ett emaljöga, och skickar du efter
honom så går jag till fru Häxelin och lånar hennes skata.«

»Hon har alltid en skata hemma hos sig«, sade Dorinda.

»Och skator tycker om att stjäla såna där ögon av glas från
folk«, sade Dina.

Modern blev så förskräckt vid detta hot att hon inte på en
lång tid nämnde doktor Snällmans namn.

Och nu började Dina och Dorinda mellan frukost och mid-
dag äta kex och jordgubbssylt och hallonsylt med grädde och
sockerkaka med plommonsylt. Mellan middagen och tedags åt
de för det mesta ett halvt kilo choklad och kanderade frukter

19

och karameller. Och sent på natten vaknade de ofta och gick ner i köket och åt vad de fick tag i, kall kyckling och hårdkokta ägg och vaniljsås och plommontårta och ett par skivor tekaka. Så småningom blev de så tjocka att de var nästan alldeles runda som ballonger. Och en dag upptäckte de att de knappast kunde gå, och då rullade de sig nerför trapporna och studsade in i matsalen, alldeles som om de varit riktiga ballonger.

Då blev deras mamma så upprörd att hon inte längre brydde sig om deras hotelser, och så ond att hon inte mer var rädd för fru Häxelin.

»Nu får ni genast följa med mig till doktor Snällman«, sade hon. »Ni ser rent förfärliga ut, och jag skäms att vara mor till två små flickor som mer liknar ballonger än mänskliga varelser. Det är inte länge sen jag tyckte ni var de vackraste barn jag någonsin sett. Du Dina med dina blå ögon och ljusa flätor var en förtjusande liten flicka, och Dorinda med sina bruna ögon och sitt mörka, lockiga hår var lika söt hon. Men nu kan jag knappast se på er, så fula är ni båda två. Vill ni inte tro mig så kom ut i hallen och titta själva.«

Då rullade de ner från sina stolar och studsade ut i hallen, där en stor rund spegel hängde över den öppna spisen. Den var gjord av ett glas som såg nästan svart ut, men den återkastade allt i klara, ljusa färger, och när Dina och Dorinda stod framför den och tittade upp, blev också de förskräckta. För de såg att deras mamma hade talat sanning och att de faktiskt mer liknade ballonger än små människobarn. De blev rent av lite rädda för vad de råkat ut för.

»Fort, fort«, ropade modern, »sätt på er hattarna, så ska jag gå med er till doktor Snällman genast. Här är ingen tid att förlora. Fröken Tjatlund, ni måste följa med och hjälpa mig.«

Dina och Dorinda tog sina hattar, men de kunde inte längre ha dem. Huvudena var så tjocka och runda att hattarna inte ville sitta på.

»Ingen har väl nånsin hört«, sade fröken Tjatlund kallt, »att ballonger har hattar!«

3

DET var en kall och klar morgon, och vägen in till Medelby kantades av stora bokar som nu stod avlövade, för det var vinter. Deras grenar kastade ett nät av fina skuggor från dikesren till dikesren. Det var en behaglig promenad, knappast en kilometer, men varken Dina eller Dorinda fann något nöje i den. Sedan de börjat äta så där mycket, hade de inte hunnit med att gå, och de hade inte varit inne i Medelby på flera veckor. Så tjocka och runda som de nu var kunde de knappast gå alls, utan modern och fröken Tjatlund måste skjuta på dem bakifrån. Ibland rullade de och ibland studsade de, och de hade inte kommit långt, förrän de var alldeles nerdammade och förfärligt varma.

»Jag vet inte vad folk ska tro eller säga«, sade fru Rytter, »när de får se oss komma till byn med Dina och Dorinda på det här bedrövliga och löjliga viset. Vi borde kanske aldrig ha gått till byn. Det hade varit bättre att be doktor Snällman komma och titta på barnen hemma.«

Och så gav hon Dina ännu en puff, så att hon rullade ett bra stycke i väg över stenläggningen på huvudgatan i Medelby.

»Vi får hoppas att alla är inomhus och håller sig där«, sade fröken Tjatlund och gav också Dorinda en ny puff, så att hon studsade upp i luften ett par tre gånger och for i väg en lång bit.

Det syntes verkligen inte till någon på gatan, men detta berodde inte på att alla höll sig hemma. Det var en alldeles för vacker dag för det, och allt folket i byn var ute på torget där doktor Snällman bodde.

Då hände det sig så att pastorn kom gående. Han var på väg ut för att köpa en flaska hårfärg hos apotekare Pillerin, för han tyckte att hans hår höll på att bli rött, vilket var en mycket olämplig färg för en präst, och han tänkte nu skaffa sig en flaska riktigt stark svart färg. Då mötte han på torget slaktar Filéns fyra söner, bagare Krans tre döttrar, apotekare Pillerins tvillingar Robin och Robina och kryddkrämarens hustru fru Russinkvist som delade ut slickepinnar åt dem allesammans, för julen var nära.

Då kom pastorn plötsligt att tänka på att han nu under åtminstone två dagar inte hade hört någon sjunga, och eftersom han var mycket förtjust i vackra sånger och körer, ropade han till sig barnen och fru Russinkvist och sade:

»Hur skulle det vara om vi allesammans här stämde upp ›Kvarnvisan‹?«

Fru Russinkvist, som själv hade en vacker röst, var genast med på detta och likaså barnen.

»Då sjunger vi alla tillsammans!« sade pastorn. »Alla barnen nu till kvarnen glada följa far...«

Innan de slutat visan hade fyrtioåtta människor och sju hundar samlats på torget. Därför stämde de sedan upp »Dina klara ögons glans«, och den vackra melodin som sjöngs med liv och lust lockade dit ytterligare sextiotre personer och arton hundar.

Pastorn, som nu hade kommit riktigt i farten, klättrade upp på drottning Viktorias staty som stod mitt på torget och ropade »Nu ska vi ta en härlig sång som alla kan, ›John Pil‹! Upp med munnarna, låt rösterna stiga mot himlen. Öppna era hjärtan, det är en sång för kungar! Nu tar vi den: ›Ni minns John Pil och hans rock den grå ...‹«

Sången steg högt, och det lät så vackert när »John Pil« sjöngs av hundraelva personer med full hals, medan tjugofem hundar piskade marken med sina svansar i oklanderlig takt. Alla byns invånare kom nu springande för att få vara med. Och när hela befolkningen befann sig på torget, lät pastorn dem sjunga »Hej tomtegubbar«.

Detta hände ungefär samtidigt som fru Rytter och fröken Tjatlund och Dina och Dorinda kom fram till byn, och det var därför helt naturligt att de inte mötte någon på gatan, för alla var på torget. De kunde höra folket sjunga »Hej tomtegubbar«, och Dina och Dorinda studsade i väg framåt gatan – duns-duns, duns-duns – i takt med melodin. Så slutade sången och det blev nästan tyst på torget, därför att somliga ville sjunga en marknadsvisa och andra »Pråmdragarnas sång vid Volga«, och pastorn själv ville ha »Du klara sol«. De kunde inte bestämma sig för vad de skulle ta.

Just då kom Dina och Dorinda inrullande på torget, och ett stycke efter dem sågs fru Rytter och fröken Tjatlund.

Tom Filén, slaktarens äldste son, stod bland de yttersta i folkmassan, och bredvid honom stod Katrin Krans, bagarens dotter, och Robin och Robina Pillerin. Så snart de fick se Dina och Dorinda, skrek de allesammans på en gång: »Ballonger, ballonger, ballonger! Titta så stora ballonger!«

Vartenda barn på torget fick bråttom att tränga och knuffa sig fram genom hopen, och på mindre än en minut var Dina och Dorinda omringade av femtio eller sextio pojkar och flickor, som allesammans skrek:

»Ballonger, ballonger, titta så stora ballonger!«

De äldre följde nu barnen, och de skockade sig också kring Dina och Dorinda och visste inte vad de skulle tro om deras underliga utseende.

Pastorn stod kvar på drottning Viktorias staty, men ingen ägnade honom längre någon uppmärksamhet utom fru Russinkvist, som hade klättrat upp till honom för att fråga om de inte kunde få sjunga »Ökensången«. Fru Rytter och fröken Tjatlund stod på andra sidan om folkhopen och kunde inte ta sig fram till Dina och Dorinda.

Nu ville det sig så, att Katrin Krans, bagarens dotter, just hade köpt ett nytt knappnålsbrev i klädeshandeln hos herr Knapp. Hon hade alldeles svart hår, blekt ansikte och långa, smala ben. Hon var riktigt söt att se på, men hon hade ett elakt hjärta. Hon tog nu upp knappnålsbrevet ur fickan och

23

gav några nålar till Tom Filén och några till Robin och Robina Pillerin och sade åt dem att dela ut knappnålarna till alla de andra pojkarna och flickorna på torget.

Sedan sade hon högt:

»Om de är ballonger så ska vi sticka hål på dem!« Och hon stack en knappnål i Dorinda.

Tom Filén stack en nål i Dina, och alla de andra barnen skrek:»Stick hål på ballongerna!«

Och de som stod närmast Dorinda stack nålar i henne, och de andra anföll Dina.

Dina och Dorinda började gråta. De grät så högljutt att alla blev förskräckta, och hela klungan av hundar började skälla.

Fru Filén, slaktarens hustru, fick tag i Tom och gav honom ett par örfilar. Fru Knapp, klädeshandlarens fru, som var mycket närsynt, grep tag i Robin och Robina Pillerin, i tro att det var hennes egna ungar, och dunkade ihop deras huvuden. Därigenom kom fru Pillerin och fru Knapp i luven på varandra, och herr Knapp blev slagen till marken av bagare Krans, som stod mycket stadigt på sitt träben och lappade till alla inom räckhåll. Några av barnen fortsatte alltjämt att sticka nålar i Dina och Dorinda, som skrek värre än någonsin, och sjutton hundar började nu också slåss på åtta olika ställen av torget, medan alla de andra hundarna skällde av full hals för att heja på dem.

Fru Russinkvist föll ner från drottning Viktorias staty, men hon föll lyckligtvis på herr Skrot, järnhandlaren som var mycket tjock, och därför gjorde hon sig inte illa.

Pastorn ropade:»Frid! Frid! Tiga är guld!« men ingen kunde höra honom, så det var ingen som fäste sig vid det.

Nu blåste konstapel Svärd, byns polisman, i sin pipa. Första gången han blåste i den slutade alla de äldre att gräla och tittade sig om för att se vad som stod på. Andra gången han blåste i den slutade barnen att skrika och stack inte fler nålar i Dina och Dorinda. Tredje gången han blåste i den slutade hundarna att skälla och allt blev tyst.

»I konungens namn!« skrek konstapel Svärd. »Om ni inte uppför er anständigt, sätter jag in er i kurran allesammans. Här får inte förekomma mer oväsen och bråk och skrål och skrän och skällande och slagsmål. Var nu snälla och hyggliga och gå hem var till sitt. Den som kommer för sent till sin lunch ska få smaka min batong! Gud bevare konungen!«

Och så gick alla hem och kände sig mycket skamsna, och fru Rytter och fröken Tjatlund försökte så gott de kunde lugna Dina och Dorinda. Men barnen bara grät och grät, fast öl-utköraren herr Malt körde dem hem på sin bryggarkärra, vilket var mycket trevligare än att rulla hela vägen.

4

D i n a och Dorinda kunde inte sluta att gråta. De grät i flera dagar. De miste sin matlust och ville inte äta något alls. Men de drack massor av mjölk och vatten och sockerdricka och saft, och kanske var det allt detta flytande som övergick i tårar. För de bara grät, mer och mer. De grät hela jullovet, och för var dag blev de tunnare och tunnare. De blev snart så smala som en lyktstolpe och sedan så smala som en promenadkäpp och sedan ännu smalare. Och deras ansikten var alltid röda och förgråtna.

En dag när de var i trädgården och satt och grät under ett äppelträd, såg deras mamma på dem och sade:

»De är smala som tändstickor! Med sina stackars små röda ansikten liknar de alldeles såna där stora stickor som deras pappa brukade tända sin pipa med.«

»Ett tidigt försök att framställa svavelstickor«, sade fröken Tjatlund, »gjordes av Robert Boyle, den kände naturvetenskapsmannen som dog 1680. Robert Boyle, vars far var earlen av Cork, upptäckte Boyles lag, enligt vilken volymen av en gas växlar i motsatt proportion till trycket. 1680 var förresten det år då parlamentet antog uteslutningslagen, och syftet med den var förstås att utesluta hertigen av Monmouth.«

Fru Rytter fäste sig inte vid vad fröken Tjatlund sade, utan skakade endast sorgset på huvudet och suckade:

»Jag är så orolig för er, barn små, och nu måste ni följa med mig till doktor Snällman. Men lova mig, Dina, att du inte tar med dig en sån där otäck skata som kan stjäla hans emaljöga.«

»Jag tycker inte om doktor Snällman«, sade Dina.

»Inte jag heller«, sade Dorinda.

»Men ni kan ju inte fortsätta att gå omkring och se ut som tändstickor«, sade deras mor, där hon stod bredvid dem och bara skakade så sorgset på huvudet. Hon hade på sig ett av sina långa halsband av gula pärlor, och när hon vände sig om för att titta först på Dina och sedan på Dorinda, svängde halsbandet ut och fastnade i en gren på äppelträdet.

»Å, så förargligt!« utbrast hon och tog dumt nog ett steg tillbaka. Halsbandets tråd brast, och alla pärlorna föll i gräset.

»Pärlor«, sade fröken Tjatlund, »är sannolikt den äldsta formen av prydnader som varit känd för människan. De har anträffats inte bara i det gamla Babylons ruin utan också i de enkla stenåldersgrottorna i norra Europa.«

»Den saken gör det inte lättare för mig att få tag i alla de här«, sade fru Rytter. Hennes ton var förargad, och fröken Tjatlund kastade sig genast ner på knä bredvid henne.

»Jag ska hjälpa er«, sade hon.

»Dina, Dorinda!« ropade fru Rytter. »Kom och sök reda på mina pärlor.«

Men Dina och Dorinda var försvunna. De hade sprungit genom trädgården och bort till en liten gräsplan, där tvätten brukade hängas ut till torkning när det var bykdag. Planen var omgiven av en järnekshäck, en tät och kraftig häck som glittrade grön i vintersolen.

»Ser vi verkligen ut som tändstickor?« sade Dina.

»Ja, du åtminstone«, sade Dorinda och spärrade upp ögonen. »Inte precis förstås, men nära på.«

»Du också«, sade Dina. »Gå längre bort. Lite längre ändå. Jaa, nog är du bra lik en tändsticka.«

Dorinda började gråta.

»Låt bli att gråta«, sade Dina. »Det bara gör saken värre.«

»Jag trodde det skulle bli roligt att vara stygg«, snyftade Dorinda. »Men hittills har vi då inte haft något roligt.«

»Det var roligt att äta så där mycket«, sade Dina.

»Men inte att bli stucken med knappnålar«, sade Dorinda. »Och inte att gråta i flera dagar heller.«

»Det var roligt att gråta till en början«, sade Dina »Det kändes faktiskt härligt och skönt. Att bara ge efter och tjuta och snyfta så mycket man ville och inte göra något försök att sluta, det var hemskt njutningsfullt, tycker jag.«

»Men inte i längden«, sade Dorinda.

»Ja, vi har hållit på att gråta för länge. Det värsta är – det har jag just kommit att tänka på – att vi blir tvungna att lära oss att vara stygga. Du vet hur svårt det är att lära sig att vara snäll. Det är kanske lika svårt att lära sig att vara stygg. Att vara stygg på rätta sättet, menar jag.«

Just då hörde de bakom sig en röst som sade:

»Där är de. Se på tändstickorna!«

»Tändstickor på torkplatsen!« sade en annan röst. »Vad i all sin dar!«

När de hastigt tittade sig om, upptäckte de Katrin Krans och fru Knapp från klädeshandeln, som båda stod lutade över häcken. Fru Krans, som var förfärligt närsynt, ville tydligen se så mycket som möjligt, och hon hade därför trängt sig långt in i häcken, så att grenarna böjde sig fram. Hon var alldeles röd i ansiktet av ansträngningen. Katrin Krans hoppade upp och ner, så att hennes mörka hår flaxade och liknade en stor svart korp som har bråttom att komma hem. Men Dina och Dorinda stod fullkomligt stilla. De var alldeles för rädda för att röra sig.

»Två tändstickor«, upprepade fru Knapp. »Har man nånsin sett på maken.«

»Vad var det jag sa?« utbrast Katrin Krans.

Hon hade verkligen sagt det. Hon hade spionerat på Dina och Dorinda i flera dagar, och när de gråtit under äppelträdet hade hon stått gömd bakom rhododendronbuskarna som växte invid trädgårdsmuren. Hon hade hört deras mor likna dem vid tändstickor, och när hon nu såg ett tillfälle att ställa till ofog, var hon angelägen att inte låta det gå förlorat. Trädgårdsgrinden ledde ut till en väg, och på den vägen hade Katrin Krans mött fru Knapp, klädeshandlarens hustru.

»Jag har sett något, jag«, sade Katrin Krans.

»Vad då?« frågade fru Knapp.

»Två stora tändstickor«, sade Katrin Krans.

»Ja, det var väl ingenting märkvärdigt«, sade fru Knapp.

»Men det var inga vanliga tändstickor«, sade Katrin Krans.

»Det var tändstickor på två ben.«

»Det var det värsta!« sade fru Knapp.

»Vill ni se dem?« frågade Katrin Krans.

»Ja visst«, sade fru Knapp.

»De finns där borta på torkplatsen«, sade Katrin Krans och så skyndade de nerför vägen, tills de kom till järnekshäcken.

»Där är de«, sade hon.

»Nej, jag har väl aldrig…« sade fru Knapp när hon trängt sig halvvägs genom häcken, »jag har väl aldrig sett något sånt! Tändstickor på två ben! Ja, det är en konstig värld vi lever i.«

»Vad tycker ni vi ska göra med dem?« frågade Katrin.

Dina och Dorinda var ännu så förskräckta att de inte vågade röra sig ur fläcken och stod där stilla och väntade andlöst på svaret.

Fru Knapp funderade länge och väl, och sedan utbrast hon i triumferande ton:

»Jo, stryka eld på dem, förstås! Är de tändstickor, så ska vi stryka eld på dem.«

»Det var just det jag tänkte«, sade Katrin Krans.

»Det är ju vad tändstickor är till för«, sade fru Knapp och skrattade, så att hon höll på att tappa andan.

Men när fru Knapp skrattade, lät det precis som när man skakar småsten i en bleckburk, och Dina och Dorinda som hörde det otäcka ljudet blev ännu mer förskräckta. Men denna gång kom förskräckelsen dem att springa, och de sprang in i huset så fort deras spinkiga ben kunde bära dem, och stannade inte förrän de var i trygghet i sitt eget rum med dörren väl låst.

Då sprang Katrin Krans också sin väg och lämnade fru Knapp mitt i järnekshäcken. Fru Knapp, stackare, som var alltför närsynt för att se vart alla hade tagit vägen, blev alldeles ifrån sig när hon fann sig ensam. Och ännu mer orolig blev hon när hon upptäckte att hon inte kunde ta sig ut ur häcken.

Grenar och kvistar klängde sig fast vid henne från alla sidor och höll henne fången. Hon blev rödare och rödare i ansiktet när hon kämpade för att komma loss. Hon tappade hatten, som föll ner på gräset innanför häcken, och hon ropade på hjälp.

»Hjälp, hjälp!« ropade hon, och rätt som det var hörde hon tunga fotsteg på vägen. »Vem är det?« frågade hon.

»Det är jag, fru Knapp«, sade en grov röst, vilken fru Knapp kände igen som konstapel Svärds.

»Hjälp mig att komma loss!« skrek hon.

»Sakta i backarna«, sade poliskonstapeln. »Tala först om för mig hur ni har kommit hit. Ni kanske var ute i olovligt ärende? Jag ser att det hänger ett par silkesstrumpor på klädstrecket. Ni tänkte väl aldrig stjäla dem, fru Knapp?«

»Hur vågar ni!« utbrast stackars fru Knapp. »En sån tanke skulle aldrig falla mig in. Jag är ärligheten själv, det vet alla.«

»Det kan så vara«, sade konstapel Svärd, »men lagen fäster sig inte vid vad alla vet. Lagen låter endast leda sig av bevis, och bevisen, fru Knapp, talar sorgligt emot er. Min plikt är klar som vatten. Jag får ta och sätta handklovar på er. I lagens namn, fru Knapp, häktar jag er. Gud bevare konungen!«

Och så drog poliskonstapel Svärd ut fru Knapp ur häcken och fäste med en handboja hennes högra handled vid sin egen vänstra, och trots alla hennes protester, som var många och högljudda, förde han henne med sig bort till fängelset.

Dina och Dorinda var under tiden inbegripna i en allvarlig överläggning.

»Jag tycker«, sade Dina, »att vi nu måste bestämma oss om vi ska sluta att vara styggа, eller om vi ska vara styggа på ett förståndigt sätt. Vill du sluta?«

»Nej«, sade Dorinda, »vi har ju just börjat. Det vore fegt att sluta redan nu.«

»Då måste vi bli förståndigare. För det tjänar ingenting till att vara styggа om vi bara får tråkigheter av det.«

»Jag vill ha hämnd«, sade Dorinda.

31

»På fru Knapp och Katrin Krans?«

»Jaa, och på alla i byn som stack knappnålar i oss.«

»Det vore inte så dumt. Men hur ska vi bära oss åt, så att vi inte får mer knappnålar i oss eller råkar ut för något annat obehagligt?«

»Inte vet jag. Men du kan nog hitta på något, Dina. Du brukar ha så goda idéer.«

»Jag har just kommit att tänka på en sak«, sade Dina. »Du minns väl hur hemskt rädda alla i byn blev när stora gråbjörnen kom inlufsande till herr Skrot i järnhandeln?«

»Det minns jag«, sade Dorinda. »Och ändå gjorde björnen ingenting annat än lämnade herr Skrot ett kuvert med baron Druvas namn och adress.«

»Han ville bara få komma till baron Druvas djurpark«, sade Dina. »Men alla blev så förfärligt rädda, och många klättrade upp i träden för att komma undan honom.«

»Det var en väldigt snäll björn«, sade Dorinda, »och han är kvar i djurparken än. Jag såg honom där för inte länge sen alls.«

»Nu ska vi skrämma folket precis som han gjorde.«

»Hur ska det gå till?« frågade Dorinda. »Tala om det för mig.«

»Jag ska tala om det för dig i morgon«, sade Dina, »så fort jag får min plan riktigt färdig.«

»Det ska bli skönt att få hämnd«, sade Dorinda.

Dina gick bort till ett bord där det stod en stor blå och vit mjölktillbringare och hällde upp två glas. Hon räckte Dorinda det ena.

»Du minns väl«, sade hon, »att pappa alltid vid högtidliga tillfällen brukade dricka skålar. För kungen och för frånvarande vänner och för regementet och för Nelsons minne och allt sånt. Ser du, nu ska vi också dricka en skål. För vår hämnd!«

»För vår hämnd!« upprepade Dorinda och tömde sitt glas så fort att hon fick mjölken i vrångstrupen. När hon hämtat sig lite frågade hon: »Vad tänker du tala om för mig i morgon?«

Dina gick på tåspetsarna till dörren och öppnade den försiktigt för att övertyga sig om att ingen stod på andra sidan

och lyssnade i nyckelhålet. Sedan kom hon tillbaka, alltjämt
på tåspetsarna, och viskade:

»Så snart vi har blivit bättre och känner oss starka igen, ska
jag gå till fru Häxelin och be henne hjälpa oss att göra något
riktigt förfärligt.«

5

DET var nu flera veckor senare. Dorinda låg mellan rötterna av en stor ek i utkanten av Lyckoskogen. Hon hade mycket gärna velat få följa med Dina till fru Häxelin, men Dina hade sagt nej. Fru Häxelin tyckte inte så mycket om besök, hade Dina sagt, och hon kunde bli förargad om man tog med sig någon som hon inte kände. Och blev hon förargad skulle hon bara göra sig osynlig, och sen kunde de hålla på att söka hela morgonen utan att finna henne. Och mot folk som kom till henne av bara nyfikenhet var hon ibland mycket obehaglig och skrek åt dem, så att man blev stel av förskräckelse. Alla var ense om att ingenting i världen var hemskare än att bli överöst med skällsord av den osynliga fru Häxelin.

Det vore därför klokast, hade Dina sagt, att hon gick ensam, och fastän Dorinda naturligtvis kände sig besviken, måste hon erkänna att systern hade rätt. Dorinda tyckte nästan alltid som sin syster, vilken hon beundrade oerhört för att hon var så påhittig och hade så vackert guldgult hår. Och Dina å sin sida beundrade Dorinda oerhört, för att hon var så modig och hade så vackert mörkt hår.

Därför väntade Dorinda tåligt, och när hon väntat både länge och väl fick hon äntligen se Dina komma gående mellan träden i skogen och sprang henne till mötes.

Båda såg nu ut som hälsan själv och kände sig åter starka och friska, för de hade för länge sedan slutat att gråta, och kvällen förut hade de ätit en god kvällsvard och i dag på morgonen en ännu stadigare frukost.

»Vad sa fru Häxelin?« ropade Dorinda. »Ville hon hjälpa oss? Hur såg hon ut? När ska vi få vår hämnd? Vad ska vi göra? Skynda dig och tala om det för mig, Dina!«

»Du kan få bära det här«, sade Dina och gav sin syster en liten ask gjord av flätat gräs. »Men akta den för den är mycket dyrbar.«

»Fick du den av fru Häxelin? Är det trolldom i den?« frågade Dorinda.

»Ja«, sade Dina. Och de satte sig båda mellan ekens rötter.

»Hör nu på«, sade Dina, »så ska jag berätta alltsammans för dig. Fru Häxelin var hemma. Hon satt och drack te och pratade med sin getabock Villy och skatan Moses. Jag vet inte riktigt vad de talade om, men det rörde sig om något av djuren i baron Druvas djurpark. Guldpuman tror jag.«

»Jag har sett den«, sade Dorinda. »Och det är den vackraste puma jag nånsin har sett.«

»Du har då inte sett så många«, sade Dina.

»Inte du heller«, sade Dorinda.

»Det är sant«, sade Dina förargad, »men det gör förresten detsamma nu, för vi talar om fru Häxelin och inte om några pumor. Ser du, hon lät Villy och Moses gå ut, och så bjöd hon mig på en kopp smultronsaft som smakade hemskt gott, och jag berättade för henne allt som hade hänt oss. Jag sa henne att du ville ha hämnd på folket i byn, och hon sa att det visade att du hade den rätta andan och att jag en vacker dag kunde få ta dig med till henne.«

»Å, så roligt!« sade Dorinda överlycklig. »När ska vi gå dit? I morgon?«

»Inte förrän du har blivit betydligt äldre«, sade Dina i bestämd ton. »Jag skulle aldrig ha drömt om att gå och hälsa på fru Häxelin när jag var i din ålder.«

»Det är nedrigt av dig att så där dra fördel av att du är två år äldre.«

»Nej, det är bara naturligt«, sade Dina.

»Det är nedrigt!« upprepade Dorinda.

»Du kommer inte att tycka det om två år, när du blir så gammal som jag är nu«, sade Dina.

»Jo, det kommer jag visst«, sade Dorinda, »för du blir alltid två år äldre än jag och skaffar dig nog alltid förmåner på min bekostnad på något sätt.«

Dina funderade på detta i nära en halv minut. Sedan sade hon:

»Men tänk bara efter vad som kommer att hända när vi blir riktigt gamla. När du blir nitti, så är jag nittitvå, och vid nittitvå år kan det nog hända att jag ligger på min dödsbädd. Men du som bara är nitti fortsätter att gå på bjudningar och ta små morgonpromenader och äta god mat, och du berättar för dina barnbarnsbarn allt vad du gjorde när du var en liten flicka. Du fortsätter att ha roligt, när jag ligger på min dödsbädd, och det blir ju förfärligt nedrigt mot mig. Så att med tiden kommer allting att jämnas ut.«

»Det har du kanske rätt i«, sade Dorinda, »fast jag får allt vänta i bra många år. Men berätta nu mer om fru Häxelin.«

»Hon sa att en gång när hon var borta hade några av pojkarna i byn kastat stenar på hennes hus och slagit ut ett fönster. Därför blev hon mycket glad när hon fick höra att vi ville skrämma dem, och hon lovade att hjälpa oss på allt sätt hon kunde. Sedan berättade jag för henne om stora gråbjörnen som kom in till herr Skrot i järnhandeln och hur gräsligt han skrämde alla. Och jag bad henne om ett trollmedel som skulle göra oss till björnar.«

»Inte för alltid ändå?« frågade Dorinda.

»Nej, bara för några dar förstås.«

»Jag skulle inte vilja vara en björn under hela resten av mitt liv«, sade Dorinda.

»Du ska inte bli någon björn alls, för fru Häxelin tyckte inte det var någon god idé. En björn har för tjock päls, och vi skulle känna oss så varma och otrevliga, sa hon. Vi skulle troligen få värmeslag under raggen, sa hon. Därför rådde hon oss att bli krokodiler. En krokodil kände sig alltid sval och skön, sa hon, och hon kunde inte tänka sig något som skulle skrämma byborna mer än att få se ett par väldiga krokodiler komma uppför gatan.«

»Jag tror inte jag vill bli en väldig krokodil«, sade Dorinda.

»Inte jag heller«, sade Dina, »och det sa jag henne med detsamma. Och då sa hon att en krokodil var vad hon närmast tänkt på, men tyckte vi inte om det, så fick vi hitta på något själva. Hon sa att hon skulle ge oss en trolldryck som kunde förvandla oss till vad som helst, men jag måste vänta medan hon lagade till den, för hon hade inte någon sådan på lager. Och det var därför jag dröjde så länge, för det tog henne nästan en timme att koka den. Hon satte en gryta på elden, och medan hon rörde sjöng hon en sång som på samma gång var receptet till drycken.«

»Sjöng hon vackert?« frågade Dorinda.

»Neej, inte så vackert«, sade Dina, »men mycket tydligt, man kunde höra vartenda ord.«

»Minns du sången?«

»Jag tror det. Vänta ett tag, så ska jag försöka sjunga den för dig.«

Dina rynkade pannan och viskade för sig själv, medan hon påminde sig orden, och sedan sjöng hon med en liten klar röst:

> Gökblomsrot och purjolök,
> Apetass och näbb av hök,
> Belladonnabär med salt,
> Tigermorrhår, lite malt,
> Lår av groda, rättikssnitt,
> Nånting svart och nånting vitt –
> Läggs i gryta, kokas sakta.
> (Blås på elden, väl den vakta!)
> Låt det stå och puttra smått
> I det bästa huggormsflott.

> Fjäder av fågel som aldrig flög,
> Två slags odört, låg och hög,
> Huggormstunga, gorillahand,
> Mask från en gammal noshörningstand,

Två, tre hår från en älgtjurssvans,
Sparv och spindel, rödmanetfrans –
Läggs i gryta, kokas sakta.
(Blås på elden, väl den vakta!)
Låt det stå och puttra smått
I det bästa huggormsflott.

Nattskärreägg, en flugsvampshatt,
Barslitet öra av gammal katt,
Vesslehjärna, ett öga av ren,
Nässelkvistar och spyflugeben,
Dypölsvatten och fönsterkitt,
Nånting svart och nånting vitt –
Läggs i gryta, kokas sakta.
(Blås på elden, väl den vakta!)
Låt det stå och puttra smått
I det bästa huggormsflott.

»Det var en bra visa«, sade Dorinda, »men jag tror inte att
medicinen kommer att smaka lika bra.«
»Den blir nog gräslig att ta«, sade Dina.
»Vi får hålla för näsan och svälja riktigt fort«, sade Dorinda,
»och sen blir vi – ja, vad blir vi? Det finns så många djur, så
det är förfärligt svårt att välja vilket. Jag vill inte bli en flodhäst
eller något sånt. Då skulle jag tycka mycket bättre om att bli
en antilop, men en antilop kan förstås inte skrämma någon
människa. Vad ska vi välja, Dina?«
»Jag har funderat mycket på det«, sade Dina, »och jag har
kommit att tänka på en sak: det finns en stor nackdel med att
vara ett djur. För djur har i allmänhet inga fickor, och de kan
inte bära med sig en portmonnä eller en handväska. Ska vi nu
vara hemifrån i flera dar, behöver vi naturligtvis en tandborste
med oss och en ren näsduk.«
»Och lite choklad«, sade Dorinda.

»Och det skulle inte vara dumt med en anteckningsbok heller.«

»Och jag skulle gärna ha med mig min nya klocka«, sade Dorinda.

»Och så måste vi förstås ha trolldrycken till hands, så att vi kan bli flickor igen när vi vill.«

»Vi kunde binda en liten väska om halsen på oss«, föreslog Dorinda, »och bära allting i den.«

»Jag har tänkt ut något mycket bättre«, sade Dina. »Det finns en sorts djur som har fickor.«

»Å, jag vet!« skrek Dorinda, »känguruer!«

»Ja«, sade Dina. »Det är förstås meningen att kängurun ska bära sin baby i den där fickan, men man kan väl lika gärna stoppa en anteckningsbok i den och en näsduk och en tandborste och lite choklad och vad man annars behöver.«

»På det sättet får vi det mycket bättre än vanliga djur«, sade Dorinda, »och byborna blir väl halvt ihjälskrämda när de får se oss komma skuttande på Storgatan, sju meter i taget.«

»Vi ska nog jaga upp dem i träden en gång till«, sade Dina.

»Det blir hemskt skojigt«, sade Dorinda. »Men tycker du inte i alla fall att det är lite grand otäckt att tänka att vi i morgon vid den här tiden är två känguruer?«

»Joo, lite«, medgav Dina.

»När ska vi dricka trolldrycken? Nu genast?«

»I morgon efter frukost. Och nu tycker jag att vi går hem och packar. Ja, inte precis packar, för vi har ju ingenting att packa i ännu.«

»Å, vad det är spännande«, utropade Dorinda. Och strax innan de gick in genom grinden därhemma, stannade hon och sade allvarligt: »Jag har ofta undrat vad jag skulle bli som stor, kanske danslärarinna eller konstberiderska eller en mamma med tio barn, men aldrig, aldrig, aldrig trodde jag att jag skulle bli känguru!«

6

V I D polisdomstolen i Medelby höll domaren Strängberg på att rannsaka fru Knapp såsom misstänkt för planlagt brott, närmare bestämt tjuvnadsbrott, det vill säga på vanligt språk, för försök att stjäla ett par silkesstrumpor. Herr domaren Strängberg satt på en sorts tron med en engelsk flagga bakom sig och bilder av Moder Britannia och hertigen av Wellington på vardera sidan. Där fanns också ett tänkespråk på latin som löd: *Fiat Justitia Ruat Coelum.* Detta förfärliga tänkespråk betyder:

> Under åska och blixt och jordskalv och skräll
> Skall jag sitta här och hoppas få skicka er i cell

Domaren bar en röd ämbetsdräkt och en alldeles ny peruk med fullt av vackra vita lockar, och han såg mycket imponerande ut.

Fru Knapp satt på de anklagades bänk med en fångvaktare på var sida och grät bittert. Herr Knapp hade just givit henne ett dussin nya näsdukar, direkt från affären, och hon hade redan använt tre av dem.

Åklagaren var herr Uppman och försvarsadvokaten var herr Nerman. De var mycket goda vänner, och de turades om med att vinna målen. Herr Uppman brukade vinna på måndagar, onsdagar och fredagar, och herr Nerman på tisdagar, torsdagar och lördagar. Men detta måste naturligtvis hållas strängt hemligt, för annars skulle ju ingen velat anlita herr Nerman för sitt försvar på en måndag eller en onsdag eller en fredag. I dag var det torsdag, och herr Uppman och herr Nerman var överens om att fru Knapp skulle förklaras icke skyldig. Men ingenting gick som de hade tänkt sig.

Herr Uppman – åklagaren – sade till fru Knapp:

»Tänkte ni stjäla strumporna, fru Knapp?«

41

»Nej!« sade fru Knapp harmset.

»Jaså!« sade herr Uppman och låtsades bli mycket miss-räknad. »Jag trodde att ni gjorde det! Så tråkigt! Ja, det är verkligen tråkigt! För om ni inte är skyldig, så vet jag faktiskt inte vad jag ska hitta på att säga.«

Och så satte han sig ner och tog sig en stor pris snus. Men herr domare Strängberg, som var på dåligt humör, röt åt herr Uppman:

»Då är ni en stackare! En riktig stackare, min herre!« och till fru Knapp skrek han: »Vad tjuter ni för, om ni inte är skyldig?«

Varpå fru Knapp grät värre än någonsin, och detta gjorde ett mycket dåligt intryck på alla de närvarande.

Sedan höll försvarsadvokaten herr Nerman ett alldeles ut-märkt tal. Det var så utmärkt att till och med åklagaren då och då klappade i händerna och utropade »Bra sagt, Nerman! Förträffligt!« Det var ett så storartat anförande att byborna, som hade kommit för att höra på rannsakningen och satt där och åt smörgås och hårdkokta ägg och drack te ur termos-flaskor, steg upp när det var slut och applåderade av alla krafter. Somliga ropade till och med: »Da capo!«

Och herr Nerman, som såg mycket belåten ut, reste sig också och bockade sig åt alla håll och delade ut små kort, på vilka det stod tryckt:

ADVOKAT NERMAN
Englands förnämste jurist

Skäliga priser	Förra årets bokslut
och	var
Hövligt bemötande	98 vinster och 14 nitar

Spécialité de la Maison: Försvar av mördare

Domaren råkade nu i fullt raseri. En lång stund hade han redan ropat: »Utrym domsalen! Utrym domsalen!« Men ingen hörde honom, för det var ett sådant oväsen. Till slut steg han ner från sin tron, kavlade upp ärmarna och lånade en batong av poliskonstapel Svärd. Med den började han slå och bearbeta varenda en som kom inom räckhåll för honom, däribland också åklagare Uppman och advokat Nerman, och efter en stund hade han drivit ut dem allesammans.

Sedan gick han tillbaka till sin tron, och där satt han och pustade och flåsade med peruken på sned och ärmarna uppkavlade ända till armbågarna.

»Ja, nu kan vi fortsätta med förhöret«, sade han efter en stund.

Under hela tiden hade juryn suttit mycket tyst och värdig i sin avbalkning. Somliga lade patiens, andra löste rebusar, några läste och några stickade. De kände med sig att de var de viktigaste personerna i domsalen, och de var beslutna att inte bry sig om de andra. Långt innan rannsakningen började hade de alla bestämt hur de skulle rösta, och naturligtvis ville de inte höra något som kunde komma dem att ändra uppfattning. Juryn bestod av följande välkända, pålitliga och högt aktade medborgare: doktor Snällman, slaktare Filén med fru, specerihandlare Russinkvist med fru, bagare Krans med fru, fru Pillerin, apotekarens hustru, ölutkörare Malt, fru Skrot, järnhandlarens hustru, fru Nådendal, pastorns maka, och herr Gido Gitarr, läraren i musik och dans. Juryns ordförande var doktor Snällman, som just nu satt och putsade sitt emaljöga med en silkesnäsduk.

»Mina herrar och damer i juryn«, skrek domaren, »jag ger er fem minuter att fatta ert beslut och avge ert utslag. Ni har hört vittnesmålen, ni har hört advokat Nerman prata en hel del strunt, och ni har hört herr Uppman, den stackarn, knappast få fram ett ord. Enligt min mening bör fru Knapp skickas i fängelse. Men i enlighet med den brittiska lagen, som är den bästa i världen...«

»Hurra!« skrek poliskonstapel Svärd.

»...i enlighet med den brittiska lagen«, fortsatte domaren, »måste domen fällas av er. Skyldig eller icke skyldig: det ena eller det andra. Om ni förklarar fru Knapp skyldig, ska den eländiga kvinnan i fängelse, som hon så väl förtjänar. Förklarar ni henne icke skyldig, så måste jag ge henne fri, och hon kan fortsätta att gå omkring och stjäla silkesstrumpor var hon kommer över några.«

»Det har jag aldrig gjort och kommer aldrig att göra«, snyftade fru Knapp, men ingen lade märke till henne.

»Jag ska emellertid inte säga något som kan inverka på ert beslut«, sade domaren. »Ansvaret vilar på er. Ni har fem minuter på er, mina herrar och damer, fem minuter och inte en sekund mer!«

Domaren tog upp sin klocka och lade den framför sig på bordet. Doktor Snällman, som ibland var en smula tankspridd, stoppade sitt emaljöga i västfickan och tryckte in en liten kautschukbit där hans öga skulle ha suttit. Sedan vände han sig till juryn och sade:

»Nu ska jag fråga var och en av er i tur och ordning om ni anser stackars fru Knapp skyldig eller icke skyldig, och jag ska anteckna era svar på den här papperslappen. Nå, herr Filén, vad är er åsikt?«

»Icke skyldig«, sade herr Filén.

»Skyldig«, sade fru Filén.

»Skyldig«, sade fru Russinkvist.

»Icke skyldig«, sade herr Russinkvist.

»Icke skyldig«, sade herr Krans.

»Skyldig«, sade fru Krans.

»Skyldig«, sade fru Pillerin.

»Skyldig«, sade fru Skrot.

»Icke skyldig«, sade herr Malt.

»Skyldig«, sade fru Nådendal.

»Icke skyldig«, sade herr Gido Gitarr.

»Och jag«, sade doktor Snällman, »säger också icke skyldig. Om vi nu räknar samman alla Skyldig och Icke Skyldig, så får vi se vilken sida som vunnit.«

Men strax därpå utropade han:

»Så förargligt! Sex av oss anser att hon är skyldig och sex av oss tror att hon inte är skyldig! Därför har ingen sida vunnit, och vi kan inte ge något utslag. Ni ska få se att domaren blir rasande för det här.«

Det blev han också.

»Jag fordrar att ni ger ert utslag!« skrek han. »Och ni där!« – han pekade på doktor Snällman –»Ta genast bort den där kautschukbiten ur ert öga!«

»Varför det?« frågade doktor Snällman. »Den känns mycket skönare än emaljögat.«

»Bry er inte om varför, gör som jag säger. Och nu ska jag ge er, eländiga jury, en minut till.«

Men jurymedlemmarna hade naturligtvis alla bestämt sig långt i förväg, och ingenting kunde förmå dem att ändra sig. Alla männen var övertygade om att fru Knapp var oskyldig, för de tyckte synd om henne. Och alla kvinnorna var lika säkra på att hon var skyldig och borde skickas i fängelse, för det var skamligt, tyckte de, att frun i klädeshandeln, som kunde få hur mycket strumpor hon ville utan att betala ett öre, skulle gå omkring och försöka stjäla sådana. Till slut måste doktor Snällman ge upp försöket och säga domaren att de inte kunde ena sig och alltså inte kunde fälla något utslag.

Då blev domaren mäkta vred och skrek: »Jag ska skicka er *alla* i fängelse! För vad då? För visad missaktning mot domstolen! Sex månaders fängelse för er allihopa! Det ska lära er att ta ert förnuft tillfånga och ge mig ordentligt besked när jag begär det. Sätt handklovar på dem, konstapel Svärd, och ta dem med er. Och fru Knapp behåller vi i häkte tills vidare, så ni får ta henne också. I väg nu med dem allihopa!«

Medlemmarna av juryn blev stela av fasa över denna för-färliga dom, och innan de kom sig för att säga något, hade konstapel Svärd kedjat ihop dem två och två och börjat driva ut dem ur domsalen.

En stor människomassa väntade på dem utanför. Där var dels de som hade blivit utkörda ur domsalen, dels en mängd andra som aldrig lyckats tränga sig in dit. De blev mycket häpna, och många blev verkligt upprörda när de fick se jurymedlemmarna komma ut sammankedjade med handbojor och hörde vad som hade hänt dem. Det blev skrik och rop, och poliskonstapel Svärd började se ganska ängslig ut. Alla försökte att komma de stackars jurymännen och jurykvinnorna så nära som möjligt för att skaka hand med dem och ge uttryck åt sitt deltagande, och konstapeln började nästan frukta att han skulle tappa bort hälften av sina fångar i hopen.

Då gjorde pastor Nådendal något mycket ädelt. Fastän hans egen hustru var slagen i bojor och på väg till fängelset, klättrade han upp på en kärra, och från denna upphöjda plats ropade han med hög röst:

»Mina vänner! Det är en stor sorg för oss att se så många av våra kära tagna ifrån oss, men vi får inte ge upp! Vi får inte bli nedslagna. Vi måste tänka på allt det goda vi ännu har kvar. Låt oss hålla modet uppe och se på framtiden med tappra hjärtan. Och jag tror det vore bra om vi nu sjöng en sång som vi alla kan och som är alldeles särskilt lämplig just vid detta tillfälle.«

Och med en vacker, klar röst började pastorn sjunga:

> Faderväl och adjö, spanska flicka,
> Faderväl lilla spanientjej!
> För se nu ska vi segla till England,
> Men snart är jag åter hos dej!

Snart stämde hela folkmassan in i sången, och när den var slut sjöng de med känsla och övertygelse en till.

Sedan sade konstapel Svärd att hans fångar måste skynda på, för i fängelset serverades middagen alltid klockan tolv, och kom man för sent fick man ingen mat. Då satte sig genast jury-männen och jurykvinnorna och fru Knapp med dem i rörelse och gick med stor fart, så att deras handbojor skramlade och klirrade, och allt folket marscherade med i två långa kolonner, en på var sida om dem.

Men knappt hade de gått ungefär hundra steg, förrän de tvärstannade inför den mest häpnadsväckande syn man kan tänka sig. Med väldiga luftsprång och sju meter långa hopp kom två stora känguruer emot dem från andra änden av gatan.

7

DORINDA var den första som vaknade den morgonen. Hon hade drömt att hon redan var en känguru, och hon blev riktigt missräknad när hon såg att hon ännu var en liten flicka. Hon började föreställa sig eller försöka föreställa sig hur det skulle kännas att leva inne i en långhårig päls och att luta sig bakåt som i en stol mot sin egen långa, starka svans. Och från den ställningen skulle hon sedan kunna ta ett stort, långt rum i ett enda skutt. Känguruer hade det verkligen bra på många sätt.

Hon smög sig upp ur sängen för att söka inta det rätta hoppläget, och just i samma stund steg Dina tyst upp ur sin säng med precis samma tanke i sin hjärna. För också hon hade så snart hon vaknat börjat fundera på de nya upplevelser som väntade henne. Och så började både hon och Dorinda öva sig i känguruhopp på barnkammargolvet, men de fann det ganska svårt utan någon svans till hjälp. Tiden gick långsamt, och de tyckte det dröjde förfärligt länge innan frukosten blev färdig.

Så snart de kunde gav de sig sedan i väg och sprang utan att stanna en enda gång bort till den närmaste delen av Lyckoskogen. Det var den bästa plats de hade kunnat hitta på för att dricka trolldrycken, för de ville naturligtvis inte förvandlas till känguruer i barnkammaren och kanske skrämma livet ur sin mamma. Förresten kunde det bli nog så svårt att ta sig utför trappan. Dina trodde inte att känguruer var vidare styva på trappor.

Därför skyndade de nu till skogen, och Dina bar mycket försiktigt den lilla asken av flätat gräs med fru Häxelins medicin, och Dorinda bar två små bylten, som innehöll allt vad de ville ha med sig. När de kom till ett ställe som de tyckte var bra, stannade de och såg sig länge omkring för att övertyga sig om att ingen fanns i närheten. Sedan öppnade de gräsasken och läste vad som stod på flaskan. Och detta var vad fru Häxelin hade skrivit på etiketten:

Anvisningar för hur man ska förvandla
sig själv till vad helst man önskar bli.

1. Skaka flaskan.
2. Klä av dig.
3. Vik ihop kläderna ordentligt och göm dem på en säker plats.
4. Vänd dig tre gånger motsols och säg: Jag vill bli vad det nu är du vill bli.
5. Skaka flaskan igen.
6. Ta en matsked av innehållet.
7. Sätt i korken igen.
8. Ta en liten promenad.

(Undertecknat) Fru Häxelin

»Detta är ett högtidligt ögonblick«, sade Dina då hon tog av sig sina skor.

»Mycket högtidligt«, sade Dorinda. »Jag är glad att det är en varm dag.«

»Det finns ett hål i den här eken«, sade Dina. »Vi kan stoppa in våra kläder i det.«

De lade in sina kläder i hålet i eken och skakade sedan flaskan för andra gången. Det fanns precis fyra matskedar i den, och Dina hade kommit ihåg att ta med sig en silversked. Hon gav först Dorinda vad hon skulle ha och tog sedan hastigt själv sin andel.

»Brrrr!« sade Dorinda och blev alldeles blek.

»Något så otäckt har jag aldrig smakat i hela mitt liv«, pustade Dina. Men hon satte åter korken i flaskan och sade beslutsamt till Dorinda: »Nu tar vi en liten promenad. Du kan gå åt det där hållet, så går jag åt det här.«

Hon ville bli ensam, för hon trodde hon skulle kräkas. Men om en liten stund kände hon sig mycket bättre och så märkvärdigt stark. Hon kände sig faktiskt starkare än hon någonsin varit eller någonsin drömt om att bli, och hon tyckte också att gräset och bladen aldrig hade varit så vackra förr. Hon stoppade några strån i munnen och tuggade dem, och till hennes förvåning smakade de alldeles som smörgås med honung. Och när hon sedan fick se en buske framför sig, tog hon ett hopp över den, och hon tänkte: Aldrig förr har jag kunnat hoppa så högt!

Men plötsligt tvärstannade hon, full av fasa, för på bara några stegs avstånd fick hon se ett vilt djur, en stor grå känguru!

Hennes hjärta höll nästan på att stanna, för hon hade aldrig trott att hon skulle möta en riktig känguru, och först tänkte hon vända och springa sin väg, men så kom hon att tänka på Dorinda. Hon måste ju varna Dorinda.

Därför ropade hon så högt hon kunde:

»Dorinda, Dorinda! Akta dig! Det är en känguru i skogen!«

Hennes röst lät så besynnerligt olik allt vad hon förut hört, men det berodde väl på att hon blivit så rädd, tänkte hon.

Kängurun tycktes också ha varit på vippen att springa sin väg. Men den stannade när den hörde Dina ropa, och nu hörde också Dina Dorindas röst. Hon trodde åtminstone att det var Dorindas röst, fast den inte var lik hennes vanliga, och rösten sade: »Dina, Dina! Akta dig! Jag ser en känguru!«

Men rösten som var Dorindas kom från kängurun som Dina hade blivit rädd för. Kängurun var Dorinda!

Och Dina, som kände sig mycket het och underlig, såg ner på sina egna stora ben och över axeln på sin långa, väldiga svans och förstod att hon också hade blivit en känguru och skrämt Dorinda lika mycket som hon själv blivit skrämd. Trolldrycken hade verkat.

»Å, Dorinda!« utbrast hon.

»Å, Dina!« sade Dorinda.

»Jag blev så rädd när jag fick se dig«, sade Dina.

»Och jag när jag fick se dig«, sade Dorinda.

»Vi ser säkert ut precis som riktiga känguruer«, sade Dina.

»Fru Häxelin måste vara en mycket skicklig trollgumma«, sade Dorinda.

»Det kommer nog att kännas bättre bara vi blir vana vid det«, sade Dina. »Jag har redan gjort ett par stiliga hopp.«

»Men det känns hemskt konstigt nu i början«, sade Dorinda. Efter några minuter var de emellertid redan fullt vana i sin nya skepnad och mycket nöjda med sig själva. De övade sig med långa hopp och med att stå upprätt med stöd av svansarna, och de fann att deras armar, fast de var små i jämförelse med de långa benen, var till stor nytta. Nästan till lika stor nytta som människornas armar och händer.

Sedan de sprungit omkring och hoppat i en halvtimme, beslöt de att gå in till byn. Men först vände de tillbaka till det ställe där de druckit trolldrycken och packade omsorgsfullt ner i sina magars djupa hudfickor allt vad de haft med sig hemifrån.

Dina hade medfört en anteckningsbok och en blyertspenna och ett radergummi, två näsdukar och en tandborste, nyckeln till bakdörren och en chokladkaka. Allt detta stoppade hon ner i sin ficka och därtill medicinflaskan och silverskeden.

Dorinda hade tagit med sig lite mjölkchoklad och sin nya klocka, sin tandborste och en kam och en pennformerare och en bok som hette »Djurlivet på Borneo«, som hon trodde kunde bli till nytta, men den visade sig för stor att rymmas i hennes ficka och måste lämnas kvar. Hon hade glömt att ta med sig näsdukar, men Dina sade att hon fick låna en av hennes om hon behövde.

Och sedan gav de sig i väg till byn.

»Nu ska vi hämnas!« sade Dina.

»Ja, nu ska vi hämnas!« sade Dorinda och hoppade över en häck och tillbaka igen.

I utkanten av byn såg de inte till några människor alls. Gatorna var tomma, för alla stod just och väntade utanför polisdomstolen för att höra vilken dom fru Knapp skulle få. Inte en själ syntes till förrän de kom till Almvägen, men där såg de en massa människor, en hel procession, närma sig. Det var alla de som följde juryns medlemmar till Medelbys fängelse. De sjöng en mycket vacker och hurtig sång som kyrkoherden hade lärt dem för bara några veckor sedan, och den hette »Vi traskar i träskor«.

När Dina och Dorinda plötsligt fick se så många människor och hörde den skallande sången, blev de lite ängsliga och stannade ett ögonblick. Det behövdes stort mod, det kände de, för att gå till anfall mot Medelbys hela befolkning. De hade inte väntat att finna dem samlade så här.

Men när folket i Medelby fick se två stora, grå känguruer komma emot sig, blev de mycket räddare än Dina och Dorinda. De stannade också och deras vackra sång dog bort.

Då sade Dina:

»Pappa är soldat. Han skulle aldrig vika för fienden. Till anfall, Dorinda, till anfall!«

Med väldiga hopp och svängande armar störtade de fram i full fart. Aldrig förr hade en sådan syn skådats på Almvägen.

Byborna vände och sprang åt alla håll, men fångarna, som var sammankedjade två och två, kunde inte röra sig fritt, och några av dem blev därför lämnade i sticket. En enda man försökte försvara byn, och det var konstapel Svärd. Han ställde sig tappert mitt på vägen och ropade till känguruerna: »Halt, i konungens namn! Halt, jag häktar er!«

Men med en spark i förbifarten slog Dina omkull honom. Hon gjorde det så försiktigt hon kunde, för hon tyckte bra om poliskonstapeln, som var en hygglig karl, men hennes stora känguruben var så starka att bara en liten mild spark kom honom att snurra runt två gånger i luften, innan han hamnade på gatan igen. Sedan fick hon tag i Tom Filén, slaktarens son, och sparkade ner honom i ett dike. Och Dorinda fick fatt i Robin och Robina Pillerin, som försökte klättra upp i ett träd, men trädet var redan fullt av människor, så de fick inte rum där, och Dorinda sparkade dem båda två in i en trädgård.

Vartenda träd längs hela Almvägen var fullt av människor

som hade klättrat upp bland grenarna för att komma undan känguruerna. Men många av byborna, däribland fångarna, som hade handbojor och därför inte kunde klättra upp i träden, sprang i riktning mot torget, och Dina och Dorinda jagade dem längs hela Almvägen och sedan uppför Tulpangatan och kring drottning Viktorias staty. Just som de rusade förbi porten till polisdomstolens hus kom domaren Strängberg ut för att se vad det var för oväsen. Hans skjortärmar var ännu uppkavlade och han rökte en cigarr. När han fick syn på känguruerna drog han sig hastigt tillbaka in på polishusets gård, slog igen porten efter sig och låste och reglade den. Sedan gick han till telefonen och ringde till baron Dagobert Druva.

Dina och Dorinda jagade folket tre gånger runt drottning Viktorias staty. Pastorn som var styv på att klättra hade klängt upp i drottningens knä tillsammans med fru Russinkvist, och pastorn sade: »Jag önskar jag hade min kamera här! Å, vad jag önskar att jag hade min kamera här!« Men alla andra önskade bara en enda sak i världen, och det var att inte bli sparkade av känguruerna.

När Dina och Dorinda sprang runt statyn för tredje gången, fick de syn på Katrin Krans som kom åkande på en cykel tillhörig Villy Filén, slaktarens andre son.

»Titta!« ropade Dina. »Där kommer Katrin Krans!«

»Henne ska vi jaga!« skrek Dorinda.

Och nu jagade de henne uppför Rosengatan och genom Ekgatan och längs hela Ekvägen. Vid slutet av Ekvägen tog Katrin av på Medelbyvägen, och Dina och Dorinda var hack i häl efter henne. Men Villy Filéns cykel var en racer, och Katrin Krans körde mycket fort med huvudet ända nere på styrstången, och hennes långa smala ben gick som pistongerna på en ångmaskin. Flera gånger höll hon på att bli upphunnen, men hon lyckades behålla sitt försprång och körde fortare och fortare. Dina och Dorinda, som inte var så vana ännu att vara känguruer, började till slut bli ganska trötta.

Medelbyvägen ledde till Medelby stora herrgård, där baron

Dagobert Druva bodde. Det var höga järngrindar vid ingången till hans gods, och lite längre fram ledde vägen på en välvd bro över Brillån.

Järngrindarna stod öppna på vid gavel, och Katrin Krans körde bara på. Hon åkte över bron, och Dina och Dorinda var endast en meter efter henne. Men då kom plötsligt, kastat av någon som stod bakom ett träd på vänstra sidan av vägen, ett långt rep susande genom luften och en snara föll ner omkring Dinas hals. Samtidigt kom från andra sidan vägen ett annat rep, som slog sig om Dorindas hals. De rycktes omkull och rullade flera varv omkring i gräset. De föll med en hård duns, och sedan tyckte de att vägen och bron och gräset och träden och Katrin Krans på sin cykel och de båda männen som kastat snarorna snurrade runt, runt. Så småningom slutade de att rulla omkring och satte sig upp och fick en klarare överblick av läget.

Det var baron Dagobert Druva och herr Djurling, hans djurskötare, som hade snarat och fångat dem med var sin lasso. Baron Druva hade blivit varskodd av domaren Strängberg om att det fanns känguruer i byn, och han hade då vidtagit de nödvändiga förberedelserna. Därför stod han och hans djurskötare på lur när Dina och Dorinda på sin jakt efter Katrin Krans kom in på hans område.

Han blev mycket glad att få två fina känguruer till sin djurpark, och han gav Katrin Krans en silverslant i belöning för den del hon haft i infångandet. Katrin Krans såg het och förstörd ut, men hon blev glad åt att få en slant för egen räkning och åkte hem med triumferande min.

Dina och Dorinda däremot var ingalunda så glada. De var helt naturligt lite rädda och kände sig mörbultade efter fallet. Och de var mycket onda på baron Druva för att han hade givit Katrin Krans pengar. De försökte dock inte fly när herr Djurling ledde bort dem till djurparken, utan gick beskedligt in i den bur som ställts i ordning för dem.

Den var stor och ren med ett litet hus längst bort och bakom det en liten trädgård med ett högt staket omkring. Det var en välskött djurpark, och allting i den var mycket snyggt och välordnat. Herr Djurling tog snarorna av deras halsar, låste buren om dem och lämnade dem ensamma.

»Vad ska vi nu göra?« frågade Dorinda modstulet.

»Inte vet jag«, svarade Dina.

»Men titta!« utbrast Dorinda och pekade på buren bredvid till höger.

Från huset bakom den, ett mycket större hus än deras, kom en väldig giraff med utstående ögon klivande, och han stirrade på dem högst oroande.

»Och titta där!« sade Dorinda och pekade på buren på andra sidan. »Det är stora gråbjörnen som var och hälsade på herr Skrot i järnhandeln«, viskade hon.

Björnen såg på dem ganska vresigt, som om han alls inte tyckte om att han fått grannar. Men han sade inget.

»Jag tycker inte om att giraffen och björnen stirrar på mig så där«, sade Dorinda.

»Inte jag heller«, sade Dina. »Vi går in i vårt hus, där kan de inte se oss.«

I huset fanns ingenting annat än en foderhäck, men där var de i alla fall för sig själva, och de satte sig på golvet, lutade sig mot sina svansar och övervägde vad de nu skulle ta sig till.

Sedan de funderat länge och väl sade Dorinda:

»Ja, vi har fått vår hämnd, och vi har ännu lite kvar av fru Häxelins trolldryck. Om vi tar de två matskedarna som finns i flaskan och förvandlar oss till flickor igen, måste baron Druva släppa ut oss. Han kan inte hålla kvar två flickor i en djurpark.«

»Men det blir svårt att förklara hur vi har kommit hit«, sade Dina.

»Du får väl hitta på något«, sade Dorinda.

»Det blir inte lätt det«, sade Dina, men hon trevade i alla fall i sin ficka efter flaskan med trolldrycken. Hon tog upp anteckningsboken och blyertspennan och silverskeden och en näsduk. Hon trevade och trevade. Men det fanns ingenting mer i fickan!

»Å, Dorinda!« utbrast hon. »Jag har tappat den! Jag har tappat nyckeln till bakdörren också och min chokladkaka och min tandborste, fast det betyder ju inte så mycket. Men vad ska det bli av oss utan fru Häxelins trolldryck?«

»Vi kanske måste vara känguruer i hela vårt liv«, sade Dorinda. »Å, Dina!«

»Å, Dorinda!« sade Dina.

8

BARON DAGOBERT DRUVA var en lång, mager man med litet huvud och stora ljusblå ögon, som kom honom att se vänlig, men en smula dum ut. Han hade rest mycket, och i avlägsna främmande länder hade han lärt sig att använda sådana underliga vapen som båge och pil, blåsrör, kastkulor, lasso, kastspjut och bumerang. Han brukade öva sig med dem två gånger i veckan i sin park. Han hade en lång, mager hustru, som dock inte hade mycket att säga till om. Hon bara tjatade för att hon inte hade så roligt som hon skulle vilja, och baron Dagobert brydde sig inte om henne. All hans omtanke gällde djuren i hans djurpark, och han gjorde allt vad han kunde för att de skulle ha det bra. De flesta av dem var mycket nöjda med det liv de förde, men där fanns en puma, ett vackert djur med fin, guldglänsande päls, som inte kunde glömma friheten i djungeln där hon var född, inte kunde glömma den heta solen om dagen och jakten i månskenet. Hon var inte lycklig. Och så fanns det en falk från Grönland som hade nästan alldeles snövita fjädrar. Han tänkte jämt och samt på den kristallklara luften där uppe i norden och de vidsträckta utsikterna över de snöklädda bergen, och han var inte lycklig heller.

Morgonen efter Dinas och Dorindas infångande kom baron Druva mycket tidigt för att se hur de hade det. Dina och Dorinda blev glada när de fick se honom. De kände honom väl till utseendet, och en gång när han varit på te hemma hos dem hade de till och med talat med honom. Det var lugnande att minnas detta, och Dina försökte föreställa sig hur häpen han skulle bli om han kom underfund med vilka hans känguruer i verkligheten var.

Baron Druva var klädd i sportkostym. Han hade gul väst och grön hatt och rökte pipa. Ur rockfickan stack det upp ett nummer av tidningen *Times*. Till utseendet var han inte olik pappa, tänkte Dorinda. Och med vemod mindes hon hur långt borta hennes pappa var, långt borta i ett främmande land och kanske omgiven av faror.

Herr Djurling, som följde med baron Druva, var en liten tjock och bredaxlad man med ett gladlynt uttryck i sitt rödkindade ansikte. Han hade på sig en linnejacka, tjocka, stadiga ridbyxor och en rundkullig hatt. Han och baronen stod lutade mot buren bredvid där björnen låg och gäspade i morgonsolen, och de tittade tankfullt på känguruerna. Slutligen sade baron Dagobert till sin djurskötare:

»Det är de finaste känguruer jag någonsin sett, men de verkar inte riktigt nöjda. Vi kan gärna ta ut dem på en promenad och visa dem djurparken. Det kommer kanske att pigga upp dem.«

Då öppnade herr Djurling deras bur och satte på dem halsband som liknade stora hundhalsband och förde sedan ut dem. Det var järnkedjor fästa vid halsbanden, och baron Druva ledde Dina och herr Djurling ledde Dorinda.

»Och nu«, sade baron Druva med vänlig röst, »ska vi presentera er för de andra invånarna här, och vi hoppas att ni ska komma på god fot med dem. De flesta av dem trivs mycket bra tillsammans, och de får komma ut varenda dag och leka i parken och nere vid ån. Ni har redan sett Grissle, gråbjörnen, och herr Högman, giraffen. De hör till de allra mest ansedda medlemmarna i min djurpark. Och här har vi Marie Louise, en peruansk lama. Hon är mycket stolt av sig och ni kan själva se att hon rynkar på näsan åt er. Men i grunden har hon ett hjärta av guld. Eller hur, Marie Louise?«

Laman såg verkligen mycket kall och föraktfull ut, men när baron Druva sträckte in sin arm mellan burens stänger och kliade henne på halsen smålog hon på sitt eget vis, slöt ögonen till hälften och sade tyst: »Vad han har för ett förtjusande sätt!

Tycker ni inte baron Druva är den vackraste karl ni någonsin har sett?«

Varken baron Druva eller herr Djurling förstod ett enda ord av vad Marie Louise sade, men Dina och Dorinda förstod henne fullkomligt, till stor överraskning för dem själva. Eftersom de nu var känguruer kunde de djurens språk lika bra som sitt eget människospråk, och de hade lärt sig det utan besvär. Och detta var så mycket mer glädjande, som de mindes alla tråkiga timmar de suttit i skolrummet med fröken Tjatlund och försökt lära sig franska.

Och när det kommer till kritan, tänkte Dina, vad är det egentligen för idé att lära sig franska? För franska människor resonerar ju om precis samma saker som vi gör: och varför man ska tala om samma saker på två olika språk, det kan jag då inte begripa. Men att prata med en kamel eller en leopard till exempel, det måste vara mycket intressant.

Hon och Dorinda började nu redan känna sig lite gladare. Baron Druva presenterade dem för en antilop, en rävapa, en myrslok och en zebra. Där fanns också en väldigt stor pytonorm, men han sov djupt och de ville inte väcka honom.

»Han sover mycket«, sade baron Druva, »men om ni någon gång träffar på honom vaken så ska ni få se att han är ovanligt intressant. Han är givetvis en av de mest framstående medlemmarna här.«

Sedan gick de tvärs över parken. Borta i ett hörn på andra sidan skymtade en liten inhägnad där två strutsar bodde. De kallades för herr Bobadill och fru Lill.

»De har nyligen haft en mycket stor sorg«, berättade baron Druva. »För några dagar sedan lade fru Lill sitt första ägg. Det var ett sällsynt vackert ägg, och de var naturligtvis mycket stolta över det. Men så hände något alldeles förskräckligt. Ägget försvann! Vi har sökt efter det överallt, men inte ett spår har vi funnit. Det är fullkomligt obegripligt. Och herr Bobadill och fru Lill, stackare, var ju alldeles nedbrutna. Men i går lade hon ett nytt ägg, och de blev så förtjusta bägge två över det att jag hoppas de nu har glömt sin sorgliga förlust. För när allt kommer omkring så är ju det ena ägget mycket likt det andra. Där borta under lindarna är det de bor.«

»Vad står nu på?« sade herr Djurling.

»Vad menar ni?« frågade baron Druva.

»Vad är det fatt med strutsarna?« sade herr Djurling. »Varför för de ett sånt oväsen?«

När de kom närmare inhägnaden kunde de se hur strutsarna där inne rusade fram och tillbaka med stora steg, tydligen mycket upprörda. De skrek åt varandra med ilskna röster, och Dina och Dorinda fick snart veta orsaken till deras gräl.

»Det är ditt fel!« sade fru Lill om och om igen. »Det är helt och hållet dit fel. *Bara* ditt fel. Å, vad jag avskyr dig!«

»Det var inte alls mitt fel«, skrek herr Bobadill. »Jag tog mig bara en liten promenad – ingen lång promenad, bara en liten – och jag var inte borta mer än en halvtimme.«

»Sen jag hade legat på det hela natten!« snyftade fru Lill. »Allt vad jag begärde av dig var att du skulle se till det en timme eller två medan jag fick mig lite frukost, och när jag kommer tillbaka är du ingenstans att upptäcka, och inte *det* heller, och nu är jag alldeles nedbruten av sorg. Å, vad ska jag göra? Först det ena och sen det andra! Mina vackra ägg, mina kära, kära ägg! Varför gick du din väg? Varför stannade du inte och såg efter det?«

»Jag gick bara ner till ån för att tala lite med Svarta svanen«, sade herr Bobadill. »Det var väl inget illa med det?«

»Inget illa med det?« utropade fru Lill. »Hur vågar du säga något sånt! Mitt vackra, vita ägg har blivit stulet därför att du inte behagade vara hemma och se efter det, och sen frågar du vad du har gjort för illa! Du är en riktigt elak gammal struts!«

»Nej, inte elak«, jämrade sig herr Bobadill. »Säg inte att jag är elak. Snälla du, säg inte det!«

»Jo, det är du«, sade fru Lill. »Du har gjort mig så olycklig att jag tror jag dör.«

»Det var mitt ägg lika mycket som ditt«, sade herr Bobadill. »Inbilla dig inte att du är den enda som sörjer. Jag har ett mycket, mycket känsligt hjärta, och just nu lider också jag grymt. Jag begick kanske ett misstag, men det får jag sota för nu. Jag är lika olycklig som du, det kan du vara säker på. Kanske jag dör också. Så låt oss inte göra det värre för oss med att gräla. Gräla inte på mig, Lill, så är du snäll.«

»Nej, vi ska inte gräla«, snyftade Lill.

»Säg då att du förlåter mig!« bad herr Bobadill.

»Är du riktigt ledsen för vad du gjort?«

»Ja, riktigt, riktigt ledsen.«

»Då förlåter jag dig«, viskade hans hustru. »Men i alla fall var det förfärligt orätt av dig att gå din väg och lämna det ensamt. Hemskt orätt! Så orätt att jag inte kan förstå hur du kunde göra det. Och vad kan ha hänt vårt vackra ägg? Båda våra vackra ägg? Vilken skurk till tjuv har rövat från oss våra kära små? Å, vart har de tagit vägen?«

»Om jag hade den uslingen här«, utropade herr Bobadill, »skulle han få så att han ångrade sina syndiga gärningar. Men trösta dig, kära Lill, trösta dig, söta vän. Kanske kan vi ännu finna dem.«

»Aldrig, aldrig«, suckade fru Lill och hängde med huvudet, en bild av sorgen själv.

»Ack, ack, ock!« mumlade herr Bobadill, »varför var jag så lättsinnig?« Och även han hängde med huvudet och såg minst lika olycklig ut som fru Lill.

Fastän Dina och Dorinda förstod hela detta samtal, begrep naturligtvis baron Druva och herr Djurling ingenting, och det var först sedan de grundligt sökt igenom hela inhägnaden som de verkligen fattade vad som hänt.

»Redet är tomt«, sade baron Druva. »Men det är ju inte möjligt för någon att ta sig in i parken. Stängslet är laddat med elektricitet. Rör någon vid det blir han dödad av strömmen.«

»Ett flygplan«, sade herr Djurling. »Någon kan ha kommit ner med fallskärm.«

»Dumheter«, sade baron Druva. »Vi skulle ha hört maskinen, och även om en fallskärmshoppare kom ner i parken, skulle han inte kunna ta sig ut igen. Nej, nej. Tjuven måste finnas mitt ibland oss!«

»Ja, fråga inte mig«, sade herr Djurling. »Jag är djurvårdare och inte detektiv.«

»Ett brott har blivit begånget«, förklarade baronen. »Om det råder inte något tvivel.«

»Två brott«, sade herr Djurling. »Två ägg, två brott.«

»För tillbaka känguruerna till deras bur«, sade baronen. »Under tiden ska jag leta igenom den här platsen en gång till.«

Så tog då herr Djurling hand om Dina och Dorinda, och baronen fortsatte att söka efter det försvunna ägget, och herr Bobadill sökte också efter det på sitt håll och fru Lill på sitt. Och snart kom faraofåret och dovhjorten, som bodde i parken, och hjälpte till, och även de andra djuren fick inom kort veta vad som hänt, för nyheter sprider sig fort i en djurpark. Alla kände sig mycket illa till mods vid tanken på att en av dem måste vara en tjuv. När de sedan på eftermiddagen släpptes ut i parken för att leka och få motion, samlades de alla omkring strutsarnas inhägnad och herr Bobadill och fru Lill måste om och om igen berätta den sorgliga historien om vad som hade hänt dem. Och alla djuren tittade misstänksamt på varandra och undrade vem som var den nedriga skurken.

Dina och Dorinda släpptes inte ut i parken den dagen för de hade ju kommit så nyligen, och baron Druva ansåg att nykomlingar borde stanna i sina burar till en början och vänja sig vid det nya livet. Under den första veckan hade de därför ganska tråkigt, och fastän de tyckte mycket synd om strutsarna så tyckte de ännu mera synd om sig själva.

»Visst är det tråkigt att fru Lill har förlorat sitt ägg«, sade Dina, »men jag kan inte inse att det är värre än att som vi ha förlorat vår trolldryck. För fru Lill kan säkert lägga ett nytt ägg, men vi kan inte få någon mer medicin utan att gå till fru

Häxelin. Och får vi ingen ny trolldryck, får vi vara känguruer hela vårt liv.«

»Vi kan kanske rymma«, sade Dorinda.

»Baron Druva sa ju att ingen tjuv kunde ta sig in hit och inte ut heller. Hela stängslet är elektriskt. Och om inte en tjuv kan ta sig ut, hur ska vi kunna det?«

»Kanske vi kan hitta någon väg som baronen inte känner till«, sade Dorinda.

»Vi ska naturligtvis se oss ordentligt omkring, så snart vi får komma ut i parken«, sade Dina. »Baron Druva misstar sig kanske. Det gör folk ofta.«

»Mycket ofta«, sade Dorinda.

Varje dag fick de en god middag som herr Djurling kom till dem med. Vanligen bestod den av några kålrötter, ett par knippor morötter, ett kålhuvud och en hink med bönor. Och morötter och hö smakade numera till deras förvåning mest som stekt kyckling och chokladpudding, så de njöt mycket av sin middag och sov ofta en stund efter den. Men när de sedan vaknade kände de sig vanligen ganska sorgsna och ensamma, och det var nätt och jämnt att de kunde avhålla sig från att gråta. De brukade också lägga sig mycket tidigt på kvällen.

Sent en kväll, då de redan hade sovit ett par tre timmar, vaknade Dina och såg ett svagt ljus lysa genom en springa i vänstra väggen i deras lilla hus. På andra sidan väggen bodde Grissle, gråbjörnen, och Dina undrade varför det brann ljus i hans hus. Kanske att han var sjuk?

Hon steg upp och kikade genom springan i väggen, och vad hon såg var ganska häpnadsväckande.

Ett ljus, omkring sju centimeter långt, stod i sitt eget vax på kanten av mathon i Grissles hus, och Grissle själv satt bekvämt i hörnet bredvid det och läste i tidningen *Times*!

Hon kände genast igen tidningen, för hennes pappa läste alltid *Times* när han var hemma, och hon hade förresten sett ett nummer av den tidningen senast i morse – ett nummer som stuckit upp ur baron Druvas ficka, just då han stod lutad mot Grissles bur under sin dagliga rond. Hon mindes det alldeles tydligt. Och sedan mindes hon något annat också: det hade inte funnits någon tidning i baronens ficka när han sedan gick vidare. Vart hade den tagit vägen?

På den frågan fanns endast ett svar: Grissle hade stulit den. Grissle var en tjuv! Och eftersom han var en tjuv, hade han kanske också stulit ägget från fru Lill?

Hon blev så uppfylld av detta, att hon inte kom att tänka på hur underligt det var att se en björn läsa en tidning. Hon väckte Dorinda, och sen hon förmanat henne att vara riktigt tyst, bad hon henne att gå och titta i springan i väggen.

Dorinda tittade både länge och väl, och sedan viskade hon: »Visste du att björnar kunde läsa?«

»Neej«, viskade Dina tillbaka.

»Det visar just«, sade Dorinda, »hur lite vi vet om dem.«

»Han måste ha stulit den från baron Druva«, sade Dina. »Jag menar tidningen.«

»Kanske låtsas han bara läsa«, sade Dorinda. »Titta en gång till och se efter om han håller rätta sidan upp.«

Men just då slocknade ljuset i Grissles hus.

»Tror du han hörde att vi talade?« undrade Dina och kramade Dorindas hand.

Under två eller tre minuter var allt tyst, och sedan viskade Dorinda:

»Jag hör någon annan som pratar.«

De lyssnade båda, och från buren bredvid på andra sidan, där herr Högman, giraffen, bodde, hörde de ett lågt mummel.

De skyndade så tyst de kunde bort till dörren och tittade ut, och där såg de sin grannes långa, mörka hals avteckna sig mot den stjärnbeströdda himlen. Han gick långsamt fram och tillbaka, liksom försänkt i djupa tankar, och talade sakta för sig själv.

»Ett mycket kinkigt problem«, hördes han säga. »Verkligen mycket kinkigt! Fallet med det stulna strutsägget. Ett kinkigare fall kan jag inte minnas att jag hört talas om. För det första finns det inga fotspår. Det gör det mycket kinkigt. För det andra finns det, så vitt jag kan se, inget motiv för stölden. Det gör det ännu kinkigare. Och eftersom vi inte vet vem tjuven är, kan vi inte fråga honom om hans alibi. Det gör det ännu kinkigare.« Herr Högman vandrade fram och tillbaka i ett par minuter, utan att säga någonting alls. Men hans huvud vaggade så vist bland stjärnorna, att man förstod att han tänkte mycket skarpt. »En anteckningsbok«, sade han plötsligt. »Om jag bara hade en anteckningsbok skulle jag skriva ner alla ledtrådar jag har funnit och namnen på varenda en som jag har anledning att misstänka, och allt sånt. Men vad kan jag göra utan en anteckningsbok? Vad skulle andra detektiver göra? Ingenting alls!«

»Jag har en anteckningsbok«, ropade Dina, »och om ni verkligen behöver en, så får ni gärna låna min.«

Herr Högman blev så skrämd att han nästan hoppade ur skinnet. Han visste inte att någon hade lyssnat på honom, och att höra en främmande känguru komma med ett så besynnerligt förslag var faktiskt så att man kunde bli svag i knäna. Med ett enda långt hopp flög han in i sitt hus, och fastän dörren var tre meter hög, stötte han huvudet mot dörrträet och började genast ropa:

»Aj! aj! Någon slog mig! Jag är säker på att någon slog mig!«

Efter en halv minut sträckte han mycket försiktigt fram sin långa hals igen och frågade:

»Var det ni som slog mig?«

»Nej, naturligtvis inte«, sade Dina.

»Vem gjorde det då?«

»Ni slog er själv«, sade Dorinda.

»Min mor sa ofta till mig att jag inte kände min egen styrka«, sade herr Högman sorgset. Han böjde sitt huvud mycket djupt och gned det ömma stället med sin högra bakhov. Sedan frågade han plötsligt: »Vad är ni för ena?«

»Jag heter Dina Rytter, och det här är min syster Dorinda.«

»Då har ni kommit hit förklädda«, sade herr Högman.

»Det ser så ut«, sade Dina.

»Men varför?« frågade herr Högman.

»Det är ganska svårt att förklara«, sade Dina.

»Ett mycket misstänkt förhållande«, sade herr Högman. »Mycket misstänkt. Tycker ni om ägg?«

»Inte om strutsägg.«

»Det undrar jag«, sade herr Högman. »Jag undrar ganska mycket. Jag undrar, jag undrar, jag undrar…«

Och plötsligt drog han in huvudet och stängde sin dörr med en smäll.

9

MORGONEN var stilla. Dina och Dorinda satt i sin bur, och ingen talade med dem förrän baron Druva kom och hälsade god morgon.

»Vi tänker släppa ut er i parken i eftermiddag«, sade han, »och jag hoppas ni ska få riktigt roligt.«

Herr Högman stegade fram och tillbaka i sin bur, och då och då kastade han misstänksamma blickar på dem, men han sade ingenting, och de ville heller inte säga något, förrän han först brutit tystnaden. Grissle sov i solen.

Men fram på eftermiddagen, strax innan djuren släpptes ut att leka och motionera i parken, sträckte herr Högman fram huvudet över burens höga stängsel och viskade:

»Ta med er anteckningsboken.«

Just då kom herr Djurling och öppnade alla dörrarna, och han sade till Dina och Dorinda:

»Laga nu att ni uppför er hyggligt, så kan ni också få en rolig stund som de andra.«

Och de gick ut mycket stilla och sedesamt, fastän de båda två var hemskt ivriga att få känna sig fria igen och få träffa alla de andra underliga djuren.

Herr Högman stod och väntade på dem.

»Kom med mig«, sade han och gick före dem bort till några pilträd som växte vid ån. Inga andra djur syntes i närheten.

Herr Högman såg först på dem mycket strängt och sade:

»Berätta nu varför ni är förklädda till känguruer.«

Då berättade Dina för honom om fru Häxelin och trolldrycken, men herr Högman avbröt henne och sade:

»Jag tror inte på trolldom.«

»Hur kunde vi annars bli känguruer?« frågade Dorinda.

»En svår fråga«, sade herr Högman. »En mycket svår fråga. Jag har ofta undrat hur jag själv blev en giraff.«

»Var ni inte giraff när ni föddes då?« frågade Dina.

»Nej, det var jag verkligen inte«, sade herr Högman förnärmad. »Jag var ett av Englands vackraste babybarn. Jag fick första priset på en babyutställning! Sen växte jag upp och blev detektiv. Jag var en av världens bästa detektiver. Jag brukade fånga in mördare dussinvis, förfalskare tjogvis och inbrottstjuvar i hundratal. Men en dag när jag försökte att titta över en mycket hög mur och stod där och sträckte och sträckte på benen och sträckte och sträckte på halsen, så hände något högst besynnerligt. För plötsligt märkte jag att jag kunde se över muren utan minsta svårighet. Jag hade blivit oerhört lång! Och där på andra sidan upptäckte jag en tjuv som just höll på att gräva ner en mängd silversaker i en blomsterrabatt.

›Jag arresterar er!‹ skrek jag, men min röst lät så underlig, och när tjuven såg upp undslapp honom ett utrop av obeskrivlig häpnad.«

»Ni hade blivit en giraff förstås«, sade Dina.

»Ja, jag hade det«, sade herr Högman sorgset.

»Vad hände sen?« frågade Dina.

»Tjuven, som var djärv och kvicktänkt, kom fram och klappade mig«, sade herr Högman. »Jag blev mycket förvånad, för som ni förmodligen vet är det ganska ovanligt för en detektiv att bli klappad av en tjuv. Jag makade mig försiktigt bort ifrån honom, och då fick jag i detsamma syn på mina ben. Sen vred jag på huvudet och såg min rygg. Jag blev alldeles vimsig av förändringen i mitt utseende, och tjuven passade på medan jag var så där förvirrad, och ledde bort mig och sålde mig senare till baron Druva för tusen kronor.«

»Det måste ha varit trolldom med när ni förvandlades till en giraff«, sade Dina.

»Jag tror inte på trolldom«, sade herr Högman envist.

»Men hur gick det då till?« frågade Dina.

»Det vet jag inte«, sade herr Högman, »men folk får ju ofta

vad de önskar sig, bara de önskar det tillräckligt länge. Tänk till exempel på alla människor som säger: ›Allt vad jag önskar är lugn och ro‹. Och förr eller senare dör de, och något lugnare kan man väl inte tänka sig. Och jag, ser ni, hade alltid önskat att kunna titta in över höga murar.«

»Tror ni att många av djuren här har varit människor förut?« frågade Dorinda.

»Hm!« sade herr Högman, och hans stora ögon blev ännu större av häpnad. »Det var en mycket oroande tanke. Det har aldrig fallit mig in att inte de andra skulle vara äkta vara. Jag trodde jag var helt olik alla de övriga.«

»Glöm inte oss«, sade Dina.

»Jag hoppas ni inte glömde att ta med er anteckningsboken«, avbröt herr Högman barskt.

»Vad ska ni ha den till?«

»Jag ska skriva ner mina iakttagelser rörande de saknade strutsäggens gåta«, sade herr Högman. »Det är ett av de kinkigaste problem jag någonsin haft att lösa. Och när jag har löst det, ska jag genast ta itu med efterforskningar rörande vartenda djurs privatliv här. Jag börjar nästan tro att bortåt hälften av dem kan vara mänskliga varelser i förklädnad! Till och med vår närmaste granne Grissle gråbjörn kan mycket väl vara en människa!«

»Det är han nog«, sade Dorinda. »I natt såg vi…«

»Bry dig inte om det«, sade Dina hastigt. »Det har ingen betydelse. Vad vi nu ska göra, och det med detsamma, är att hjälpa herr Högman att ta reda på de bortkomna äggen.«

»Det är rätt!« sade herr Högman. »En sak i sänder och den viktigaste först. Det är så det ska gå till. Skriv nu ner vad jag dikterar – har ni en penna? Det var bra. Om jag dikterar mina iakttagelser och ni skriver ner dem, så kan vi på det sättet få en överskådligare bild av detta kinkiga fall än vi har för närvarande.«

Och så tog Dina upp sin anteckningsbok och sin penna, och detta är vad hon skrev:

A. Personer som jag misstänker: Alla.
B. Ledtrådar: Inga.
C. Motiv till brottet: Vet inte.
   Märk: (1) Det kan vara kidnappning. Man får avvakta och se om någon begär lösesumma av herr Bobadill.
   (2) Äggen var *färska*.
D. Alibin: Alla måste uppvisa sådant.
E. Problemets natur: Kinkigt.

»Så där ja«, sade herr Högman. »Det här gör det hela mycket, mycket klarare, tycker ni inte det?«

»Vad är ett alibi?« frågade Dorinda.

»Tja«, sade herr Högman, »om jag till exempel frågar er: ›Var ni i Birmingham på kvällen för brottet?‹ och ni svarar: ›Nej, jag var i Blackpool‹, så är det ett alibi.«

»Det är nästan som att spela löjliga familjerna«, sade Dorinda.

»På sätt och vis är det det«, sade herr Högman fundersamt, »men på sätt och vis är det det inte, om ni förstår vad jag menar. – Men tyst! Vad var det?«

De kom alla kvickt på benen. De hade hållit sin överläggning helt nära baron Druvas stora herrgårdsbyggnad, och från gräsmattan framför huset hördes nu uppretade röster. Det var en kvinnas röst och ett annat underligt ljud, till hälften ett skrik, till hälften ett kippande efter luft. Sedan såg de herr Bobadill komma rusande åt deras håll, jagad av friherrinnan Druva med en krocketklubba i högsta hugg. Men hon var långt efter och blev snart så andfådd, att hon måste ge upp förföljandet.

»Kom«, sade herr Högman, »kom fort. Det kanske är något viktigt. Det kanske är en ledtråd!«

De skyndade emot herr Bobadill, som nästan verkade lite skamsen.

»Vad har ni haft för er?« frågade herr Högman strängt.

»Å, just ingenting«, sade herr Bobadill och vände sig bort för att hosta.

»Ni har något i strupen«, sade herr Högman och böjde sig fram för att närmare undersöka en stor rund kula ungefär mitt på herr Bobadills långa hals.

»Å, det är bara en liten smula«, sade herr Bobadill och höll nästan på att kvävas när han sade det.

»Det ser mer ut som en stor tårtbit än en smula«, sade Dina.

»Det är en boll«, sade Dorinda.

»Ett krocketklot!« utropade Dina. »Det har precis den storleken, och det var en krocketklubba som friherrinnan Druva jagade honom med.«

»Ja, de spelar ju krocket ibland«, sade herr Högman fundersamt. Men sedan blev hans uppsyn mörk, och han böjde sig fram och viskade till Dina: »Hör ni, det där var inte rent spel! Det är ju jag som är detektiven, inte ni. Ni borde ha låtit mig gissa först.«

»Förlåt mig«, sade Dina. »Men jag ville ju bara hjälpa till.«

»Ni behöver väl inte ha så fasans bråttom med det«, sade herr Högman.

Under tiden hade herr Bobadill stått och svalt och svalt, och klumpen pressades långsamt längre och längre nerför hans långa hals. Den försvann just helt och hållet, när herr Högman åter vände sig om för att förhöra honom.

»Varför sprang friherrinnan efter er?« frågade herr Högman.

»Hon tyckte väl att det var roligt«, sade herr Bobadill.

»Ni hade stulit hennes krocketklot«, sade herr Högman.

»Dumheter«, sade herr Bobadill. »Har ni några bevis kanske?« och han sträckte stolt på sin långa hals för att visa hur jämn och smal den var.

»Hm, hm!« sade herr Högman. »Ni har svalt det.«

»Svalt vad?« frågade herr Bobadill.

»Beviset«, sade herr Högman.

»Hur kan ni veta att det inte var en potatis?« sade herr Bo-

73

badill, och med ett hest och hånfullt skratt klev han i väg med långsamma steg.

»Fort!« viskade herr Högman till Dina. »Vi måste skriva upp det här i anteckningsboken. Fort, fort. Är ni färdig? – Ledtråd nr 1: Herr Bobadill har svalt ett krocketklot. – Har ni skrivit det? Ja, då får det vara nog för närvarande. Jag måste arbeta på egen hand en stund nu. Jag tänker skugga honom!«

Tyst och försiktigt, på yttersta spetsen av sina hovar, följde herr Högman efter herr Bobadill, som redan hunnit ett stycke i förväg, och Dina och Dorinda blev lämnade ensamma.

»Tror du att det var herr Bobadill som stal äggen?« frågade Dorinda.

»Om han kan svälja ett krocketklot, kan han väl också svälja ett strutsägg«, sade Dina.

»Han måste vara hemskt stygg om han äter upp ägg som hans egen hustru har lagt«, sade Dorinda.

»Han ser också stygg ut, åtminstone från ena sidan«, sade Dina.

»Det är ett mycket spännande fall«, sade Dorinda.

»Och det är väldigt intressant att träffa en riktig detektiv«, sade Dina, »om han också bara är en giraff.«

Medan de talade hade de vandrat bort till en annan del av parken, och där upptäckte de nu två burar, lite avskilda från de andra. I den ena av dessa gick ett vackert djur med guldglänsande päls rastlöst fram och tillbaka, från skuggan ut i solen, från solen in i skuggan igen. Det var Guldpuman.

I den andra buren, som var mycket hög och stod fem meter längre bort, fanns en spetsig klippa mellan två träd, och överst på klippan satt en underbar fågel, vit som snö. Det var grönlandsfalken, men i djurparken kallades han allmänt för Silverfalken.

Båda djuren var så vackra att Dina och Dorinda inte kunde besluta sig för vilket de skulle se på först.

»God afton«, sade Puman.

»Hej!« ropade Falken.

»God dag«, sade Dina och Dorinda.

10

»Vi bör kanske tala om för er«, sade Dina, »att vi inte är riktiga äkta känguruer. Vi är människobarn som har blivit förvandlade till känguruer genom en trolldryck.«

»Så intressant«, sade Guldpuman.

»Så hedersamt av er att tillstå en så låg härkomst«, sade Silverfalken.

»En så låg härkomst?« upprepade Dina. »På det sättet har jag då aldrig uppfattat saken. Föraktar ni människorna?«

»Hm«, sade Falken, »ni kan väl knappast vänta er att jag ska beundra dem. På Grönland, där jag bodde förr, fanns det ju inte så många av er sort, men jag såg tillräckligt för att kunna bilda mig en ganska klar uppfattning om vad de gick för. Det fanns en del eskimåer där och handelsmän och pälsjägare och fiskare och sånt folk, och jag vill visst inte neka till att de var mycket uppfinningsrika. De försökte sig på en massa saker, men ingenting gjorde de riktigt ordentligt. De kunde se lite och höra lite och springa lite och simma lite, men ingenting kunde de riktigt bra.«

»Jag tycker om människor«, sade Puman. »Jag tycker om ljudet av deras röster och deras sätt att skratta eller se allvarliga ut. Förr önskade jag ofta bli vän med en av dem.«

»Ja, det hade du då ingenting för«, sade Falken. »Det var på det viset du blev fångad och kom hit.«

»Ja, jag vet«, sade Puman dystert. »Jag var mycket dum. Jag förstod inte att människor kunde vara falska.«

»Tycker ni inte om att vara här i djurparken?« frågade Dorinda.

Pumans bur såg så trevlig ut, och den stod i förbindelse med ett litet område runt omkring, där det fanns några buskar och en stenig backe och en bäck.

Puman satt tyst en stund, sedan sade hon:

»Jag bodde förr i en skog i Brasilien, och överallt i den skogen fanns det något nytt att se på. Vartenda träd hade sin särskilda form, somliga var släta i barken som löven om våren, och somliga var skrovliga och djupt fårade. Deras grenar avtecknade sig så vackert mot himlen, och på natten förvandlades de till fisknät och fångade stjärnorna likt stim av små fiskar. Blommor som liknade trumpeter och doftade ljuvligt växte på träden, och mellan hyddorna i en liten indianby lekte små bruna barn i solen. Det fanns långa, slingrande stigar i skogen, jag kunde springa mil efter mil utan att stanna. Där fanns också en flod, ibland brun och forsande, ibland klar och stilla. Jag brukade ligga på en gren ovanför vattnet och titta på min bild i den grönskimrande spegeln. Och när jag blev hungrig gick jag ut på jakt, och det är det härligaste som finns i livet, att gå på jakt i månskenet och känna blodet som kvicksilver i ådrorna. Inte en fågel vaknar utan att man hör det. Inte ett löv rullar ihop sig utan att man ser hur dess kanter viks in. Ingenting rör sig utan att man vädrar det svaga luftdraget från rörelsen. Och själv glider man som en skugga mellan träden, och hela ens varelse ända till klorna och pälsen skrattar och lever.«

»För all del, en brasiliansk skog kan nog vara bra på sitt sätt«, sade Falken, »men jag önskar ni kunde se Grönland. Det finns ingenting i världen så vackert som mitt hemlands väldiga, snötäckta högplatå där den ligger gnistrande i solen, genomskuren av raviner och liksom lappad med blå skuggor. Jag brukade segla på brisen högt över vidderna, i en luft så klar som kristall, och åt alla håll kunde jag se milsvida sträckor av snö och hav, se strandade isberg i vikarna och packis som sakta gled fram och eskimåer i sina kajaker ute på fiske. Då fällde jag ibland samman mina vingar och dök som en pil genom den klara etern ner mot de små buskarna och de glimmande klipporna, mot ljungen och dvärgvidet, som blev större och större. Jag såg gula vallmoblommor springa fram som eldgnistor för att möta mig, och kvartsen i granitblocken såg ut som nålstygn av ljus. Huvudstupa neråt, i ett visslande vinddrag, och så krasch! – ut med vingarna, upp med huvudet och plötsligt halt två fot ovanför ljungen – där högg jag klorna i en fin, fet snöripa, alltför långsam för att hinna undan, och slängde henne i marken. Ha! vilken njutning, vilken fart, vilken frihet!«

»Frihet!« suckade Puman. »Livet utan frihet är det just ingenting med.«

»Låter de er aldrig komma ut ur burarna?« frågade Dina.

»Nej, aldrig«, sade Guldpuman. »De litar inte på oss.«

Silverfalken stod på tåspetsarna uppe på sin klippa och bredde långsamt ut de vackra vingarna, liksom för att påminna sig själv om deras styrka. Sedan fällde han samman dem igen, såg på Dina och Dorinda och sade:

»Ni trivs mycket bra här, kan jag tro? Ni behöver ju inte sörja någon förlorad frihet, för ni som bara varit människobarn har ju aldrig vetat vad frihet vill säga.«

»Jo, det har vi visst det«, sade Dina. »Vi måste förstås läsa våra läxor och passa måltiderna och gå och lägga oss klockan halv åtta, men dessemellan hade vi verkligen ganska mycket frihet. Hade vi inte, Dorinda?«

»Inte på långt när nog«, sade Dorinda. »Minns du inte hur mamma skickade oss att tvätta händerna, och hur fröken Tjatlund tvingade oss att ha skor när vi ville gå barfota? Jag tycker egentligen att vi hade mycket lite frihet.«

»Men vi var inte instängda«, sade Dina.

»Då är inte ni heller nöjda med livet här i djurparken?« sade Guldpuman.

»Det är ganska intressant«, sade Dina, »men vi tänker inte stanna här.«

»Hur tänker ni komma ut då?« frågade Guldpuman.

»Vi tänker rymma«, sade Dorinda.

»Men hur?« frågade Guldpuman och Silverfalken, båda på en gång.

77

»Det har vi inte bestämt ännu«, sade Dina, »men på ett eller annat sätt ska vi finna en utväg. Ni sa själv nyss att mänskliga varelser var mycket uppfinningsrika, och Dorinda och jag blir mer och mer uppfinningsrika för var dag som går.«

»Vill ni hjälpa oss att rymma också?« frågade Falken.

»Visst vill vi det«, sade Dorinda.

»Åh, stolta och mäktiga känguruer!« utropade Falken och sträckte åter ut sina vingar, som om han redan kände en försmak av flyktens glädje. »Lovar ni det? Ack, Grönland, Grönland! Tänk att få se snön igen, se packisen smälta i de gröna vågorna, se hela det väldiga arktiska havet i sol och storm. Hör du det, Puma? Vi ska bli fria.«

»Ja, jag hör«, sade Puman. »Men det blir inte så lätt för mig. Du kan flyga till Grönland, du, men jag kan inte springa till Brasilien.«

»Det finns en stor och vacker skog inte långt härifrån«, sade Dina. »Den heter Lyckoskogen. Kan du inte bo där?«

»Det kan hon visst det«, sade Falken.

»Är det en riktig skog?« frågade Puman.

»Jojomen«, sade Dina.

»Mil och mil och mil av bara skog«, sade Dorinda. »Man kan lätt gå vilse i den.«

»Och om jag gjorde det«, frågade Puman, »skulle ni då försöka leta reda på mig?«

»Åh, ja, det vore roligt!« ropade Dina och Dorinda.

11

JUST då hörde de herr Djurling ringa i en stor klocka, vilket betydde att djuren nu måste gå tillbaka till sina burar, och därför tog Dina och Dorinda farväl av sina nya vänner. När de blivit ensamma, sade Dina fundersamt:

»Vi tycks ha kommit mitt upp i en hel mängd spännande händelser. Aldrig kunde jag tro att livet i en djurpark var så förfärligt intressant.«

»Vi har åtminstone fullt upp att göra«, sade Dorinda. »Först med att hjälpa herr Högman att finna de saknade strutsäggen, och sen med att ordna flykten för Guldpuman och Silverfalken.«

»Vi måste ordna vår egen flykt först«, sade Dina, »och jag förstår inte riktigt hur vi ska klara den saken om vi inte kan finna den borttappade flaskan och få oss var sin sked av trolldrycken.«

»Tror du inte att herr Högman kunde finna den åt oss? Han är ju detektiv.«

»Jag tänker inte på herr Högman i första hand«, sade Dina. »Jag tänker på Silverfalken. Minns du att han sa att på Grönland kunde han se miltals åt alla håll, och högt uppe från luften kunde han hitta rätt på en liten snöripa nere på marken? Han måste ha märkvärdiga ögon.«

»Menar du att om vi kunde släppa ut honom ur hans bur, så kunde han flyga runt, runt och titta efter flaskan överallt här emellan och Medelby.«

»Ja, jag måste ju ha tappat den någonstans«, sade Dina.

En lång stund satt de alldeles tysta och tänkte på de uppgifter som låg framför dem och på det liv de råkat in i. De hade haft en mycket trevlig dag under samtal med Falken och Puman och herr Högman, och båda fann det riktigt roligt att vara känguruer, så länge de hade fullt upp att göra. Men att bara vara en känguru i en bur, utan några böcker eller en färglåda eller ett pussel, ingenting att roa sig med annat än sina egna tankar, det skulle i längden bli en högst bedrövlig tillvaro. Och de såg på varandra, och de läste samma undran och oro i varandras ögon.

Plötsligt hörde de från huset bredvid där herr Högman bodde, ett underligt ljud som om någon rev sönder linnelakan – vrripp, vrripp, vrripp – och för varje gång kom det efter de tre vrrippen en långt utdragen vissling. Herr Högman hade somnat i en obekväm ställning och snarkade högljutt.

»Att skugga herr Bobadill måste ha gjort honom förfärligt trött«, sade Dina.

»Vi kommer inte att få en blund i ögonen om han går på så där«, sade Dorinda.

Oväsendet blev värre och värre, men till slut väcktes herr Högman själv av en sista förfärlig vissling, vilken lät som när ett tåg rusar in i en tunnel. De kunde höra honom vältra sig och vända sig och mödosamt komma på fötter. Sedan hostade han lite, först en gång och så en gång till.

»Han vill att vi ska komma och tala med honom«, sade Dina.

»Kanske har han funnit en ledtråd«, sade Dorinda.

De gick ut, och i mörkret såg de att herr Högman stod med huvudet lutat mot burens stängsel, och det svaga ljuset från en stjärna speglade sig i hans stora och vemodiga ögon.

»Har ni er anteckningsbok?« viskade han.

»Här är den«, svarade Dina.

»Skriv då upp ett par saker, är ni snäll. Jag ska diktera mycket långsamt, och ge noga akt på vad jag säger, för varje ord är viktigt.«

Det var ganska svårt att skriva i mörkret, men Dina gjorde sitt bästa, och här följer nu vad herr Högman dikterade:

Den 13 dennes klockan 14.30 började jag skugga herr Bobadill strutsen, som jag misstänker är brottslingen. Skuggningen lyckades. Förlorade honom inte ett ögonblick ur sikte. *Nu frågas:*

Visste han att jag följde efter honom? *Svar:* Troligen inte, för jag gick mycket tyst. Han fortsatte ner till floden där marken är sandig, och stod där en stund som om han funderade på något. Sedan begravde han plötsligt huvudet i sanden. Jag gav noga akt på honom, men han gjorde ingen annan rörelse. Då satte jag mig ner och väntade. Jag väntade en lång stund. Ingenting hände. Sen blev jag hungrig och gick hem. Sista gången jag såg herr Bobadill stod han ännu där med huvudet i sanden. Jag skaffade mig lite att äta, och började därpå fundera på fallet. *Nu frågas:* Är gåtan löst? *Svar:* Nej. Funderade skarpare och somnade. Men när jag vaknade var allting klart!!! Herr Bobadill är den skyldige, alldeles som jag misstänkte. Han har stulit sin hustrus ägg och grävt ner dem. I eftermiddag (den 13 dennes) tänkte han gräva upp dem igen. Men han grävde på fel ställe, stötte huvudet mot en sten och blev bedövad! Det var därför som han stod så stilla. *Märk:* Detta är bara ett antagande och måste bestyrkas innan det kan användas som bevis.

»Ja, det är nog säkrast«, sade Dina. »Vet ni inte att strutsar alltid gräver ner huvudet i sanden när de vill gömma sig?«

»Vad skulle det tjäna till?« frågade herr Högman.

»Det tjänar ingenting till«, sade Dina, »men de tror att det gör det.«

»Hur kan ni veta vad de tror?«

»Jo, det har fröken Tjatlund talat om för oss.«

»Vem är fröken Tjatlund?«

»Hon är vår guvernant«, sade Dorinda dystert, »och hon vet allting.«

»Vet hon var de saknade äggen finns också?« frågade herr Högman.

»Det vet hon förstås inte«, sade Dina. »Hur skulle hon kunna veta det?«

»Då vet hon ju inte allt«, sade herr Högman skarpt. »Och om hon inte vet allt kan vi ju inte vara säkra på att hon vet något. Och om hon inte vet något, vet hon inte heller vad strutsarna tror. Och ni vet ännu mindre, för ni vet bara vad hon talar om för er. Detta kallas logik, och det visar att vad ni sa nyss inte är något bevis. Och om något inte duger till bevis, så intresserar det mig inte. Det intresserar mig inte, hör ni det?«

Och herr Högman, som börjat tala allt högljuddare, trampade i väg till sitt hus så förargad att han glömde hur lång han var och än en gång slog huvudet i dörrträet.

»Vem gjorde det där?« skrek han.

»Det var ni själv«, sade Dina och Dorinda, och fastän herr Högman var mycket misstänksam kunde han inte bevisa att de hade orätt, och därför gick han och lade sig vid mycket dåligt lynne.

Rätt som det var sade Dina:

»Jag tror inte han är någon vidare skicklig detektiv.«

»Han har förstås inte haft så mycket övning sen han blev giraff.«

Dina lutade sig tätt intill Dorinda och viskade:

»Om jag vore detektiv skulle jag hålla ögonen på Grissle. Han stal tidningen från baron Druva, och därför är han en tjuv. Och om han är en tjuv, så är det mycket troligt att det är han som har stulit äggen.«

»Är det där vad herr Högman kallar logik?« frågade Dorinda.

»Jag tror det«, sade Dina. »I alla fall så tycker jag att om det lyser i Grissles hus i kväll, bör vi turas om med att hålla vakt och ta reda på allt vad vi kan om honom.«

Det var Dorinda med på, och fast de hade svårt att inte somna väntade de förhoppningsfullt både länge och väl. När ungefär en timme gått, började Dorinda nicka till och drömma att hon var hemma igen och att fröken Tjatlund vid frukostbordet talade om strutsar och strutsplymer. Just då gav Dina henne ett litet nyp, och hon vaknade.

»Titta!« viskade Dina.

Det var så becksvart att de ingenting kunde se av rummet, men i mörkret på ena sidan syntes en liten glimmande punkt som en lysmask. Grissle hade tänt sitt ljus, och det lyste lite svagt genom en springa i väggen.

»Jag tar första vakten, så kan du sova«, viskade Dina. »När jag sedan blir sömnig väcker jag dig, och då blir det din tur.«

»Det är bra«, svarade Dorinda, och efter två minuter drömde hon åter om fröken Tjatlund. Men Dina gick tyst som en mus bort och tittade genom hålet i väggen.

Grissles ljus stod och brann på kanten av hans matho, och han letade och trevade under halmhögen som var hans bädd. Tidningen, som han drog fram, var nu smutsig och skrynklig, men med ett belåtet brummande slog han sig ner i hörnet och började läsa.

Han bär sig åt precis som en människa, tänkte Dina. Han ser inte ut som en björn som låtsas vara människa, utan som en människa som har blivit björn, men inte har glömt allt sådant som människor tycker om att göra. Så förhåller det sig nog också, tänkte Dina för sig själv. Jag hade aldrig trott att människor kunde förvandlas till djur så här lätt. Men det gör naturligtvis livet mycket intressantare.

Grissle fortsatte att läsa sin tidning. Nu gick han över till en annan sida, lät blicken gå upp- och nerför spalterna och brummade svagt. Han tittade på första sidan och sista sidan och alla de andra sidorna och blev mer och mer otålig. Han muttrade något för sig själv, och när Dina spände sin uppmärksamhet till det yttersta kunde hon höra det mesta av vad han sade.

»Det här har jag läst förut«, mumlade han. »Det här har jag läst och det här också. Och det och det. Det är ju förresten gårdagsnumret. Vad är det för bevänt med en tidning som är ett helt dygn gammal? Dumma Druva! Varför hade han ingen tidning i fickan när han var här i morse? Det är hemskt förargligt att inte få sin tidning varje dag. Lyckas jag skaffa mig en i veckan, så får jag vara glad nu för tiden. Usch, vad jag är trött på att vara björn!«

Grissle vek ihop tidningen, som hade blivit rätt så illa medfaren, och satt där och suckade och brummade. Sedan började han muttra för sig själv igen: »Det är väl bäst att jag går ut och gör mig av med den. Den kan inte få ligga kvar här. Jag får göra mig av med den på det vanliga sättet. Det är gudskelov en vacker natt.«

Han vände plötsligt på huvudet och blåste ut ljuset. Då kunde Dina ingenting se, men hon hörde att han stökade omkring där inne. Sedan märkte hon att han lämnade sitt hus och gick ut. Hon gjorde som han, rörde sig mycket tyst, och i mörkret kunde hon se hans väldiga skepnad dunkelt avteckna sig framför dörren till buren. Han stod nedlutad. Hon hörde ett knäppande ljud. Dörren öppnade sig, och Grissle gick ut!

»Han har en nyckel«, mumlade Dina. Om hon inte hade varit en känguru skulle hon säkert ha blivit dödligt förskräckt av att se en stor björn gå ut och ta sig en promenad. »Men var kan han ha fått den ifrån, och hur har han burit sig åt? Har han stulit den av herr Djurling? Han måste vara en riktig yrkestjuv!«

12

GRISSLE hade lämnat dörren till sin bur öppen, och Dina drog därav den slutsatsen att han inte tänkte vara borta länge. Det vore ingen dum idé, tänkte hon, att hålla sig vaken tills han kom tillbaka och skrämma honom. Men sedan kom det för henne att det kanske var hon som skulle bli skrämd, för Grissle skulle nog bli förfärligt ond när han fick veta att hans hemlighet upptäckts, och eftersom han hade en nyckel som gick till både hans egen och hennes och herr Högmans burar – herr Djurling öppnade alla tre med samma nyckel – kunde han ju till och med komma in och ge henne en kram. Björnar brukade krama folk när de blev onda på dem. Det visste hon, för det hade fröken Tjatlund berättat.

Det var en skrämmande tanke, och Dina skulle just gå in och lägga sig då hon fick se något som genast kom henne att ändra sitt beslut. Grissle hade inte bara lämnat sin dörr öppen, utan han hade låtit nyckeln sitta kvar i låset.

Om hon bara kunde nå den!

Hon stack in armen mellan järnstängerna som skilde hennes bur från Grissles, och sträckte sig så långt hon kunde. Hon räckte nätt och jämnt den yttersta kanten av dörren. Hon lyckades dra igen den lite, så att den nästan stängdes. Nu var låset några centimeter närmare. Hon sträckte ännu mer på armen och pressade axeln mot järnstängerna, så att det gjorde riktigt ont, och då nådde hon det yttersta av nyckeln.

Hon vred om den i låset och fick ut den. Men hennes fingrar var så spända att hon inte förmådde hålla fast den. Den föll klirrande till marken, studsade ett tag och blev liggande ännu längre bort än förut.

Det var inte långt ifrån att Dina hade brustit i gråt. Hoppet att komma ut hade vinkat så nära, och nu hade det försvunnit igen.

Men hon beslöt att vara tapper, och hon hade inte väl fattat detta beslut, förrän hon kom ihåg att hon hade en svans. Och hennes svans var ju mycket längre än hennes arm.

Hon vände sig helt om med ryggen åt stängslet och stack in svansen mellan stängerna. Sedan tittade hon sig över axeln och började fiska efter nyckeln. Hon lyckades få svansspetsen bakom den och började sopa den åt sig. Närmare och närmare kom den. Nu kunde hon nå den med handen, och ögonblicket därefter hade hon låst upp dörren till sin egen bur.

Hon undrade ett ögonblick om hon skulle gå in och väcka Dorinda, men hon förstod att hon inte fick förlora någon tid. Utan ett ögonblicks tvekan satte hon därför i väg åt samma håll som Grissle hade gått. Det gick mycket fort för henne, för med hjälp av svansen tog hon långa skutt i mörkret. Och vad hon såg bra på natten nu när hon var känguru! Hon undrade om hennes ögon lyste liksom andra djurs i mörkret, och vilken färg de då hade.

Hon tyckte att hon var mycket modig, och på samma gång kunde hon inte förneka att hon var ganska rädd. För ingen kunde väl påstå att det inte var förfärligt farligt att förfölja en stor björn, även om det var en mycket bildad björn som kunde läsa tidningar. Hon trodde emellertid att det var ytterst viktigt att ta reda på vart han hade gått, och därför gjorde hon sitt bästa för att inte vara rädd och bara tänka på hur fint det var att vara modig.

Plötsligt hörde hon mitt under ett långt hopp ett slags hes vissling. Hon svängde runt i luften och kom mjukt ner på gräset, och sedan kröp hon framåt mycket, mycket tyst.

Några steg längre bort kikade hon försiktigt fram bakom en järnek och fick syn på Grissle. Han satt på bakbenen, och i mörkret såg han väldig ut. Långt nere på himlen lyste några stjärnor, och det var som om den klaraste av dem hade vilat direkt på hans huvud. Just då stack Grissle ena tassen i munnen och visslade genom klorna. Det måste vara en signal, tänkte Dina.

Hon väntade tåligt, och rätt som det var såg hon mot den stjärnljusa himlen en skepnad avteckna sig. Den hade långa ben och en lång, nickande hals och en stor vitaktig kropp. Det var herr Bobadill, strutsen. Han och Grissle viskade en stund med varandra, och sedan gav Grissle honom tidningen. Herr Bobadill började genast äta upp den och tycktes njuta mycket av denna extra måltid.

Fröken Tjatlund hade alltså rätt ändå, tänkte Dina. Fröken Tjatlund hade ofta sagt att en struts äter vad som helst, men varken hon eller Dorinda hade riktigt trott det. Här hade hon emellertid beviset, och nu förstod hon hur Grissle gjorde sig av med sina stulna tidningar. Gråbjörnen och herr Bobadill var kompanjoner så att säga, och det var ett brottsligt kompanjonskap. Det här blir något för herr Högman att höra, tänkte Dina.

Då upptäckte hon till sin förskräckelse att herr Bobadill nästan slukat tidningen, och hon förstod att hon måste skynda sig, för Grissle kunde nu när som helst bege sig på hemväg. Därför smög hon sig tyst och försiktigt bort, och när hon kände sig trygg tog hon ett långt skutt och sedan ett till och ett till, och snart var hon framme vid buren, som nu föreföll henne så trevlig och skön och trygg. Hon smög sig tyst in, stängde dörren efter sig och låste den omsorgsfullt. Nyckeln stoppade hon i sin ficka. Sedan lade hon sig ner bredvid Dorinda och väntade.

Efter några minuter hörde hon Grissle dra till sin dörr med en liten smäll, och sedan kom från hans bur ett dovt brummande av undran och förskräckelse. Han hade upptäckt att nyckeln saknades. Hon kunde höra honom hasa omkring och flåsa och böka. Sedan smällde det åter i dörren.

Nyckeln hängde i ett beckat snöre, och Grissle brukade troligen bära den om halsen, där den doldes av hans tjocka päls. »Han tror förmodligen att han har tappat den i parken«, sade Dina för sig själv, »och nu har han gått tillbaka för att söka efter den. Stackars Grissle.« Hon kände plötsligt medlidande med honom, för det slog henne att han i detta nu måste vara nästan lika förtvivlad som hon och Dorinda hade varit när de upptäckte att de tappat fru Häxelins flaska.

»Stackars Grissle!« upprepade hon. Men tröttheten var större än hennes medkänsla, och innan hon visste ordet av hade hon somnat.

Grissle hade mycket riktigt skyndat tillbaka för att söka efter nyckeln. Han sökte den överallt, men kunde naturligtvis inte finna den. Han tänkte just kalla på herr Bobadill och be honom om hjälp, då en misstanke vaknade inom honom att han kanske hade tappat nyckeln när han gav herr Bobadill tidningen och att herr Bobadill hade ätit upp både nyckeln och tidningen. Strutsen hade ju en alldeles omättlig aptit, det visste han, och troligen var han lika förtjust i gammalt järn som i papper.

Ju mer han tänkte på detta, desto mer övertygad kände han sig om att det verkligen förhöll sig så, och nu blev han så förfärligt ond att raggen på hans hals reste sig på ända och stod lika styv som borsten i en ny hårborste. Han stack tassen i munnen och visslade genom klorna. Han visslade tre gånger, och herr Bobadill, som trodde att en ny måltid väntade, kom genast springande.

»Du har slukat min nyckel«, brummade Grissle.

»Nej, det har jag inte«, sade herr Bobadill.

»Var är den då?«

»Hur ska jag kunna veta det?«

»Den är i din mage.«

»Nej du. Jag äter aldrig nycklar.«

»Du ljuger. Du äter allt vad du kommer över.«

»Det gör jag visst inte. Jag har en ganska ömtålig mage och du är en riktigt oförskämd gammal björn!«

Nu började de gräla på fullt allvar, och gråbjörnen jagade herr Bobadill runt parken, men han lyckades inte få fast honom, och medan de ännu höll på att bråka gick solen upp och det blev klart dagsljus.

Grissle kom plötsligt ihåg att han inte alls hade rätt att vara ute ur sin bur, och utan ett enda ord vände han tvärt om och lufsade hemåt så fort som han kunde. Men det var redan för sent.

Herr Djurling hade i dag stigit upp särskilt tidigt och gick nu sin rond genom parken. Just som Grissle närmade sig sin bur från ena sidan kom herr Djurling gående från den andra. Herr Djurling blev obeskrivligt förvånad över att se Grissle, och Grissle blev högeligen bestört över att se herr Djurling. Och där stod de och tittade på varandra i en halv minut eller så utan att röra sig eller yttra ett ord.

Men sedan sade herr Djurling med mycket sträng röst:

»Vad har du ute att göra denna tid på dagen?«

Och Grissle hängde med huvudet, och herr Djurling satte ett rep om hans hals och förde bort honom till en mörk, otrevlig bur som stod långt från alla andra i djurparkens ensligaste vrå.

13

S Å snart känguruflickorna vaknade på morgonen, berättade Dina för Dorinda allt som hade hänt under natten, och Dorinda såg på Grissles nyckel och sade:

»Nu kan vi rymma vår väg.«

»Inte genast«, sade Dina. »Det tjänar ingenting till att rymma förrän vi har funnit fru Häxelins flaska. Och tycker du inte förresten att vi bör stanna tills herr Högman har löst gåtan med de saknade äggen?«

»Det kan ta honom lång tid att göra det«, sade Dorinda.

»Det kommer att ta honom ännu längre tid om vi inte är här och hjälper honom«, sade Dina. »Jag tror att det första vi har att göra...«

»Jag vet!« sade Dorinda. »Vi ska släppa ut Silverfalken.«

»Ja«, sade Dina. »Vi ska ge Falken fri, och så får han söka reda på fru Häxelins flaska medan vi söker reda på de saknade äggen.«

»Men kanske han bara flyger sin väg?« sade Dorinda.

»Det tror jag inte. Jag är säker på att det är en hederlig falk. Och förresten skulle han aldrig ge sig i väg och lämna sin vän Puman kvar i fångenskapen.«

»Men om vi också får igen fru Häxelins flaska och blir två flickor igen, förstår jag inte hur vi ska kunna rädda Puman härifrån.«

»Inte jag heller ännu«, sade Dina, »men vi hittar väl på någon utväg. Och nu måste jag först tala med herr Högman.«

Innan hon hann ropa på herr Högman, kom emellertid baron Druva och herr Djurling på sitt vanliga morgonbesök till djuren, och de stannade framför Grissles bur och talade mycket allvarligt om hans dåliga uppförande.

»Ni gjorde alldeles rätt i att sätta honom i kurran«, sade baron Druva. »Jag skulle ha gjort detsamma själv.«

»Jag höll på att få dåndimpen när jag såg honom stå där«, sade herr Djurling. »Men lyckligtvis hade jag en repstump med mig, och jag fick hastigt en snara om halsen på honom och ledde bort honom till ensamburen. Han följde med mycket beskedligt, det måste jag säga.«

Dina och Dorinda lyssnade med förvåning till detta samtal, för de hade legat i sin djupaste sömn när Grissle upptäcktes av herr Djurling, och det hade aldrig fallit dem in att han kunde vara någon annanstans än i sitt eget hus. Eftersom han ofta var sen om mornarna, så var det ingenting ovanligt att han ännu inte varit synlig i inhägnaden. Återigen kände sig Dina ledsen för gråbjörnens skull, och det fastän han var en tidningstjuv och kanske något ännu värre.

»Jag undrar hur han bar sig åt för att komma ut«, sade baron Druva.

»Om vi visste det«, sade herr Djurling, »skulle vi veta en hel del.«

»Är ni *säker* på att hans dörr var låst?«

»Jag har hållit på att låsa dörrar nu i arton år«, sade herr Djurling, »och jag har hittills aldrig slarvat med den saken.«

»Ja, det är ett fullkomligt mysterium det hela«, sade baron Druva.

De gick långsamt vidare till nästa grupp av burar, och så snart de kommit utom hörhåll frågade herr Högman ivrigt:

»Vad var det de talade om? Vad är det för mysterium nu igen?«

Dina berättade hela historien för honom, och herr Högmans mörka, runda ögon blev så stora av häpnad att Dina och Dorinda kunde se sig själva i dem.

»Fort, fort!« ropade han. »Ta fram anteckningsboken. Och skriv. Skriv Konspiration att börja med. Kan ni stava till det? K-o-n-s-p... s-p... Asch, vi tar komplott i stället. K-o-m-p-l-o-t-t, Komplott.«

»Jag kan visst stava till konspiration«, sade Dina och skrev det.

»Det är mycket opassande att använda ett svårt ord när det går lika bra med ett enkelt«, sade herr Högman. »Och vad värre är, nu har ni avbrutit min tankegång.«

»För all del«, sade Dina. »Jag ska gärna skriva komplott.«

»Det är bra«, sade herr Högman. »Skriv nu vad jag säger: Det existerar – e-x-e – nej, det är inte rätt – e-x-c-i... vi säger finns i stället. Det finns en komplott mellan Grissle och herr Bobadill. Därför är Grissle herr Bobadills medbrottsling. Har ni skrivit det?«

»Ja«, sade Dina. Mer sade hon inte, för hon var själv osäker om hur hon skulle stava *existerar.*

»Å andra sidan«, sade herr Högman, »är herr Bobadill Grissles medbrottsling.«

»Det har jag skrivit«, sade Dina.

»Gott«, sade herr Högman. »Och vad kan vi nu dra för slutsatser av detta?«

»Inte vet jag«, sade Dina.

»Inte jag heller«, sade Dorinda.

»Och inte jag heller«, sade herr Högman, sedan han tänkt mycket skarpt under en minut eller så. »Det är konstigt, tycker ni inte? Mycket konstigt! Men vi har i alla fall två misstänkta nu i stället för en«, tillade han lite gladare, »och det är alltid en god sak att ha flera misstänkta. För blir man besviken på den första, kan man ofta ha bättre tur med den andra.«

Herr Högman kliade sitt högra öra med sin högra bakhov, och i detsamma fick han en ny idé.

»Har ni nånsin«, frågade han, »sett några äggfläckar på Grissles bröst?«

»Neej, det tror jag inte«, sade Dina.

»Så synd«, sade herr Högman, »för en äggfläck skulle ha varit en utmärkt ledtråd. Det är bäst att jag går in nu och funderar ett tag på det här nya uppslaget. Det blir att tänka skarpt om vi ska kunna lösa den här krångliga och högst förbryllande gåtan. För en detektiv finns det aldrig någon ro, det är bara att arbeta och tänka.«

Denna gång tog herr Högman noga sikte på tvärslån över dörren och böjde försiktigt ner huvudet innan han försvann ur sikte. Ett par minuter senare hörde Dina och Dorinda det välkända: vrripp, vrripp, vrripp, och sedan en lång, gäll vissling.

»Det där kallar han att tänka«, sade Dina.

»Det är vad pappa brukade kalla meditera«, sade Dorinda. »Stackars pappa, jag undrar var han är nu?«

»Jag hoppas att han inte är i fara«, sade Dina.

Den eftermiddagen då alla djuren kommit ut i parken blev det ett förfärligt frågande och pratande, för nyheten att Grissle varit ute hela natten och nu satt i kurran hade redan spritt sig.

Nästan alla tog för givet att Björnen var brottslingen. Och Myrsloken, Pepparätaren och Den Heliga Perukapan sade högt till varandra, och upprepade det för vem som ville höra på, att de från första stund känt sig säkra på att han var tjuven.

»Tvärsäkra«, sade Pepparätaren.

»Bara någon velat lyssna till min mening skulle jag ha pekat ut brottslingen utan minsta tvekan«, tillade Myrsloken.

»Vilket skulle ha besparat oss alla en hel del oro och bekymmer«, utropade Den Heliga Perukapan.

En gammal Ren med ganska dyster uppsyn predikade för två Honungsbjörnar hur viktig en god uppfostran är för en varelses liv här i världen. Han tyckte att föräldrar nu för tiden inte på långa vägar var nog stränga mot sina barn. »Om Grissles föräldrar«, sade han, »hade varit lika stränga och nogräknade mot honom som mina föräldrar var mot mig, är jag säker på att han inte skulle sitta i fängelse i dag. Låt detta bli er en läxa, mina unga vänner!« Och Honungsbjörnarna blev så gripna, att de började gråta.

En Svartbjörn från Himalaya, en Kattbjörn och en malajisk Honungsbjörn var förfärligt upprörda för att en medlem av björnfamiljen hade bringat sådan vanära över deras hederliga namn. *Björn*, sade de, var ett av de finaste namnen i världen, och de försäkrade att de aldrig under hela sitt långa liv hört talas om att en björn begått stöld. Det visade bäst hur det gått utför med världen.

Fru Lill var naturligtvis förtjust över nyheterna. Hon promenerade fram och tillbaka på gräsplanen tillsammans med en Dansande Kasuar, en god vän till henne, och berättade hur skönt det var att åter känna sig trygg. »Så länge det gick en tjuv lös här i djurparken«, sade hon, »skulle det aldrig fallit mig in att lägga ett nytt ägg. Aldrig! Vad tjänar det till att lägga ägg bara för att få dem stulna? Hela besväret och ingen annan belöning än sorg! Aldrig! det är vad jag sa till Bobadill, och det menade jag också. Men *nu* tänker jag sätta i gång med ett nytt ägg så fort jag kan.«

»Vad du är duktig«, sade Den Dansande Kasuaren. »Vad jag beundrar dig!«

Ett av de få djur som inte ville tro på Grissles skuld var Marie Louise, laman. Hon hade samlat omkring sig en grupp bestående av en Antilop, en Dovhjort, en ung Dromedar, en Zebra och en Gnu. Dina och Dorinda var också där. Marie Louise sade att hon hade känt Grissle sedan långt tillbaka i tiden, och under hela deras bekantskap hade han alltid uppfört sig så artigt och försynt mot henne.

»Grissle är en gentleman«, sade hon, »och en gentleman *kan inte* vara en tjuv. Det är omöjligt. Jag har mina egna tankar om vem som är brottslingen, men min enkla mening kan naturligtvis inte intressera någon.«

»Prat!« sade Gnun. »Berätta ni!«

»Jo, ser ni«, sade Marie Louise, »jag har ju bott i Frankrike en lång tid, som ni nog vet. Jag var i en mycket fin privat zoologisk trädgård nära Lyon, och jag lärde mig snart förstå landets språk – det är ett förtjusande folk, fransmännen! De har ett så fint sätt, mycket likt vår barons, tycker jag. – Nå, så snart det begås något brott i Frankrike, så säger alltid poliskonstapeln: ›Cherchez la femme‹. Och det betyder…«

»Det vet jag«, sade Dina. »Det betyder: Sök kvinnan.«

»Varför ska de göra det?« frågade Antilopen.

»Det brydde jag mig inte om att ta reda på«, sade Marie Louise högdraget. Hon var förargad för att Dina också kunde franska.

»Kanske«, sade Dorinda, »är det för att det finns fler kvinnor än män och att de därför är lättare att finna.«

»Det är ett gott skäl«, sade Zebran.

»Men«, sade den unga Dromedaren, »vilken kvinna är det ni misstänker?«

»Ja, vilken?« sade Gnun.

»Fru Druva, baronens hustru«, sade Marie Louise på sitt mest imponerande sätt. »Och jag ska säga er mina skäl. En dag för något mer än en vecka sedan stannade hon och baron Druva utanför min bur och hade ett kort, men långtifrån angenämt samtal med varandra. Hon grälade. Hon grälar ofta, fast jag då inte kan förstå att en kvinna som är gift med en så förtjusande, finkänslig, vacker och bedårande man som baronen kan ha någonting att beklaga sig över. Men så är det här i världen. Somliga vet aldrig hur bra de har det. Och den dagen klagade friherrinnan bittert på äggen. På de kokta äggen de ofta äter till frukost. De var för små, sa hon, och de blev mindre och mindre. Vad hon ville ha, sa hon, på sitt skamlösa sätt, var ett ägg med någonting i.«

»Hu!« sade herr Gnu.

»Ni förstår väl alla vad detta kan betyda?« sade Marie Louise.

»Inte jag«, sade Dovhjorten.

»Jo, det betyder«, sade Marie Louise, »att hon vill ha större ägg. Mycket större ägg. Och vilket är det största av alla ägg? Ett strutsägg! Se, det är det hon vill ha! Och om en sån kvinna som hon verkligen vill ha något så tar hon det. Därför är hon med all sannolikhet tjuven.«

»En intressant synpunkt«, sade Gnun. »Den kan vara riktig.«

Även de andra djuren kände sig imponerade av Marie Louises slutledning.

Herr Högman, som sällat sig till gruppen, frågade:

»Har ni sett några äggfläckar på hennes bröst?«

»En dam har aldrig äggfläckar på bröstet«, sade Marie Louise.

»Det var synd det«, sade herr Högman, »för en äggfläck hade varit en mycket värdefull ledtråd.« Och han sänkte huvudet och granskade omsorgsfullt alla djurens bröst.

Medan han höll på med detta, viskade Dina till Dorinda: »Nu går vi och talar med Guldpuman och Silverfalken.«

De sade adjö till Marie Louise, Antilopen, Dovhjorten, den unga Dromedaren, Zebran, Gnun – »Går ni nu?« sade herr Gnu – och herr Högman. Med långa skutt, sju meter i taget, flög de fram genom parken och stod snart vid de burar där Guldpuman och Silverfalken bodde.

»Hej!« sade Falken.

»Välkomna«, sade Guldpuman. »Vad nytt?«

»Vi har kommit över nyckeln till burarna«, sade Dina och Dorinda på samma gång.

Då flög Falken ner från sin gren och stack ut huvudet genom burens stänger, och Puman tryckte sin mjuka nos hårt mot sin burs galler. Båda blickade längtansfullt på nyckeln, som Dina så stolt visade dem.

»Tänk att åter bli fri och få segla med vinden under den silverblänkande himlen!« utropade Falken. »Släpp ut mig genast! Jag vill inte förlora en minut!«

»Å, att åter bli fri!« spann Guldpuman. »Att få ströva fritt på den gröna marken bland de höga trädens skuggor! Släpp ut mig genast! Jag törstar efter friheten!«

»Men om vi släpper ut dig ur din bur«, sade Dina till Puman, »så är du ändå kvar i parken. Du kan inte komma ut ur den förrän vi hittar på något sätt att smuggla ut dig. Och vi kan inte hjälpa dig att komma ut, förrän vi blir människobarn igen, då kan vi be grindvakten att öppna grindarna.«

»Och vi kan inte bli människor igen«, sade Dorinda, »förrän vi får oss en klunk av trolldrycken ur fru Häxelins flaska, som Dina tappade någonstans mellan det här stället och Medelby.«

»Släpp ut mig«, ropade Silverfalken, »så ska jag söka reda

på er flaska. Jag har ögon som kan se en häger, där han står i skuggan av en klippa en mil härifrån. Jag kan se en åkerråttas ögon blänka i ljungen när jag är så högt uppe att jag bara syns som en liten prick på himlen. Jag kan se fiskarna röra sig på havsbottnen och sorkarna gräva sina gångar på heden. Ge mig frihet att stiga mot höjden, och där uppifrån ska jag genomsöka trakten milsvitt runt omkring och säkert hitta er flaska innan två dagar gått.«

»Han har rätt«, sade Puman. »Låt honom få sin frihet, så hjälper han oss alla. Jag får ge mig till tåls.«

»Flyger du inte din väg då för alltid«, frågade Dorinda oroligt.

Falkens ögon glimmade, och han viskade förnärmad:

»Tvivlar du på mitt ord?«

»Nej«, svarade Dorinda hastigt. »Förlåt mig!«

»I hela vårt släktes historia har en Grönlandsfalk aldrig brutit sitt ord.«

»Det är klart att vi litar på dig«, sade Dina. Hon såg sig omkring för att förvissa sig om att ingen gav akt på dem, och låste sedan upp Falkens bur.

Han flög ut, satte sig på hennes axel, bredde ut sina vingar omkring henne och viskade:

»Jag är er vän och bror från nu till min sista timme.« Och lätt och försiktigt för att vara en så stor fågel kysste han henne.

»Kyss mig med!« ropade Dorinda, och Falken höjde sig med ett vingslag i luften, svävade sedan sakta ner på hennes axel och kysste henne också.

»Du är väl inte ängslig för att jag ska överge dig?«

»Nej«, sade Puman. »Höj dig mot skyn, jag väntar här tills du kommer tillbaka. Men kom ihåg att varje timme jag väntar är en timme av vild hunger efter friheten.«

»Jag ska komma ihåg det«, sade Falken, och med ett jubelskri höjde han sig i luften och steg så snabbt på den vindsvepta himlen, att han på mindre än en minut var utom synhåll.

»Gå nu«, sade Puman till Dina och Dorinda. »Tiden närmar sig då ni måste vara tillbaka i era burar, och det vore inte bra om man fann er här när det upptäckts att buren är tom. Ta väl vara på nyckeln.«

»Du blir mycket ensam nu«, sade Dina.

»Ja, det blir inte så roligt«, sade Puman, »men ni och Falken kommer ju snart tillbaka. Gå nu genast – och ta väl vara på nyckeln!«

14

FÖLJANDE dag, som var en onsdag, såg de inte till Falken, men alla djuren råkade i stor upphetsning när det blev bekant att han hade rymt, och baron Druva och herr Djurling hade en lång och hetsig dispyt om rätta sättet att låsa burar. Herr Djurling framhöll åter att han hade hållit på att låsa burar nu i arton år, så visste inte han hur det skulle göras, så visste väl ingen det. Baron Druva sade att han ville ha en bättre förklaring, och herr Djurling svarade att den fick han i så fall finna själv. Då sade baron Druva att herr Djurling var ohövlig, och herr Djurling svarade att han var så bekymrad, att han inte visste om han stod på huvudet eller fötterna. Baronen tillstod att han kände det alldeles på samma sätt, och hela dagen gick de sedan omkring och mumlade för sig själva och såg förbryllade ut.

På eftermiddagen, när de flesta djuren var utsläppta, fick baron Druva till sin häpnad se herr Högman liggande raklång på marken mitt för Pytonormens bur. Pytonormen var som vanligt försänkt i djup sömn, men herr Högman låg där i alla fall och sträckte på halsen och vred och vände den på det underligaste sätt.

»Vad i all världen har ni för er?« utropade baronen. »Är ni sjuk?«

Herr Högman vände på huvudet och blev djupt generad. Som detektiv hade han naturligtvis ofta varit tvungen att göra de mest underliga saker, men han hade alltid avskytt att bli överraskad under sitt arbete, och nu skulle han säkert ha rodnat, om en giraff kunnat rodna. Det hettade i hela kroppen på honom och han visste inte vad han skulle ta sig till. Då fick han en lysande idé. Han lyfte kroppen ungefär en meter från marken och sänkte den åter sakta. Sedan lyfte han den igen och sänkte den igen. Upp och ner, som om han höll på med någon underlig gymnastik för att stärka sina ben och sitt bröst. Därpå reste han sig plötsligt på fötterna och galopperade bort, medan baron Druva stod kvar och såg mer häpen ut än någonsin.

Senare på eftermiddagen, när alla kommit tillbaka till sina burar, berättade herr Högman för Dina och Dorinda vad som hade hänt, och han skröt förfärligt över sin skicklighet att dölja för baronen vad han i verkligheten hållit på med.

»Vad höll ni på med då?« frågade Dina.

»Jag försökte få mig en titt på Pytonormens bröst«, sade herr Högman.

»Varför det?«

»För att se om där fanns några äggfläckar förstås. Jag har nu undersökt vartenda djur i parken utom Pytonormen och Krokodilen. Men att få syn på deras bröst är verkligen mycket svårt, i synnerhet som de inte alls vill hjälpa till själva.«

»Och fann ni några äggfläckar då?« frågade Dorinda.

»Nej, inga alls«, sade herr Högman med en suck. »Inte ett spår av några fläckar. Saken är lika hemlighetsfull som någonsin.«

»Jag undrar«, sade Dina till Dorinda när de lade sig den kvällen, »om Falken ska komma och väcka oss tidigt i morgon bitti och säga att han funnit fru Häxelins flaska.«

»Ja, det undrar jag med«, sade Dorinda. »Å, vad jag hoppas att han gör det!«

Men Falken kom inte, och när de sedan talade med Puman på eftermiddagen fick de veta att hon inte heller hade sett till honom.

»Men han kommer tillbaka«, tillade hon. »Var inte oroliga för det. I natt drömde jag att jag var ute på jakt igen, och jag vaknade med den säkra förvissningen att min dröm skulle besannas. Ge er bara till tåls. Falken kommer tillbaka.«

Men det blev fredag, och han hade ännu inte kommit, och hela morgonen kände sig Dina och Dorinda mycket beklämda.

De var alldeles övertygade om att Falken skulle hålla sitt löfte om han kunde, men de började frukta att han råkat ut för någon olyckshändelse. Kanske hade han blivit skjuten eller angripen av någon större fågel, en örn till exempel.

»Jag har då aldrig hört att det finns några örnar i Lyckoskogen«, sade Dina, »men det skulle ju kunna hända.«

»Det finns örnar i Skottland«, sade Dorinda, »och någon av dem kan ha farit i väg till Lyckoskogen på sina ferier.«

»Det kan också hända att Falken inte hittar tillbaka hit«, sade Dina.

»Kanske att han inte hittat något att äta och har svimmat av hunger«, sade Dorinda.

Och ju mer de tänkte på alla de olyckor som kunnat inträffa, desto mer förtvivlade blev de, och deras granne herr Högman gjorde ingenting för att muntra upp dem. Herr Högman var själv mycket nedstämd. Han hade inte lyckats upptäcka något bevis för att Grissle hade stulit de saknade strutsäggen, och lika lite hade han funnit några bevis på hans oskuld. Trots allt det arbete han lagt ner hade han faktiskt inte funnit minsta bevis mot någon. Nu gick han av och an i sin bur och upprepade oupphörligt: »Jag är bet. Jag är alldeles bet. Jag vet varken ut eller in. Jag är absolut och fullkomligt bet. *Bet!*«

På eftermiddagen gick de emellertid allesammans för att gratulera fru Lill. För hon hade lagt ett nytt ägg.

Helt naturligt kände hon sig mycket stolt, och hon satt på sitt rede som en drottning på sin tron, under det att de andra medlemmarna av djurparken stod omkring henne som ett hov och sade artigheter.

»Det är storartat av er!« utropade Kasuaren.

»Jag gratulerar, kära fru Lill«, suckade Marie Louise, laman.

»Vilket förtjusande ägg!« utbrast Honungsbjörnen.

»Låt mig också få titta på det«, bad den unga Dromedaren.

»Det är det vackraste ägg jag har sett«, sade Pepparätaren.

»Det ser riktigt aptitligt ut«, sade Den Heliga Perukapan.

Men alla upprördes av detta sista yttrande, och de flesta djuren utbrast: »Hur kan man säga något så avskyvärt!« Fru Lill blev blek av sinnesrörelse.

»Jag tror hon svimmar«, sade Renen.

»Men jag menade ingenting illa!« ropade Perukapan, som genast blev föremål för herr Högmans allra misstänksammaste blickar.

»Det var ett mycket olämpligt och obetänksamt yttrande«, sade Marie Louise, och Den Dansande Kasuaren skrek: »Låt henne få luft! Låt henne få luft!«

Och Den Dansande Kasuaren fläktade med sin vinge på fru Lill, som ganska snart hämtade sig, och alla djuren började åter lyckönska henne. Och rätt som det var började fru Lill, där hon satt på sitt rede alldeles som på en tron, hålla ett litet tal till dem.

»Jag tackar er hjärtligt«, sade hon, »för all er vänlighet och alla era lyckönskningar. Jag sätter värde på dem och jag gläder mig åt tanken att min lilla struts, när han väl blir framkläckt, får så många snälla grannar omkring sig.«

»Hurra!« ropade djuren.

»Jag behöver inte påminna er om hur bittert besviken jag har blivit här i livet«, fortsatte fru Lill, »men jag tror att jag bör säga er att jag så gott som hade beslutat att aldrig, aldrig mer lägga något ägg. Då förändrades lyckligtvis hela situationen. Grissle blev gripen och satt i fängelse. Och om Grissle var tjuven var det ju ingen fara längre för mina ägg. Jag kunde lägga ännu ett utan fruktan, och jag hoppas i lugn och ro få kläcka ut det. Jag kände mig för några dagar sedan fullt övertygad om att Grissle var tjuven. Men efter vad jag hörde nyss är jag inte längre så säker.«

Fru Lill gjorde ett uppehåll och tittade skarpt på Den Heliga Perukapan, som än en gång bedyrade att hon inte menat något illa med vad hon sagt. Men de andra djuren visade sig så ovänliga mot henne, att hon plötsligt blev förskräckt och sprang sin väg. Och herr Högman började genast skugga henne, under föregivande att han bara skulle ta sig en liten promenad. Därefter fortsatte fru Lill med sitt tal.

»Det förefaller«, sade hon, »som om mitt stackars lilla ägg alltjämt är i fara. Det måste vaktas dag och natt, och jag tänker vakta det alldeles själv. Jag kommer inte att lämna mitt rede förrän det är utkläckt.«

Fru Lill gjorde åter ett uppehåll, och fortsatte sedan:

»Jag vill inte säga något ont om herr Bobadill. Han är min man och jag älskar honom. Men han är inte så hänsynsfull som jag kunde önska att han vore. Han är inte någon god far. Han tänker bara på sitt eget nöje. Han är inte elak – det hoppas jag åtminstone – men han är lat och viljesvag. Han låter lätt locka sig på avvägar. Nu i eftermiddag till exempel hade det väl varit hans plikt att stå här vid min sida och ta emot era vänliga lyckönskningar, men han har gett sig av och lämnat mig ensam. Jag förmodar att han är nere vid ån och pratar med Den Svarta Svanen. En sådan man är det jag har! Jag vill visserligen inte förneka att han har ett gott hjärta, men fastän alla beundrar honom för hans vackra figur och hans tjusiga sätt, är han inte att lita på! Jag kommer aldrig att låta honom hålla vårt ägg varmt, ens för en halvtimme, jag tänker kläcka ut det alldeles själv!«

Efter detta tal blev de flesta djuren mycket förargade på herr Bobadill, och några av dem började åter undra om det inte var han som stulit de andra äggen. Somliga tyckte också att Den Heliga Perukapan hade sett ganska skyldig ut när hon sprang sin väg, och många kände sig redan övertygade om att Grissle var oskyldig och blivit orättvist kastad i fängelse. Men alla var de fulla av deltagande med fru Lill och alla hoppades livligt att hennes ägg denna gång skulle kunna skyddas för alla faror.

15

Ä N N U en morgon grydde, och fortfarande hördes ingenting
från Silverfalken. Dina och Dorinda ansträngde sig till det
yttersta att hålla modet uppe, men de kunde inte hjälpa att de
kände sig bittert missräknade, och de såg betydligt sorgmodi-
gare ut än känguruer vanligen brukar göra. Den dagen tycktes
dem längre än någon annan de upplevt.

Men sent på kvällen, just då de skulle gå och lägga sig, hörde
de starka vingslag i luften, det rasslade i gruset utanför deras
hus, och Silverfalkens röst kallade viskande på dem.

De skyndade sig till dörren, och Dina utropade:

»Åh, vad vi är glada att se dig igen!«

»Du kan aldrig ana hur glada vi är«, sade Dorinda.

»Vi har längtat så efter dig!«

»Vi har nästan längtat ihjäl oss!«

»Och det första ni nu vill veta«, sade Falken, »är förstås om
jag har funnit fru Häxelins flaska.«

»Har du det?« frågade Dina.

»Säg inte att du inte har funnit den«, bad Dorinda.

»Jag vet var den finns«, sade Silverfalken.

»Kom in och berätta alltsammans för oss«, sade Dina. »Det
är bäst att vi håller oss inomhus, så att vi inte väcker herr
Högman. Fast jag tror förstås inte att han vaknar så lätt i kväll,
för han har försökt skugga både herr Bobadill och Perukapan
hela eftermiddagen, och följden har blivit att han nu är alldeles
utmattad. Men jag tror i alla fall att vi har det lugnare där inne.«

Så gick de in i känguruernas hus, och Silverfalken lyste som
en ljusfläck i mörkret, så glänsande var hans fjäderskrud. Och
här följer nu vad han berättade:

»I fyra dagar«, sade han, »har jag sökt efter flaskan. Två eller tre gånger flög jag så högt att de högre luftströmmarna grep mig och bar mig än åt norr, än åt söder, än åt öster eller väster, men det gjorde jag mest för nöjet att åter få känna rymden omkring mig efter den långa tidens fångenskap. Och tre eller fyra gånger har jag varit ute på jakt över Lyckoskogen och i starka vingsvep huggit klorna i tre eller fyra feta duvor, men det var bara för nöjet att åter få jaga efter hela denna tid i bur, då jag blivit matad som en tamkatt. För övrigt har jag inte jagat annat än för födans skull och inte flugit annat än här emellan och Medelby. Varenda dag har jag sökt efter er flaska, på fält och i diken, under buskar och träd, i skogsdungar och trädgårdar, längs vägen och längs ån. Jag har genomsökt varenda bit av marken, men dag efter dag gick utan att jag fann något. Natt efter natt flög jag trött och missräknad till Lyckoskogen för att sova där på en gren. Och morgon efter morgon var jag i farten igen, men allt mitt sökande var till ingen nytta. Ända tills för en timme sedan var mitt letande förgäves. Jag kunde inte finna flaskan. Men för en timme sedan – när jag höll på att undersöka fältet vid grindvaktens stuga för tionde eller tolfte eller fjortonde gången, fastän skymningen föll på – fick jag syn på, inte er flaska, men en knubbig ung kanin, och jag tänkte för mig själv: Där har du din kvällsmat. Och jag slog ner på kaninen, men det var nära på att jag missat honom, jag fick bara tag i hans bakben, just då han skulle försvinna ner i sitt hål. Jag drog ut honom igen, han pep som en baby, och medan jag drog, fick jag långt nere i hålet syn på den där flaskan som ni tappat bort. Den låg för djupt för att jag skulle kunna nå den, men hålet finns i utkanten av fältet på bortre sidan av vägen, sjuttiofem meter från grindvaktens stuga. Och för att ni skulle kunna finna det lättare, stack jag ner kaninens vita svans bredvid det.«

»Så bra att du tänkte på det!« sade Dorinda.

»Stackars kanin!« sade Dina.

»Den var fet och mör«, sade Falken. »Jag njöt mycket av min kvällsmat.«

»I morgon eftermiddag«, sade Dina, »ska vi hämta troll-drycken, och sen kan vi bli flickor igen när vi vill. Tänk på det, Dorinda!«

»Det har jag tänkt på länge«, sade Dorinda.

»Jag kan inte säga dig hur tacksamma vi är«, sade Dina till Falken.

»Försök inte då«, sade Falken, »för jag har inte slutat min egen historia ännu. Jag har av en händelse fått reda på vem det är som stulit äggen från de dumma strutsarna, herr Bobadill och fru Lill, och ställt till allt det här spektaklet i djurparken.«

»Hon har just lagt ett nytt ägg«, sade Dorinda.

»Har hon? Då är det bäst ni säger henne att hon ska vaka över det ordentligt, annars blir hon nog av med det som med de andra.«

»Men vem är tjuven?« frågade Dina.

»Låt mig berätta historien på mitt eget sätt«, sade Falken. »Den började när jag en tidig morgon dödade en grann fasan-tupp, en riktig guldfasantupp, på bakgården till baron Druvas stora hus. Just som jag hade dödat honom kom en liten dvärg-höna springande från hönsgården och skrek: ›Bra gjort, Falk! Den där fasanen var en hemskt högfärdig och farlig fågel som borde ha dödats för länge sen, för han har ställt till en massa trassel och tråkigheter här på bakgården med sitt skryt och sina fina fjädrar. Vi är tacksamma mot er, herr Falk, och vi skulle bli ännu tacksammare, om ni ville döda en till av våra fiender.‹

›Vem skulle det vara?‹ frågade jag.

Då sa hon namnet på en som bor här i djurparken och som är en beryktad rövare. Han kommer om natten och stjäl ägg från dvärghönsen på bakgården – hela fulla reden på en gång. ›Är det bara dvärghönsägg han tycker om?‹ frågade jag då.

›Nej visst inte‹, svarade hon, ›för på sista tiden har vi fått vara i fred, därför att han funnit mycket större ägg, strutsägg, sägs det, men när de tar slut kommer han säkert tillbaka till oss, för ägg av någon sort vill han och ska han ha. Och nu, herr Falk, ber jag er, som är så tapper och ädel, att döda honom, liksom ni dödade den där otäcka fasanen nyss, och rädda oss dvärghöns från nya förluster och sorger.‹

Då sade jag henne att den som hon hade nämnt var en mycket för stor motståndare för att jag skulle kunna besegra honom, hur stark och välrustad jag än var. Men jag skulle se till, sade jag, att hans brott blev kända och att det blev slut på dem. Och det kan nog ni styra om, tänker jag.«

»Men vem«, frågade Dina, »vem *är* tjuven?«

Falken viskade hans namn.

»Å«, sade Dina, »jag trodde…«

»Aldrig kunde jag ana att det var han!« utropade Dorinda.

»Hur kan han komma ut?« frågade Dina.

»Det vet jag inte«, sade Falken, »men han är brottslingen, och ni måste hitta på något sätt så att han blir fast. Och nu får jag lov att ge mig av. Min kära vän Guldpuman har säkert väntat på mig ännu mycket otåligare än ni, och hon kommer att bli förtjust över att jag funnit flaskan med trolldrycken. Är det något annat som jag kan tala om för henne? Har ni gjort upp någon plan för hennes flykt?«

»Om vi finner flaskan i morgon eftermiddag«, sade Dina, »så ska vi ta oss var sin klunk av medicinen med detsamma, och sedan blir vi flickor igen efter ungefär fem minuter, tror jag. Nu är det söndag i morgon, och då är djurparken öppen för besökare. Det blir massor med barn här, och ingen kommer att lägga märke till oss. Och då går vi till pumans bur… Å, men det kan vi inte!«

»Dina!« utropade Dorinda. »Jag har just tänkt på det, jag också!«

»Tänkt på vad?« frågade Falken.

»Våra kläder«, sade Dina. »Vi har inga kläder!«

»Och om vi förvandlar oss till flickor igen så blir vi alldeles nakna«, sade Dorinda.

»Stackars människor!« sade Falken. »Vad ni är hjälplösa ändå!«

Dorinda började gråta.

»Det är inte vårt fel«, snyftade hon.

»Det tjänar ingenting till att klandra *oss* för att vi är människobarn«, sade Dina.

»Är ni säkra på att ni inte hellre vill fortsätta att vara känguruer?« frågade Falken.

»Ja alldeles tvärsäkra«, sade Dina.

»Det förefaller mig«, sade Falken, »som om en känguru i många avseenden skulle ha det mycket bättre än ett människobarn. Som känguruer behöver ni inte ha besväret att klä på er och klä av er varenda dag. Ni är inte tvungna att läsa en mängd tråkiga läxor, ni kan springa fortare och hoppa längre än någon flicka nånsin kan göra. Varför skulle ni inte förbli som ni är?«

»Nej, nej, nej!« ropade Dina.

»Ni är alltså beslutna att bli människor igen?«

»Ja«, sade Dina. »Absolut beslutna.«

»Då är det verkligen synd«, sade Falken, »att ni inte har några kläder att sätta på er.«

Överväldigade av denna nya olycka satt Dina och Dorinda dystra och tysta, då de plötsligt ur mörkret inne i sitt lilla hus hörde ett besynnerligt ljud. Det var strävt och lågt, det lät som när två kiselstenar på flodstranden gnids mot varandra och sedan sakta stöts ihop, men på något underligt sätt liknade det också ett skratt. Var det möjligt? Skojade Falken med dem?

»Skrattar du åt oss?« frågade Dina förnärmad.

Det besynnerliga ljudet upphörde.

»Ursäkta mig«, sade Falken. »Jag skrattar inte ofta, men saken är den att jag tillåtit mig ett litet skämt med er.«

»Jag kan då inte se något roligt i det skämtet«, sade Dorinda surmulet.

»Vänta tills ni får höra vad det gäller.«

»Vad gäller det då?«

»Ni vet ju var Den Svarta Svanen bor? Hundra meter från hans bo står en rad pilträd. Det tredje trädet från vänster har ett hål i stammen uppe i kronan. Gå dit i morgon eftermiddag, får ni se vad ni finner.«

111

»Inte våra kläder heller?« ropade Dorinda.

»Ja, någons kläder är det i varje fall«, sade Falken, »och de som rår om dem hade gömt dem i en ihålig ek i Lyckoskogen.«

»Men hur kunde du finna dem?«

»Jag kan upptäcka en åkerråtta i en höstack«, sade Falken självbelåtet. »Hur skulle jag då kunna undgå att se två färgglada klänningar i ett multnande träd?«

»Men så snällt av dig att bära hit dem!« sade Dina. »Så snällt och så omtänksamt!«

»Det var hemskt hyggligt gjort!« sade Dorinda.

»Jag vet inte hur vi ska kunna tacka dig«, sade Dina. »Vi kan aldrig glömma vad du har gjort för oss.«

»Nu måste vi tänka på Puman«, sade Falken. »Vi kan inte rymma och lämna henne kvar, och det är er sak att göra upp en bra plan för hennes flykt.«

»Du kan lita på oss«, sade Dina högtidligt.

»Ja, godnatt då«, sade Falken. Silverglansen från hans fjäderskrud försvann i mörkret, och strax därefter hörde de suset från hans starka vingslag.

»Dina!« sade Dorinda. »Vad ska vi nu göra först?«

»Det här kommer att bli den arbetsammaste natt vi haft i vårt liv«, sade Dina. »Och först av allt ska vi ropa på herr Högman. Sedan ska jag berätta för er båda om min plan.«

16

D E T var Dina som tog ledningen. Hon lät inte herr Högman
få något tillfälle att resonera, men hon gav honom sina order,
lika lugnt och klart som om hon varit sin egen pappa och
utdelat befallningar till en hel bataljon. Herr Högman var full
av beundran för hennes plan, men ännu mer imponerad blev
han när han hörde att hon hade en nyckel som öppnade alla
djurens burar, och han blev faktiskt slagen med häpnad när hon
avslöjade namnet på brottslingen som hade stulit fru Lills ägg.
»Hur kunde ni komma honom på spåret?« viskade han. »Vad
var det för en ledtråd som gjorde det möjligt för er att lösa
denna invecklade gåta?«
»Det fanns inga ledtrådar«, sade Dina. »Någon sade mig
vem det var.«
»Ack ja«, sade herr Högman förnumstigt, »sådant händer
ofta. En ledtråd är mycket bra, och flera ledtrådar är ännu
bättre, men en angivare är bäst av allt. Polisen är mycket förtjust
i angivare, för om de vet brottslingens namn och var han bor,
kan de snabbt och duktigt klara upp de svåraste fall.«
»Se på molnet där«, sade Dorinda. »Så snart det har seglat
lite längre åt öster kommer månen att lysa.«
»Det blir fullmåne i natt«, sade herr Högman.
»Då har vi ingen tid att förlora«, sade Dina, »för alla måste
vara på sina platser innan månen kommer fram.«
Hon skyndade sig att låsa upp dörren till deras bur, släppte
sedan ut Giraffen ur hans och skuttade snabbt i väg till nästa
grupp av burar, där Marie Louise, Zebran, Myrsloken och
Honungsbjörnarna bodde. Hon väckte dem alla och öppnade
deras dörrar. Sedan lämnade hon åt herr Högman och Dorinda
att förklara vad de skulle göra och fortsatte själv att väcka

en hel mängd andra djur i tur och ordning. Slutligen kom hon till fängelseburen, i vilken Grissle Gråbjörn satt instängd. Hon hade ett långt samtal med honom. Han var först mycket förargad och vresig för att han blivit väckt, men Dina lyckades till slut blidka honom, och när han hörde vad det var frågan om och vad hon ville att han skulle göra, blev han riktigt livad och skrattade långt nere i sin tjocka hals, så att det lät som ett mindre åskväder i en ravin.

Och nu hade det stora, mörka molnet, som var det enda på hela himlen och som hittills täckt månen, blåst undan österut. Det skymde på sin väg ett par tusen stjärnor, men fullmånen lyste i stället blank och klar lik en stor silvertallrik som polerats av tio tusen hembiträden i tio tusen år. Himlen själv var mörkt och mjukt blå som skalet på en druva, och parken där Dina hoppade fram i skutt på skutt badade i ett mjölkvitt ljus. Men träden och buskarna kastade svarta skuggor. Här och där i dessa skuggor glimmade ögon fram. Det var djuren som stod på vakt.

Dinas plan hade varit att släppa ut alla djur som man kunde lita på – men inte Puman, för många av de andra var rädda för henne – och ställa dem som vaktposter runt fru Lills rede. Hon hade ålagt herr Högman att inte låta dem gå alltför nära boet, för fru Lill fick inte bli störd i onödan, men samtidigt måste de bilda en så tät kedja som möjligt för att hindra tjuven att osedd slippa igenom ringen. Han var stark och listig: de måste hålla god utkik.

Hon fann alla djuren på sina platser i en vid cirkel runt boet. De var alla klarvakna och ivriga att bli den förste som upptäckte brottslingen. Men många av dem var också ganska rädda. De var alla väl gömda i trädens och buskarnas skuggor, och de stod fullkomligt orörliga, så som bara djur kan.

Inne i cirkeln på endast tjugo stegs avstånd från redet där fru Lill låg och sov helt lugnt, fanns en liten dunge av lindar, och mellan dem, med sin långa hals bland grenarna och huvudet uppstickande över de översta löven, stod herr Högman på utkik.

Han stod så stilla att han nästan var osynlig, men Dina förstod att han där uppe måste ha en god utsikt över redet, och han åtminstone, tänkte hon, skulle säkert upptäcka tjuven, om han kom. »Det vill säga om han inte somnar«, tillade hon, »för han ser ut att ha det väldigt bekvämt där han står lutad mot trädet, och han är bedrövligt fallen för att sova.«

Hon hoppades emellertid det bästa, och eftersom hon nu hade inspekterat alla vakterna och uppmanat dem att vara vakna och modiga, gick hon för att ta reda på Dorinda.

Hon hade sagt till Dorinda att vänta på henne vid vaktkedjans bortersta sida, det vill säga den sida som var längst från burarna och närmast grindstugan och fältet där fru Häxelins flaska låg i ett kaninhål. Hon hade naturligtvis inte berättat för herr Högman något om flaskan, men till Dorinda hade hon viskat: »Om djuren sköter sig bra så att vi kan lita på dem, kilar du och jag i väg ett tag och söker efter det där kaninhålet som Falken prickat ut med en kaninsvans. Det är säkert lätt att finna det i månskenet, och vi behöver bara vara borta några få minuter. Sen skuttar vi tillbaka och stannar och håller vakt ända till morgonen, om det behövs.«

Hon och Dorinda dröjde ungefär en kvarts timme ett litet stycke bortom ringen av vakter, och allt var lugnt. Månljuset flödade så rikligt över nejden att Dorinda nästan tyckte hon kunde se det droppa från löven, och månen, sade hon, buktade ut där uppe på himlen alldeles som den gamla spegeln i hallen därhemma.

»Det kan mycket väl hända«, sade Dina, »att han inte kommer i natt. Tjuven, menar jag. Följer du med, så går vi och letar efter flaskan. Men hoppa försiktigt: Vi måste vara så tysta som möjligt, för en natt som denna hörs minsta ljud…«

Hon avbröts av ett skrik, så gällt och fasansfullt att det skulle ha hörts genom en vinterstorm.

»Vad är det?« sade Dorinda.

»Fru Lill!« sade Dina. »Fort, fort!«

När de kom fram till boet var det redan omgivet av en tjugo, trettio vilt upphetsade djur, och fru Lill stod där och begrät sin förlust under häftiga snyftningar. Hon vaggade upprörd huvudet fram och tillbaka, och i månskenet strilade klara tårar från hennes ögon, som om de hade varit trädgårdskannor.

»Det är borta, borta, borta!« jämrade hon. »Mitt sista, mitt vackraste, mitt allra sötaste lilla ägg är borta för alltid!«

»Det var då ett mycket stort ägg då jag såg det«, sade herr Högman misstänksamt.

»Det gör väl detsamma nu«, snyftade strutsen, »när det i alla fall är borta, borta, borta!«

»Men hur kunde det försvinna?« frågade Kasuaren. »Du har ju legat på det hela tiden, och vi har vaktat här utanför.«

»Jag såg två ögon«, sade fru Lill. »Jag vaknade alldeles uppskrämd och såg två stora, gula ögon stirra på mig. De var gula som…«

»Som smör?« frågade den ena av Honungsbjörnarna.

»Nej, nej«, sade fru Lill. »De var hårda och gula som, som…«

»Som ost?« föreslog Perukapan.

»*Nej!*« skrek fru Lill. »De var glänsande och hårda och gula…«

»Som topaser«, sade Marie Louise.

»Ja, just som topaser, och de glittrade i månskenet bara en meter ifrån mig. Och då tror jag att jag svimmade. Jag reste mig lite upp från redet, och sen sjönk jag ihop igen. Och när jag återfick medvetandet var ägget borta. Mitt sista, mitt vackraste ägg för alltid borta! Ve mig, jag är den olyckligaste struts som någonsin funnits! Om detta skulle bli mitt öde, varför låg min mor så länge och tålmodigt på sitt ägg för att kläcka ut mig? I en sådan värld som denna har en struts inget hopp att bli lycklig.«

»Herr Högman«, sade Dina kort och bestämt, »såg ni hur det här gick till?«

»Jag såg ingenting«, sade herr Högman. »Absolut ingenting! Jag är fullkomligt förbluffad över denna helt oväntade vändning.«

»Ni sov«, sade Dina.

»Ni förolämpar mig«, sade herr Högman. »Ni förolämpar mig djupt. Ni förolämpar mig ända in i mitt innersta. Jag är inte överdrivet känslig, men...«

»Ni var överdrivet sömnig«, sade Dorinda hjärtlöst.

»I varje fall«, sade Dina, »förlorar vi bara tid med att stå här och prata. Det vore bättre att vi sökte efter tjuven. Vi vet alla vem det är, och han har överlistat oss. Jag tror nog att de flesta av er höll god vakt, men han var för slug för er. Han tog sig in mellan två väktare och stal ägget. Men det kan hända att han inte ätit upp det ännu, och han är kanske inte långt borta. Det är möjligt att han är på hemväg, men det blir inte lätt för honom att ta sig hem, det har jag ställt om, och det är troligt att han gömmer sig någonstans här i närheten. Så sprid er nu och sök honom. Några av er får ge sig av till hans bur, men alla de andra måste jaga honom över hela parken.«

»Ett förträffligt råd«, sade Marie Louise. »Sprid er, mina vänner, sprid er! Men två eller tre av er kan gärna följa med mig.«

Hon talade i ganska kall ton, för hon ogillade i högsta grad att en ung känguru som Dina, som dessutom så nyligen kommit till djurparken, försökte ta ledningen. Men fast Marie Louise hade anlag för avundsjuka, var hon också rättvis och förstod att Dinas förslag var det bästa. Hon gav därmed de andra djuren ett gott exempel, och alla började genast söka efter brottslingen överallt. Men de var nu alldeles för upphetsade för att hålla sig tysta, som de hade gjort när de stod på vakt kring redet, och snart började den månljusa luften skälva av jaktens vilda larm, av skall och gläfs och tjut och grymtningar och tjatter och fnitter och visslingar och hojtanden och hurranden och hallåanden. Men lilla fru Lill blev alldeles bortglömd och satt ensam på sitt rede och grät.

Herr Högman, som såg allt från sin överlägsna höjd, lät nu plötsligt höra ett gällt rop, och nästan alla lystrade till. »Ta fast honom, ta fast honom!« skrek herr Högman. Han tog spjärn med de vitt åtskilda frambenen, hans långa hals sträckte sig upp i luften som en lyftkran och hans stora, mörka ögon lyste. De andra djuren tittade åt det håll han pekade, och alla stod stumma av häpnad. För där i månskenet kom herr Bobadill, och herr Bobadill var tydligen ganska skamsen. Herr Bobadill såg skyldig ut, och halvvägs mellan näbben och bröstet, mitt på halsen, hade han en hemsk och misstänkt bula!

Men herr Bobadill var *inte* den tjuv de väntat. Det var inte för herr Bobadills skull de hållit vakt, det var inte honom de nu sökte.

Men det bekymrade inte herr Högman. Herr Högman glömde allt som Dina hade sagt honom. Han bara tittade på bulan på herr Bobadills hals och ropade förtjust: »Här har vi till sist en ledtråd!«

»Sätt efter honom!« skrek han. »Låt honom inte slippa undan. Omringa honom, genskjut honom, fånga in honom, där är han!«

Herr Högman ledde förföljandet i galopp, och herr Bobadill skulle ha blivit tagen nästan genast om bara herr Högman hade sett sig för. Men i sin upphetsning snavade han över Myrsloken, föll med en duns till marken och ställde till oreda i hela jaktsällskapet. Herr Bobadill fick ett gott försprång och flydde hals över huvud bort mot gräsplanen framför baron Druvas stora hus.

Baron Druva hade vaknat av jaktens larm och stod nu på den breda trappan framför ingången och undrade vad som hade hänt. Han var klädd i gul sidenpyjamas med röda snoddar på jackan och skärp med röda tofsar. På fötterna hade han röda turkiska tofflor och i handen kastkulor och en bumerang.

Herr Bobadill, strutsen, kom i vild fart rusande över gräsmattan. Baron Druva steg fram, svängde kastkulorna tre gånger runt huvudet och lät dem flyga i väg. Han hade siktat säkert. Repet med järnkulorna snodde sig varv på varv kring nedre delen av herr Bobadills hals, och herr Bobadill vacklade till och föll.

I samma ögonblick kom de andra djuren, en vild flock anförd av herr Högman, jagande över gräsmattan.

»Uppror!« skrek baron Druva. »De har brutit sig ut, de går till anfall! Ner med rebellerna! – *Virtus semper viridis – Ma foi et mon droit – Du bleibst doch immer was du bist!*«

Dessa utländska fraser var familjen Druvas valspråk, och baronen brukade ofta upprepa dem för att intala sig mod. De kom honom alltid att känna sig betydligt tapprare än strax förut och därför ryggade han nu inte tillbaka för de anfallande djuren, utan slungade genast sin bumerang mot herr Högman. Men denna gång siktade han inte så säkert. Bumerangen gick minst tre meter vid sidan av sitt mål, herr Högmans huvud, och började sin flykt tillbaka. Den var inte lätt att se i månskenet, och därför märkte inte baronen när den kom. Han blev häpen när han fick ett slag för pannan, eller rättare sagt, han skulle ha blivit häpen om han hunnit tänka. Men det hann han inte, för han föll genast, bedövad av slaget, raklång på den mjuka gräsmattan.

Bland de främsta av de förföljande djuren kom Marie Louise, laman, och när hon såg sin älskade husbonde falla, gav hon upp ett gällt skri och rusade fram till honom. Han var verkligen en vacker syn där han låg i månskenet i sin gula sidenpyjamas med de röda snoddarna och de röda tofsarna och med de röda turkiska tofflorna på fötterna och en strimma rött blod på sin ädla panna.

Marie Louise föll på knä bredvid honom och lade sitt huvud mot hans bröst. Hon snyftade hejdlöst. Den unga Perukapan började gnida hans fötter, Honungsbjörnarna strök hans händer, medan Gnun sakta blåste honom i ansiktet för att han skulle få luft. Han var omgiven av sina djur, som alla på olika sätt visade honom sin uppriktiga sorg och sin stora tillgivenhet. Herr Bobadill blev alldeles bortglömd.

Där låg nu baron Druva i månskenet på marken framför sitt ståtliga herresäte bland de gråtande djuren, och hundra steg därifrån på den stora gräsmattan höll den stackars dumma

Strutsen på att kvävas av kastkulornas rep. Han flämtade efter luft och var övertygad om att hans sista stund var kommen. Två gånger försökte han resa sig, men föll åter omkull. Han gjorde en tredje ansträngning för att komma på benen, men rullade över på rygg och låg där och sparkade matt med sina långa ben.

Just då dök en känguru upp vid utkanten av gräsmattan. Det var Dorinda.

När herr Högman rusade i väg med alla djuren på jakt efter herr Bobadill, var Dina och Dorinda och en Vrålapa, som hette Sirenen och hade en ljudlig röst, redan på väg till det inre av parken. Där var det nog viktigast att hålla vakt, tänkte de. Men sedan hade de blivit tveksamma. Kanske var det lika bra att en av dem slöt sig till herr Högmans flock, medan de två andra höll fast vid den ursprungliga planen. Dorinda erbjöd sig att följa efter Giraffen och skuttade i väg så fort hon kunde efter de försvinnande djuren.

Hon kom fram till gräsmattan för sent för att se baron Druvas fall. Det första hon såg var herr Bobadill, som låg där och viftade i luften med benen.

»Vem har gjort det här?« frågade hon, då hon började linda kulrepet av hans hals.

»Urk, urk!« kraxade herr Bobadill, som inte kunde säga mera.

»Och vad är det här?« frågade hon, då hon kände klumpen i hans hals ett stycke högre upp.

»Urk!« sade herr Bobadill.

Dorinda kände efter lite närmare.

»Jag misstänker starkt«, sade hon, »att det är något som tillhör mig! Och i så fall är ni en tjuv, som alla trodde. Att äta upp vad andra äger är bara en annan form av stöld, och förresten är det glupskt också. Det är rätt åt er att det har fastnat i halsen och att ni inte kan få ner det. Men nu ska ni laga att ni får upp det i stället och det med detsamma, annars tar jag inte bort repet från er hals.«

»Urrurk. Urrurrurk«, sade herr Bobadill.

»Ni menar att ni inte kan få upp det, om jag inte tar bort repet först?«

»Brurrurk.«

»Men ni lovar säkert att göra som jag säger sedan då?«

»Grurrurk.«

»Då får jag väl lita på er då. Men håller ni inte ert löfte – ja, då ska ni råka ut för något som är mycket värre än kastkulorna!«

Och så lindade Dorinda upp repet, som snott sig kvävande hårt kring herr Bobadills hals, och när strutsen harklat sig och vridit sig och hostat en liten stund, lade han på gräsmattan ner flaskan med fru Häxelins trolldryck.

»Jag får be så mycket om ursäkt«, sade han.

17

GRISSLE GRÅBJÖRN låg i skuggan av en klippa bredvid en liten grupp burar och väntade. Det var här som tjuven bodde, och då Dina befriade Grissle ur fängelset, hade hon sagt: »Om djuren som vaktar redet inte lyckas fånga honom kommer han nästan säkert att skynda sig hem. Då ska ni hindra honom att komma in i sin bur. Han är naturligtvis vid det laget alldeles desperat, men ni är mycket stark. Tror ni att ni kan göra det?« »Låt mig bara få armarna omkring honom«, hade Grissle brummat, »så kramar jag ihjäl honom.«

Under fängelsetiden hade han helt naturligt varit vid mycket dåligt lynne, för han hade inte haft någon tidning att läsa, och han fick lida straff för ett brott som han inte hade begått. Nu skulle han få ett tillfälle att utgjuta sin vrede över den verkliga tjuven. Det skulle bli en härlig, honungssöt hämnd! I sitt vredgade hjärta hoppades han och önskade att de andra djuren inte skulle lyckas fånga förbrytaren, så att han, Grissle, skulle få det utsökta nöjet att hugga honom, brottas med honom och om möjligt knäcka hans vedervärdiga nacke.

Det var vad Grissle föresatte sig där han låg och väntade i skuggan. »Jag ska knäcka hans vedervärdiga nacke!« brummade han och blev otålig över att tjuven inte kom genast.

Framför burarna och framför klippan där Grissle låg fanns en smal gräsremsa, och framför den en väg, omkring tre meter bred. På andra sidan vägen växte det mer gräs och några buskar och bakom dessa syntes ett par stora träd, vilkas blad i månskenet var lika stilla och orörliga som bladen på en kinesisk målning.

Rätt som det var stelnade Grissle till, och den sträva raggen på hans hals reste sig hård och styv. I buskarna på andra sidan vägen, bara några centimeter över marken, såg han två ögon glittra svagt som små gula ljus. Han låg alldeles stilla, och långsamt, mycket långsamt, närmade sig ögonen. De lämnade buskarnas mörker och kom fram till bortre kanten av vägen. Men bara ögonen syntes. Det var som om det inte funnits något annat.

Sedan gled de tvärs över vägen med otrolig hastighet, och bakom dem kom med en snabbt böljande rörelse en tjock, rund kropp. Grissle kastade sig med ett rytande över denna kropp. Det var Pytonormen. Det var han som var tjuven.

Nu började en fruktansvärd strid.

Pytonormen var nära fyra meter lång, och Grissle grep honom först på mitten och försökte lyfta honom från marken. Mitten kom upp i en stor båge, men ormen kastade hastigt sin huvudände kring det ena av björnens ben och sin stjärtände kring det andra och drog så omkull Grissle. De rullade om varandra på vägen, björnen omslingrad av ormen. Sedan slet sig ormen lös och försökte krypa in i sitt hus genom ett hemligt hål i väggen, som han utan herr Djurlings vetskap använde för att gå ut och in när han ville. Men Grissle drog och slet i stjärten, och det blev en dragkamp mellan dem. Grissle drog och slet åt ett håll, och Pytonormen uppbjöd alla sina väldiga musklers styrka för att komma undan åt det andra.

Grissle var ur stånd att dra ut honom ur hålet, men Pytonormen kunde inte heller komma undan björnen, och efter tre eller fyra minuters förtvivlad kamp vände han plötsligt helt om och körde sitt huvud som en murbräcka rakt mot Grissles strupe.

Grissle slog till just i rätta ögonblicket. Hans väldiga högra tass träffade Pytonormen i huvudet. Det var ett fruktansvärt slag, och hela främre delen av ormen föll bedövad till marken. Men Grissle hade måst släppa stjärten för att slå till huvudet, och innan han visste ordet av hade stjärtänden – ett par meter av ormen – slingrat sig om hans liv för att krama ihjäl honom, medan huvudänden, som kvicknat till, åter gick löst på honom som en murbräcka.

Gång på gång, än med högra ramen och än med den vänstra, lappade Grissle till det anfallande huvudet, så att det slank än hit och än dit, och till slut föll Pytonormen medvetslös till marken och hans stjärt släppte taget kring Grissles kropp. Då lyfte björnen upp den slankiga ormkroppen, fick ett stadigt grepp om den ungefär en meter från huvudet, och slog detta ett par gånger mot den närmaste burens stenmur tills ormen var död.

»Bra gjort, bra gjort!« skrek Dina. »Bravo, Grissle!«

Hon hade, åtföljd av Sirenen, hunnit fram i tid för att bevittna det mesta av striden, och fast hon hela tiden varit förfärligt rädd, hade hon uppfattat den dödliga brottningens alla växlingar och finesser.

»Duktiga Grissle!« utbrast hon. »Vad ni kämpade tappert! Men jag var förfärligt rädd för er skull. Varje gång det där otäcka huvudet sköt fram emot er trodde jag att det skulle bli er död. Mitt hjärta stod alldeles stilla.«

»Det var väl ingenting«, sade Grissle pustande och flåsande. »Det där var just en strid som jag tycker om, och jag känner mig riktigt uppfriskad av den. Såg ni den första boxen som jag gav honom?«

»Den var underbar«, sade Dina.

»Se, man måste förstå att sätta in stöten i rätta ögonblicket«, sade Grissle. »Säker balans och väl avvägda stötar – det är hemligheten. Jag brukade boxas mycket på den tiden jag var pojke.«

»När var ni en pojke?« frågade Dina.

Men Grissle var, trots sina försök att verka oberörd, alldeles utmattad. Hans sista ord hade inte varit högre än en viskning, och nu satt han i gräset med hängande huvud och slappa axlar och såg ut som den äldsta och tröttaste björnen i hela världen. Han låtsades inte om Dinas fråga.

Sirenen hade under tiden undersökt den döda pytonormen och vinkade nu till sig Dina.

»Titta!« sade han och pekade på en rund bula på ormens kropp. »Där är ägget, där är strutsägget. Han måtte ha svalt det, men det ser inte ut som om det hade gått sönder.«

»Hur ska vi få ut det?«

»Inte vet jag«, sade Sirenen.

»Om jag bara hade en kniv«, sade Dina, »kunde vi skära ett hål och peta fram det. Grissle! Ni vet väl inte var man kan få tag i en kniv?«

»Jag har en liten pennkniv«, sade Grissle med trött röst. »Jag använder den till att snoppa cigarrer med. Folk ger mig ibland en cigarr på söndagarna.«

»Jag visste inte att björnar rökte cigarrer«, sade Dina.

»Jaså, inte det?« sade Grissle, och långsamt, med ett stönande för varje rörelse, reste han sig och lunkade fram till dem.

Han hade en liten kniv på en kedja om halsen. Han fällde upp den och gjorde ett långt snitt i ormskinnet. Ägget var oskadat.

»Det är bäst ni bär det tillbaka till fru Lill nu genast, medan det ännu är varmt«, sade Grissle. »Själv går jag och lägger mig. Jag är allt en liten smula trött. Glöm inte att låsa om mig. Och det är bäst ni skyndar på och får in de andra i deras burar också, för det är snart morgon, och det skulle bli ett fint spektakel om gamle Djurling finner hela sällskapet ute och i farten när han kommer på sin morgonrond.«

»Men vad ska vi göra med *det där*?« frågade Dina och pekade på pytonormens kropp.

»Låt det ligga«, sade Grissle. »Det är inte till någon nytta längre.« Och haltande och brummande släpade han sig bort till sin bur.

»Det verkar hemskt slarvigt att lämna det liggande så där«, sade Dina. »Men vad kan vi annat göra? Det är bäst vi genast bär ägget till fru Lill.«

Månen stod nu långt nere i öster, och dess ljus var blekare, liksom dimmigt återkastat från en silvertallrik vilken inte blivit polerad på länge. Redan märktes en liten grå gryning på himlen, och det kom dem att skynda på.

De fann fru Lill bredvid sitt rede. Alldeles ensam stod hon där med nedböjt huvud och stirrade på den tomma plats där hennes ägg hade legat. Hon grät bittert, och hennes långa hals skakades av snyftningar. Då och då grävde hon lite med näbben i nästets torra gräs. Dina kunde själv knappast låta bli att gråta när hon såg henne, och glömde alldeles bort det lilla tal hon tänkt hålla. Hon hade ämnat överlämna ägget med en vacker handrörelse och några väl valda lyckönskningar, precis som friherrinnan Druva gjort när hon givit fru Russinkvist dahliapriset på blomsterutställningen i Medelby, men allt vad hon nu kunde göra var att skynda fram och ropa: »Gråt inte! Vi har funnit ert ägg. Här är det! *Snälla* ni, gråt inte!«

Till en början bara stirrade fru Lill på ägget, som om hon inte kunde tro sina ögon, men sedan började hon dansa och hoppa av iver och fråga tjugo frågor på en gång och råda Dina vad hon skulle göra och inte skulle göra och skratta av bara glädje och gråta för ingenting alls.

»Var fann ni det?« sade hon. »Vem var tjuven? Var är han? Lägg det där! Å, var försiktig med det! Nej, inte där, *där!* Är det alldeles helt? Det är varmt ännu. Hur kan det vara varmt? Å, mitt ägg, mitt älskade ägg, var har du varit? Å, jag är så lycklig! Ni är den duktigaste Känguru i världen! Söta lilla Känguru, var fann ni det? Nej, tala inte om det för mig nu, jag får inte bli upprörd. Jag måste hålla mig stilla och lugn för *dess* skull. Mitt älskade, älskade ägg…«

Då lämnade de henne, och Dina sade till Sirenen-Vrålapan: »Vråla nu så högt ni kan, för det är minsann på tiden att vi alla går tillbaka till våra burar.«

Då öppnade Sirenen sin mun och vrålade, och ljudet hördes vida omkring, och alla djuren lydde och gick tillbaka till sina burar. Marie Louise och de andra som samlats omkring baron Druva, sedan bumerangen träffat honom, gjorde det visserligen ganska motvilligt, för baronen hade nu återfått medvetandet och satt och talade med dem helt vänligt och kamratligt. Han mindes inte riktigt vad som hade hänt, men det första han sett då han slog upp ögonen var Marie Louises vänliga ansikte, och sedan såg han de andra djuren också, som vart och ett på sitt sätt försökte visa honom sin tillgivenhet. Därför satt han nu och berättade för dem vilken lycklig man han var som hade så många kära, goda vänner.

»Det finns bara en enda väg till lycka«, sade han i sin allra högtidligaste ton, »och det är att göra andra lyckliga. Jag har gjort mitt bästa för er, och jag ämnar göra mer och mer för att skänka er glädje och främja er välfärd.«

Men vad det var han ämnade göra kunde de inte stanna och höra, för just då nådde dem Sirenens vrål. Och i nästa ögonblick var baron Druva i sin gula sidenpyjamas ensam kvar på den stora gräsplanen. Djurens hastiga försvinnande förbryllade honom, och när han försökte tänka igenom nattens upplevelser och få lite klarhet i vad som hänt blev han ännu mer vimmelkantig. Hans huvud värkte, han kände sig frusen, och det fanns inte längre någon att tala med. Därför beslöt han sig för att gå in och lägga sig.

Dina skyndade nu från bur till bur och låste alla dörrarna. Grissle sov redan tungt, men till alla de andra djuren sade hon ett par vänliga ord, berömde dem för vad de hade gjort och berättade nyheten om att fru Lills ägg kommit till rätta och att Pytonormen var död. Hon pratade flera minuter med Guldpuman, som av oro inte kunnat sova på hela natten, och hon måste ägna dubbelt så lång tid åt herr Högman för att få honom att förstå vad som hade hänt.

Sedan gick hon till sin egen bur, och där inne fann hon Dorinda med fru Häxelins trolldryck.

De var alldeles för lyckliga för att känna sig sömniga, och de låg och pratade till långt fram på morgonen. Men då, ett, tu, tre, utan att de märkt det, somnade de båda två.

18

V I D tiotiden på morgonen stod baron Druva och herr Djurling utanför Dinas och Dorindas bur och resonerade om nattens händelser. Baron Druva, som hade ett stort häftplåster i pannan, kom vid det här laget mycket väl ihåg den skrämmande synen av alla djuren som gick till anfall mot honom på gräsplanen utanför hans hus. Han kom också ihåg att han kastat bumerangen, och han mindes att Marie Louise stått böjd över honom när han vaknat upp. Men herr Djurling vägrade att tro ett ord av denna fantastiska historia och sade att enligt hans mening hade baronen haft en mardröm.

»Hur fick jag då det här såret i pannan?« frågade baron Druva.

»Ni måste ha fallit ur sängen«, sade herr Djurling.

»Jag faller aldrig ur sängen«, sade baronen. »Och även om jag trillat utför trapporna, kan väl inte det förklara Pytonormens död. Hur blev han dödad?«

»Å«, sade herr Djurling, »det är en helt annan historia. Om ni frågar mig vad som hände Pytonormen...«

»Ja, det är just vad jag frågar er«, sade baron Druva.

»Då svarar jag att det vet jag inte, och jag tror inte att vi nånsin får veta det heller.«

»Det hjälper oss inte långt.«

»Vänta lite«, sade herr Djurling. »Vi har haft en brottsling här i djurparken: det vet vi. En äggtjuv. Och Pytonormen är död: det kan ingen förneka. Frågar ni mig varför han dödades – inte hur, men varför – svarar jag därför att han var tjuven, och den som upptäckte vad han gjort tog rättvisan i sina egna händer och straffade honom.«

»I så fall«, sade baron Druva, »är Grissle oskyldig.«

129

»Ja, naturligtvis«, sade herr Djurling.

»Då måste han genast friges och återföras till sin egen bur.«

»Ett mycket gott förslag«, sade herr Djurling.

Och så blev Grissle förd från den mörka, trånga fängelse-buren till sitt eget trevliga hus, och tio minuter därefter satt han mycket förnöjd och läste en tidning, som han skickligt nappat åt sig ur baron Druvas ficka. Och baronen gick sedan i kyrkan, och när pastorn började predika, blev han mycket förargad då han upptäckte att han ingenting hade att läsa.

Dina och Dorinda väntade i högsta spänning på att det skulle bli eftermiddag. Djurparken var öppen för besökare alla söndagar klockan halv två, då de stora grindarna öppnades. Grindvakten skulle förstås vara där hela tiden och se till att inget av djuren rymde, men Dina hade gjort upp en plan att smuggla Guldpuman förbi honom. När hon och Dorinda hade svalt fru Häxelins trolldryck och återtagit sin verkliga skepnad kunde de, som de ville, gå omkring alldeles som de andra besökarna, och ingen skulle misstänka något.

Plötsligt gav Dina till ett utrop.

»Vad är det?« frågade Dorinda.

»Medicinen«, sade Dina. »Jag hoppas den inte har blivit för gammal och förlorat sin kraft.«

Dorinda tog korken ur flaskan och luktade.

»Den är nog som den ska vara«, sade hon och ryste.

»Ja, det får vi snart se«, sade Dina. »Vad jag önskar att det snart var tid att släppa ut oss!«

Äntligen kom herr Djurling och låste upp burarna för alla de djur som hade tillåtelse att vistas fria ute i parken. Dina och Dorinda tog först farväl av sina särskilda vänner, och sedan skyndade de bort till pilträden, där deras kläder var gömda. Silverfalken satt redan och väntade på dem i en av topparna.

»Bra gjort!« sade han. »Ni skötte fint er kampanj i natt, och Grissle stred som en hjälte. Men all hans tapperhet hade varit förgäves om inte ni hade gjort upp en så utmärkt plan. Jag såg alltsammans, och jag måste säga att ni gjorde det bra. Mycket bra, mina barn.«

»Vi hade tur«, sade Dina, »fast det var verkligen duktigt av Dorinda att ta reda på fru Häxelins flaska.«

»Tur har ofta den som förtjänar det«, sade Falken. »Men säg mig nu vad ni har för planer i dag. Hur ska ni kunna smuggla ut Puman förbi grindvakten? Jag berättade för henne i morse att Pytonormen låg död på vägen som en gammal tross, och hon spann av förtjusning och berättade i sin tur för mig hur hon själv en gång hade kämpat med en stor orm och blivit så illa åtgången under striden, att hon legat en hel vecka och knappast kunnat röra sig. Det var nära på att hon svultit ihjäl innan hon orkade gå ut på jakt igen. Men kom nu och skynda er, hon är vild av längtan att få sin frihet tillbaka.«

»Om frihet för henne betyder fara att kramas ihjäl av en pytonorm«, sade Dorinda, »så tycker jag att hon hellre borde stanna i sin bur.«

»Aldrig!« utropade Falken. »Aldrig, aldrig! Friheten är värd alla farligheter på jorden, friheten är det ädlaste ting. Den lever lugn som lever fri. Men nu till era planer. Vad ska jag säga henne?«

»Att vi ska komma till hennes bur så fort som möjligt«, sade Dina, »och vår plan är mycket enkel. Men då ser vi förstås inte ut som känguruer. Vi har fått igen vår riktiga skepnad.«

»Flickebarn«, sade Falken. »Ljushåriga eller mörka?«

»Dorinda är mörk, och jag är ljus«, sade Dina.

»En av var sort, rättvisare kan det inte vara«, sade Falken. »Adjö, kära känguruer, och skynda er, barn, skynda er!«

Och så flög han sin väg, och Dina tog korken ur flaskan.

»Glöm inte att önska riktigt«, sade hon. »Önska riktigt stadigt att bli Dorinda, annars kan vad som helst hända.«

»Det ska jag nog komma ihåg«, sade Dorinda högtidligt, och sedan hon tagit precis hälften av vad som fanns kvar gav hon flaskan till Dina.

Sedan mindes Dina ingenting förrän hon hörde någon säga:
»Du är hemskt smutsig om fötterna.«

Då såg hon på Dorindas fötter och sade förargad:
»Det är du också!«

»Å, Dina«, ropade Dorinda, »trolldrycken har verkat!«

»Å, Dorinda, det är härligt att vara flicka igen!«

»Till och med med smutsiga fötter!« sade Dorinda.

»Vi ska bada i kväll.«

»Och äta riktig mat vid ett riktigt bord.«

»Och ha en riktig säng att sova i.«

»Är vi inte lyckliga barn!«

De tog varandra i händerna och dansade runt det närmaste pilträdet, men de första besökarna började redan komma, och när de såg folk på avstånd fick de bråttom att ta fram sina kläder och sätta dem på sig, lite fumligt till att börja med, för de var ovana att klä sig. Sedan stod de där och tittade på varandra.

»Vi ser inte vidare prydliga ut«, sade Dina. »Våra klänningar är hemskt skrynkliga, och min är ganska fuktig.«

»Ditt hår behöver borstas«, sade Dorinda.

»Ditt också.«

»Skorna känns så otrevliga!«

»Gräsligt obehagliga.«

»Usch, vad det är otäckt att ha kläder på sig!«

»Vi blir tvungna att ha det nu«, sade Dina. »Vi blir väl vana vid det så småningom. Men jag tycker inte om kläder. Gör du?«

»Jag kommer *aldrig* att vänja mig vid dem!« sade Dorinda. »Jag önskar…«

»Nej, önska för all del ingenting!« utropade Dina. »Någonting kunde hända. Och vi har mycket att göra. Ta nyckeln – den ligger där i gräset – så går vi och ser efter var pastorn har sin bil. Sen släpper vi ut Puman ur hennes bur, och sen ska det inte stå länge på innan vi är hemma igen.«

Pastor Nådendal gjorde varje söndag ett besök i djurparken, och sedan han gått omkring där en timme, brukade han fara hem igen i sin bil, som var den äldsta bilen i Medelby, men även den förnämligaste och den bekvämaste. Den var så vacker och så gammaldags att den mer liknade en stor täckvagn, som borde dras av parhästar, än en bil. Dinas plan var nu att gömma Puman i baksätet under en pläd och sedan gå till pastor Nådendal och säga till honom att hon och Dorinda var så trötta, att de gärna ville få åka hem.

»Han är så snäll«, sade hon, »att han säkert säger ja och han tycker så mycket om sällskap att det inte blir någon uppoffring för honom.«

»Vi måste ta löfte av Puman att hålla sig alldeles stilla«, sade Dorinda.

»Jag har just tänkt på en sak«, sade Dina. »Jag undrar om vi ännu kan tala djurens språk och förstå vad de säger?«

»Kea jark urbanish eeeern gnarr uhu«, sade Dorinda.

»Så lustigt det låter!«

»Förstod du vad jag sa?«

»Jaa då. Alltsammans.«

»Det var väl det«, sade Dorinda.

De fann pastorns bil, där den stod bland en mängd andra på parkeringsplatsen invid vägen, och de tittade en stund nyfiket på allt folket från Medelby, som hade kommit för att tillbringa söndagseftermiddagen i djurparken och se på de vilda djuren. Dina tyckte faktiskt att de såg mycket underligare och löjligare ut än något av de djur hon sett, utom kanske den gamla Babianen, som aldrig fick slippa ut ur sin bur, och Den Dansande Kasuaren och Vårtsvinet.

»Och herr Högman«, tillade Dorinda, som hade läst hennes tankar.

»Man kunde göra en precis lika rolig zoologisk trädgård, om man satte människor i burarna«, sade Dina.

»Men det skulle man inte få«, sade Dorinda.

»Nej«, sade Dina beklagande, »det skulle man nog inte få. Kom nu, så går vi till Pumans bur och vaktar på ett bra tillfälle att släppa ut henne.«

Högt uppe under den blå himlen ovanför buren fanns en

liten prick som ingen såg. Det var Silverfalken, som höll vakt på sin ensliga utkikspost, och när han upptäckte att två små flickor hade stannat framför buren och tryckte sina ansikten mot stängerna, gjorde han en luftkullerbytta av bara glädje, dök sedan genom den soliga luften tre hundra meter rakt ner, satte trotsigt bröstet mot den uppstigande luften för att hejda sitt snabba fall, kastade sig på rygg och rullade från ena sidan till den andra medan han skrek»Frihet är ett ädelt ting!« varpå han åter steg upp till ett litet sommarmolns silkeslena frans.

»Puma, Puma!« viskade Dina. »Här är vi! Vi ska släppa ut dig, så snart de där människorna har gått sin väg.«

Guldpuman låg på en klippa, orörlig och utan att blinka, ungefär tre meter ifrån dem. Hon såg inte åt dem.

»Du talar ju människospråk«, sade Dorinda. »Varför gör du det?«

»Å, jag glömde mig!« sade Dina. »Puma, Puma – gnirk arki ur bagrir zy rok, schim sali, gnar pupu, ror myaa nyli kling. Shrings kraug?«

Då vände Puman på huvudet, och det var som om ett ljus tänts bakom hennes agatögon, så strålade de plötsligt av vild glädje. Hon reste sig hastigt och tog ett språng fram till burens stängsel.

»Nu?« frågade hon. »Tänker ni släppa ut mig nu?«

»Vänta bara tills de där människorna har gått«, sade Dina. Hon förklarade utförligt vad Puman skulle göra, beskrev noga pastorns bil och sade henne var den stod.

Puman hörde uppmärksamt på. Hon spann av glädje, hennes morrhår var styva av upphetsning, hennes ögon glänste som små lampor och hennes oroliga svans sopade marken.

»Nu!« sade Dorinda. »Nu finns ingen i närheten. Fort, Dina!«

Dina stack in nyckeln i nyckelhålet och öppnade dörren. Puman spände sin smidiga kropp till ett väldigt språng rakt in i friheten, och nästa ögonblick var hon försvunnen bland buskarna på andra sidan vägen. Dina låste dörren igen, och hon och Dorinda skyndade bort därifrån.

På vägen tillbaka till pastorns bil gjorde Dina och Dorinda en sväng inåt parken för att ännu en gång titta till fru Lill. De fann henne i sitt rede, där hon låg helt stolt på sitt ägg, omgiven av minst tjugo beundrande åskådare och med herr Bobadill vid sin sida. Han såg mycket ärbar och dygdig ut där han stod, och Dorinda viskade till Dina: »Jag tror bestämt att hon har förlåtit honom.« Bakom ringen av besökare gick herr Högman högtidligt fram och tillbaka som en polis på sitt pass. Han var tydligen besluten att aldrig mer något ägg skulle stjälas, så länge han fanns där.

»Vi har gjort fru Lill mycket lycklig«, sade Dina.

»Och herr Högman ser mycket nöjd ut med sig själv«, sade Dorinda. »Jag är säker på att han tar åt sig hela förtjänsten.«

»Jag skulle gärna vilja tala ett par ord med honom«, sade Dina, »och säga honom vilka vi är. Men då skulle han kanske ställa till något spektakel.«

»Han kanske skulle bli förvirrad igen«, sade Dorinda.

»Ja, det är nog bäst att vi går och söker reda på pastorn i stället.«

De skyndade vidare bort till pastor Nådendals bil och hälsades där av ett dämpat morrande från någon som låg under vagnen. Dina föll på knä.

»Var det någon som såg dig?« frågade hon.

»Nej, ingen«, sade Puman. »Hur länge måste jag ligga här? Maskinen luktar förfärligt.«

Dina öppnade dörren.

»Kila in«, sade hon, och Puman ålade sig vigt in. »Akta vagnsdynorna«, tillade hon och täckte över djuret med en mörkblå bilpläd.

De väntade i tio minuter, och sedan kom pastorn.

»En sån vacker eftermiddag!« sade han. »Men ni var inte i kyrkan på morgonen, och ni var inte i kyrkan förra söndan heller och inte söndan därförinnan, och jag är inte ens säker på att ni var där söndan förut. Hur kan det komma sig?«

»Vi har varit hemifrån«, sade Dina.

»Då hoppas jag att ni har haft riktigt roligt under lovdagarna«, sade pastorn. »Och nu tror ni förstås att jag tänker bjuda er att åka hem?«

»Vi är förfärligt trötta«, sade Dorinda.

»Hoppa in då«, sade pastorn, »så ger vi oss väl av. Och som vi är tre stycken, tycker jag vi kan använda tiden till att sjunga en visa. Låt oss sjunga ›Varma pepparkakor‹.«

Och så åkte de ut ur den zoologiska trädgården, och grindvakten öppnade de stora grindarna för dem och tog av sig mössan för pastorn och Dina höll mycket hårt om Dorindas hand, och båda tänkte: »Jag undrar vad grindvakten skulle säga om han visste att han hade öppnat grindarna för två känguruer och en puma.« Men med den allra oskyldigaste uppsyn tittade de rakt fram och sjöng för full hals:

> Varma, sköna pepparkakor!
> Kom och köp mina pepparkakor!
> Varma, sköna pepparkakor!
> Kom och köp mina pepparkakor!
> Vem vill ha mina pepparkakor?
> Mina varma pepparkakor!

När visan var slut suckade pastorn djupt och sade:

»Det är sorgliga tider vi lever i. Min stackars hustru sitter ännu i fängelse, och det gör också alla de andra arma krakarna som inte kunde ena sig om att förklara fru Knapp skyldig och inte ville gå med på att förklara henne oskyldig. Domaren Strängberg håller dem fortfarande alla i fängelse.«

Dina och Dorinda visste ingenting om detta för det var just den morgonen då de blev känguruer som fru Nådendal och alla de andra jurymedlemmarna sattes i fängelse – det var detta tåg av fångar och deras vänner som de nästan skrämt vettet ur – därför berättade nu pastorn för dem hela historien om rannsakningen med fru Knapp och dess bedrövliga följder. Och när hans berättelse var slut stannade bilen utanför deras hem.

Dorinda öppnade dörren till bakre delen av vagnen, och puman slank tyst och försiktigt ut. Pastorn vände inte på huvudet och märkte ingenting. De tackade honom mycket artigt, och när han körde bort, kunde de höra honom sjunga »Det finns ett värdshus i var by«. Nu skyndade de sig bort till den stora trädgården bakom huset, Puman följde efter dem i skydd av häcken, och när rhododendronsnåret låg mellan dem och huset, kom Silverfalken nedskjutande från himlen för att möta dem.

»Ni får inte stanna här«, sade Dina, när Falken och Puman hälsat på varandra. »Det vore för farligt. Ni skulle bli upptäckta och infångade och förda tillbaka till djurparken.«

»Aldrig!« utropade Puman. »Aldrig mer låter jag ta mig till fånga. Hellre döden än det.«

»Men du vill väl ändå inte dö om du kan slippa?« sade Dorinda mycket förnuftigt.

»Gå till Lyckoskogen«, sade Dina. »Falken vet vägen. Och så snart vi kan – nu kommer vi att få börja plugga varenda dag, som ni vet – ska vi möta er vid trädet där vi gömde våra kläder. Falken vet var det är.«

»Då ska jag vänta till dess med att tacka er för den härliga gåva ni skänkt mig«, sade Puman.

»Kom snart«, ropade Silverfalken och höjde sig i luften. »Följ mig, Puma. Kom och smaka din frihet i skogen. Farväl, barn!«

»Vi träffas i morgon då«, sade Puman. »Farväl till dess!«

Och med några glada språng, som påminde om en lekande kattunge, satte hon av genom gräset, hoppade över häcken och var snart utom synhåll.

»I går«, sade Dorinda avundsjukt, »kunde vi hoppa så där fint, vi också.«

»Och i dag«, sade Dina, »kan vi sitta i bekväma stolar och dricka te och läsa roliga böcker och sova i våra egna sängar. Kom, Dorinda, vi måste gå och hälsa på mamma.«

»Ska vi tala om för henne vad som har hänt oss?«

»Nej!« sade Dina. »Stora människor kommer bara att säga att det var styggt av oss att bli känguruer, och de tycker nog också att det var orätt av oss att släppa ut Puman ur djurparken. Därför är det bäst att vi inte säger någonting om det.«

»Då blir det hemskt svårt«, sade Dorinda, »att förklara varför vi har varit borta så länge.«

Men när de kom in stod deras mamma framför den öppna spisen med ett brev i handen och ett bekymrat uttryck i sitt ansikte, och det enda hon sade till dem var:

»Barn, nu kommer ni för sent till teet igen! Gå och tvätta er om händerna och borsta håret, och låt det gå fort.«

19

»FÖR all del«, sade fröken Tjatlund, »om ni inte frivilligt vill tala om för mig var ni har varit, så inte ska jag tvinga er. Det enda jag vill säga är detta: barn som har någon tillgivenhet för sin lärarinna och någon känsla för vanlig hövlighet skulle inte uppföra sig som ni. Er mor har, som ni vet, blivit mycket orolig över underrättelser som hon fått från Bombardiet, där er far för närvarande tycks vara omgiven av stora faror. Jag tänker inte öka hennes bekymmer genom att be henne ta reda på var ni har varit och vad ni har haft för er den här tiden, för av er vägran att berätta det drar jag den slutsatsen att ni haft något riktigt galet för er. Och om er mor fick reda på det, skulle hon bli mycket ledsen. Men jag är inte så ömtålig. Jag har känt er i två år nu, och ingenting som ni talar om för mig skulle kunna överraska eller förvåna mig. Så jag vill ge er ännu ett tillfälle att uppföra er som barn bör uppföra sig mot en lärarinna, som gjort så mycket för dem. Dina, vill du berätta för mig var du har varit?«

»Nej, fröken, helst inte.«

»Dorinda, vill inte du heller uppföra dig hyggligt?«

»Jo, fröken.«

»Du vill alltså tala om det för mig?«

»Jag har lovat att inte göra det, fröken.«

Detta samtal ägde rum omkring en vecka efter deras hem-komst. Varje dag hade fröken Tjatlund gjort sitt bästa för att lista ut var de hade varit, men varken Dina eller Dorinda ville ge henne den minsta upplysning, och fröken Tjatlund var på mycket dåligt humör, därför att hon inte kunde få tillfredsställa sin nyfikenhet.

»För all del«, sade hon åter, »om ni inte vill, så vill ni inte. Men inte får jag några bättre tankar om er för detta egendomliga, egensinniga, envisa utslag av ert otrevliga, obehagliga, otäcka sinnelag. Men nu måste vi ta upp våra lektioner igen. Det var visst geografi vi höll på med.

Geografi är den vetenskap som beskriver jorden. Det är en mycket nyttig vetenskap. Den lär oss att kol kommer från Sydwales, tapioka från Brasilien, tigrar från Bengalen, nougat från Montélimar och sömnsjuka från portugisiska Angola. När ni blir lite större får ni också läsa filosofi. Filosofi är svårare än geografi, för filosofin försöker förklara varför och för vad ändamål det finns kol i Sydwales, tapioka i Brasilien, tigrar i Bengalen, nougat i Montélimar och tsetseflugor som sprider sömnsjuka i Angola. Men nu för närvarande ska vi inte tänka på såna svåra saker, nu ska vi bara syssla med geografin, som är ett bra och rejält ämne och som skulle vara riktigt lätt om det inte vore så omfattande. Men det råkar vara ett mycket stort ämne, för ekvatorns längd är 40.075 kilometer.

Om vi befann oss på ekvatorn mitt ute i Sydatlanten – vilket förresten är föga antagligt – och beslöt att därifrån resa västerut, skulle vi så småningom komma fram till mynningen av Amazonfloden, som bevattnar fyra femtedelar av Sydamerika och för den skull, om inte för något annat, är värd all aktning. Om vi däremot reste österut längs ekvatorn, skulle vi komma till Afrikas kust några kilometer söder om floden Gabun, som egentligen inte är någon flod, utan en havsarm, och upptäcktes av de portugisiska sjöfararna i slutet av 1400-talet. Jag vill emellertid inte råda er att fortsätta färden längre åt det hållet, det skulle bli högst obehagligt och ohälsosamt.

Vill ni finna ett verkligt hälsosamt klimat, skulle jag snarare råda er att resa till Bournemouth i grevskapet Hampshire, som har en yta av 3.772 kvadratkilometer och en mängd bäckar, där det finns gott om foreller. Det inkräktades år 495 efter Kristi födelse av västsaxarna under Cerdic och Cynric. Cerdic skänkte sedan ön Wight till en av sina brorsöner som hette Stuf. Föga anade han att denna ö många år senare skulle bli platsen för drottning Viktorias död. Drottning Viktoria föddes i Kensington Palace, men hennes föräldrar, hertigen och hertiginnan av Kent, hade tidigare bott i Franken, som inte saknar sina behag och är mycket billigare att bo i än Kensington.

Franken var ett av de förnämsta hertigdömena i det medeltida Tyskland. Det sträckte sig längs floden Main, som är 524 kilometer lång och slingrar sig fram mellan vinklädda kullar och sköljer universitetsstaden Würzburgs murar.«

»Är de smutsiga då?« frågade Dorinda.

»Var snäll och avbryt mig inte«, sade fröken Tjatlund. »Würzburg är en intressant stad, där tegel och ättika tillverkas. Konsten att göra tegel går tillbaka till de äldsta tiderna. Man påträffar tegelstenar i Babylons ruiner, och den stora Kinesiska muren, som är 4.000 kilometer lång och från sju till tio meter hög, är delvis byggd av tegel...«

Så fortsatte fröken Tjatlund att tala och tala om allt möjligt, så att man till slut tyckte att inte ens den stora Kinesiska muren kunde vara längre än hennes föreställning om en geografilektion. Och Dina och Dorinda blev alldeles förfärade när hon strax efter lunchen sade:

»Om det vore som vanligt, skulle ni ha lektioner i musik och dans i eftermiddag. Men er lärare i dessa ämnen, herr Gido Gitarr, sitter olyckligtvis ännu i fängelse. Så vi får ta oss en promenad i Lyckoskogen för att fortsätta våra studier i botanik.«

Men knappt hade de kommit in i skogen, förrän Dina och Dorinda tog till benen, slog in på en ridväg, hukade sig ner bakom en ek, satte av i språngmarsch längs en slingrande stig, där de doldes av buskskogen, travade uppför en mjuk, bladbeströdd sluttning i skuggan under väldiga, slätstammiga bokar, rusade över en ås, beväxt med järnek, och efter en liten stund var långt utom synhåll för fröken Tjatlund som, då hon inte hade lust att studera botanik alldeles ensam, vände om hem och skrev långa brev till de flesta av sina systrar.

»Nu«, sade Dina, »ska vi gå och söka upp Guldpuman och Silverfalken.«

De fann dem bredvid det gamla murkna trädet, där de en gång hade gömt sina kläder. Falken satt rak i ryggen i sin snövita fjäderskrud på en torr gren, och Puman låg utsträckt mitt i solen i det varma gräset.

»Hej!« ropade Falken och lyfte sitt lilla vackra huvud. »Hej, barn!«

Men Puman reste sig långsamt och kom emot dem utan att säga något. Hon stannade framför Dina, såg upp på henne och lade sedan med en lätt och behagfull rörelse sina framtassar på hennes axlar. Hon strök sitt huvud mot Dinas ansikte, först på ena sidan och sedan på den andra, och spann som en stor katt, och Dina kände mot sina kinder Pumans varma päls, sträva morrhår och tunna, svarta läppar. Dina kysste henne mellan ögonen och skrattade högt. Sedan hälsade Puman på samma sätt på Dorinda, och Dorinda kysste henne och skrattade också av pur förtjusning över att ha till vän ett så vackert djur som Guldpuman.

»Barn«, sade Puman, »jag måste få säga er detta, som jag har på hjärtat. Ni har gjort mig den största tjänst i världen. Ni har återskänkt mig friheten, och jag är er djupt tacksam. Ni har givit mig nytt liv.

Hela förra natten gick jag omkring i skogen och andades in doften av träden och den rika myllan, och mörkret var skönt, och himlen med sina stjärnor tittade ner genom grenarna, och strax före gryningen gick månen upp, en liten gul måne. Då drog en lätt vind genom skogen, och jag kände en ny doft. Jag hade inte vetat att det fanns rådjur i skogen förrän jag vädrade dem i luften. Då vände jag och gick mot vinden, och i den tidiga gryningen fann jag en hjort som var på väg för att dricka. Men vinden förrådde mig, hjorten kände min vittring och flydde. Så började jakten, och jag var långsam och stelbent, därför att jag legat så länge i bur. Men snart kände jag en våg av kraft strömma genom mina lemmar, som när en bäck sväller efter ett regn. Allt fortare sprang jag, allt fortare och lättare, tills morgonluften susade förbi mina öron och skogsmarken gled bort under mina fötter, och hjortens flämtande flanker kom mig allt närmare. Snart var jag hack i häl efter honom – vi sprang nu över grön mossa och hans hovar skar igenom den mjuka marken och slungade kokor av våt jord i ansiktet på mig – snart var jag jämsides med honom, han kastade en blick bakåt, tvekade ett ögonblick, och i det ögonblicket tog jag språnget upp på hans rygg. Han föll med en duns i gräset, och när solen rann upp, dödade jag honom.

För denna ärorika stund efter den vilda jakten i gryningen tackar jag er. För det liv ni har skänkt mig tackar jag er. För dagens och morgondagens frihet tackar jag er. Jag ska aldrig upphöra att känna mig tacksam, och om jag någonsin kan göra er en tjänst, stor eller liten, så låt mig bara veta det, för då kommer jag.«

Både Dina och Dorinda blev ganska förfärade när de hörde att Puman så kort efter sin frigivning hade dödat en hjort. Hjortar var vackra djur, men det fanns också ett annat skäl varför man inte fick döda dem, och det var att alla hjortarna i Lyckoskogen tillhörde herr Djurklo. Barnen började nu förstå att vad de hade gjort var rätt allvarligt. Det var tydligt att man inte kunde befria en puma och släppa henne lös i ett engelskt grevskap utan tråkiga följder. Och ju längre hon var fri, ju mer hon hängav sig åt sina instinkter och tillfredsställde sin hunger, desto fler skulle de tråkiga följderna bli. Det var inte bara hjortarna i skogen som var i fara, utan även oxarna och korna och fåren på fälten runt omkring. När Dina och Dorinda lyssnade till Pumans berättelse blev de ganska oroliga för framtiden.

Men sedan tänkte de – båda på en gång, för de hade ofta samma tankar – att Puman ju var deras vän, och vad tjänade det till att ha en vän, om man klagade på allt vad han eller hon gjorde. Man fick ju lov att förstå hennes synpunkt också, eller hans. Få saker är lyckligare än att ha många vänner, men det enda sättet att behålla sina vänner är att ha överseende med dem. Puman visste förstås inte att alla hjortarna i Lyckoskogen tillhörde herr Djurklo. Och om hon dödade en och annan ibland, så var väl inte det så mycket värre än att köpa ett lamm som slaktaren hade dödat.

Alla dessa tankar stormade genom barnens huvud, och när Puman hade slutat sin berättelse sade de ingenting som tydde på att de ogillade henne, utan gav henne rätt i att jakten måste ha varit underbar. De tackade henne för hennes vänskap, och de lovade alla fyra att hålla samman som goda vänner. Falken och Puman och Dina och Dorinda.

Sedan sade Falken att han hade nyheter att berätta. Han hade varit i djurparken på morgonen och talat med flera av fåglarna och fyrfotadjuren där. De var allesammans mycket upphetsade.

Baron Druva och herr Djurling hade blivit förfärligt till sig när de upptäckte att inte bara Puman, utan också de båda unga känguruerna hade rymt. Det hade inträffat alldeles för många underliga saker i djurparken på sista tiden, hade baron Druva sagt. Och herr Djurling hade försäkrat att han aldrig i sitt liv hade varit med om något dylikt. Sedan hade baron Druva varit mycket ond och skrikit med hög röst till herr Djurling: »Jag har alltid gjort mitt bästa för att djuren ska ha det bra, men om de inte är tacksamma mot mig, så får det vara. Gå till burarna och öppna varenda dörr, och låt dem som vill ge sig av. Jag vill inte ha någon kvar här som inte stannar av egen fri vilja.«

»Gick de sin väg allesammans då?« frågade Dina.

»Bara några få«, sade Falken. »Mycket få. De flesta av dem är onda på baron Druva för att han ville göra sig av med dem. Grissle och herr Högman och Marie Louise är särskilt för-argade, och de säger att ingenting i världen kan förmå dem att ge sig av.«

»Stackars Grissle«, sade Dina. »Dorinda och jag ska skicka honom en tidning varenda dag, så att han inte behöver stjäla den från baron Druva. Och om söndagarna ska vi gå till honom med en cigarr. Pappa lämnade en hel låda kvar när han reste.«

»Och vi ska ge herr Högman en present, tycker jag«, sade Dorinda. »Vad tror du han skulle vilja ha?«

Och så pratade de om djuren i parken, och sedan berättade Falken om boet i bergskrevan, där han blivit utkläckt, långt borta i den vita snön på Grönland, och hur rädd han hade varit när han första gången spände sina vingar till flykt. Men Puman, som var trött efter nattens jakt och dåsig efter den kraftiga frukost hon ätit, somnade i solen och drömde vackra drömmar på den mjuka gräsbädden. Först långt fram på eftermiddagen gick Dina och Dorinda hem igen.

Varje morgon hade de sina tråkiga lektioner för fröken Tjatlund, men efter lunchen lyckades de ofta smita ifrån henne och springa till Lyckoskogen, där de sökte upp Puman och Falken. Och av dem lärde de sig mer än vad fröken Tjatlund någonsin kunde stoppa i dem. De lärde sig att se saker.

De lekte till exempel kurragömma med Puman, och till en början kunde Puman ligga bara en tre, fyra meter ifrån dem utan att de upptäckte henne. Hon brukade välja något ställe där den lövströdda marken i solljuset hade nästan samma färg som hennes päls, och där låg hon utan att röra sig det minsta, låg så stilla att hon lika gärna kunnat vara en nedfallen torr gren övervuxen av lavar. Dina och Dorinda sökte åt alla håll och var ofta alldeles inpå henne, men såg henne ändå inte förrän hon med flit gjorde en rörelse för att tilldra sig deras uppmärksamhet. Men sedan de övat sig en tid blev de skickligare, och till slut måste Puman gömma sig mycket väl, om hon inte ville bli upptäckt.

Sedan lärde hon dem att ligga lika stilla som hon själv när de hade gömt sig, och att välja en plats där deras kläder gick i färg med omgivningens skuggiga buskar eller klippor eller gräs eller multnande löv. Och ofta när de låg så där stilla hände det att skogens fåglar kom alldeles inpå dem eller en liten kanin satte sig vid deras sida eller en vessla med små pigga ögon promenerade förbi bara på en meters avstånd.

Ibland klättrade de upp till de översta grenarna i något högt träd, och Falken kom då och satte sig bredvid dem och pekade med huvudet ut nästan osynliga rörelser i buskarna nedanför, som de annars aldrig skulle ha lagt märke till. Fåglar gömde sig där och andra små djur. Det fanns mycket mer liv i skogen än de hade anat, och Falken lärde dem att se det. Falken såg allting.

Med ledning av vindens doft och himlens utseende kunde de snart förutsäga om det skulle bli vackert eller fult väder dagen därpå. De lärde sig minnas ett träds utseende, alldeles som om det varit en mans eller en kvinnas som de kände, och sedan de lärt detta kunde de röra sig fritt överallt i skogen utan att gå vilse. De blev intresserade av allt vad de såg och hörde, och därför lärde de sig numera också en del på fröken Tjatlunds tråkiga lektioner.

Men de lärde sig varken musik eller dans, för herr Gido Gitarr, som undervisat dem i dessa båda ämnen, satt alltjämt i fängelse.

20

VARJE dag gick domaren Strängberg till Medelbys fängelse och besökte de tolv jurymännen som han hade arresterat för att de inte kunde bli ense om huruvida fru Knapp, klädeshandlarens fru, var skyldig till försök att stjäla ett par strumpor och för att de inte heller kunde ena sig om att frikänna henne såsom icke skyldig.

Varje dag samlades de tolv jurymännen på fängelsegården. Doktor Snällman, herr och fru Filén, fru Russinkvist och herr Russinkvist, herr Krans och fru Krans, fru Pillerin, fru Skrot, pastorskan Nådendal, herr Gido Gitarr och herr Malt, ölutköraren – alla samlades på den skuggiga fyrkanten mellan fängelsebyggnaderna, vilkas väggar åt gatan täcktes av vildvin, medan klängrosor frodades på gårdssidan. Och där gick domaren Strängberg fram och tillbaka, tills han plötsligt gjorde halt, stirrade på dem bistert och skräckinjagande och skrek åt dem med hotfull röst: »Nåå, har ni fattat ert beslut ännu?«

»Ja!« skrek de alla, och de skrek tolv gånger så högt som han.

»Men har ni alla fattat *samma* beslut?« röt han.

»Nej!« röt de tillbaka, och de röt tolv gånger så högt som han.

»När ämnar ni fatta ett enhälligt beslut?« frågade han då.

»Aldrig!« svarade de.

»Då får ni stanna i fängelse för alltid«, skrek han.

»Hurra!« svarade de.

»...för ni är en hop styvnackade, skurkaktiga, upproriska, motspänstiga galgfåglar som inte förtjänar bättre«, tjöt han.

Då började de alla sjunga, så högt de kunde:

> Styr, Britannia, världens hav!
> Aldrig skall en britt bli slav!

147

Efter det brukade domaren Strängberg, röd i synen som en kalkon, marschera ut ur fängelset, muttrande de förfärligaste hotelser, och de tolv medlemmarna av juryn brukade hålla tal.

Alla talen handlade om samma sak, och alla talarna var ense om att varje brittisk medborgare hade rätt att ha sin egen åsikt om vad det vara månde och att yttra sig fritt om den, vare sig det var en god åsikt eller en dålig åsikt, en dum åsikt eller en klok åsikt, en åsikt som han kommit till själv eller en åsikt som han hade snappat upp på ett tåg. Herr Gido Gitarr, som ju egentligen var utlänning, hade bott så länge i Medelby att även han delade denna nobla uppfattning och höll tal lika bra som någon annan.

När sedan alla hållit sina tal gick de in och åt middag med god aptit. Och som fru Jehu, fångvaktarens hustru, var en utmärkt kokerska, fick de alltid en härligt god middag. Den började med soppa och slutade med ost, och i mitten var det stek och äppelkaka. Sedan spelade de skrapnos och domino och dam och schack eller läste roliga böcker och tidningar. Och sedan var det tid för te. Efter teet pratade de om allt möjligt, och sedan var det tid för kvällsmaten. Och efter kvällsmaten övade de sig med att sjunga folksången, och sedan var det tid att gå till sängs.

Sängarna i Medelby fängelse var riktigt sköna. Fru Jehu bäddade med rena lakan och örngott varje vecka, och den som ville ha en varmvattensflaska fick gärna det när vädret var kallt. Elva av juryns medlemmar sov gott varenda natt och vaknade varenda morgon med den glada tillförsikten att de led för en god sak och en upphöjd princip: nämligen att varje medborgare har rätt att tycka och tro vad han vill, och ingen får föreskriva honom vad han ska tänka och säga.

Men herr Gido Gitarr sov dåligt, och när han vaknade kunde han knappt hålla tillbaka tårarna då han tänkte på ännu en ny dag i fängelset. Liksom de andra trodde han fullt och fast på människans rätt att ha sina egna åsikter, och han hade ingen tanke på att ge efter för domaren Strängberg. Men framför allt längtade han efter att få spela piano och lära folk dansa, och så länge han var i fängelse, kunde han inte göra någotdera, för det fanns inget piano där, och medlemmarna av juryn tyckte bättre om att hålla tal än att dansa. Så herr Gitarr kände sig djupt olycklig, och varje kväll bad han i sin aftonbön om att bli fri.

Så stod det till i Medelbys fängelse vid denna tidpunkt.

21

EN vacker eftermiddag låg Dina och Dorinda på en grässlutt-
ning i Lyckoskogen med Puman mellan sig. Falken satt på en
murken stubbe en liten bit ifrån dem. Sedan de pratat om allt
möjligt frågade Dina de båda djuren hur det kom sig att de
blivit infångade och skickade till England, och Puman svarade:

»Det var en indians förräderi.«

»Det berodde på en vit mans snikenhet«, tillade Falken.

Men sedan talade de om roligare saker. Puman berättade
om livet i de heta brasilianska skogarna och Falken om sina
äventyr bland Grönlands kalla, vita klippor. Och därefter var
de alla tysta en stund och tänkte på vad de hade hört. Till slut
sade Dina:

»Alltid när jag hör historier om hur andra får vara med om
spännande och intressanta saker, längtar jag efter att få vara
med om något spännande själv.«

»Det är förfärligt länge sedan vi hade något roligt«, sade
Dorinda med en suck. »Nu för tiden får vi bara sitta och höra
på fröken Tjatlund, och hon blir tråkigare och tråkigare för
varje dag.«

»Hon har lektioner med oss precis hela dan«, sade Dina,
»utom förstås när vi springer vår väg.«

»Det gör ni ganska ofta«, sade Falken.

»Vem skulle inte göra det?« sade Dorinda.

»Förr hade vi musik och dans två gånger i veckan«, sade
Dina, »men herr Gitarr, vår lärare, sitter ännu i fängelse, så nu
har vi inte det roliga heller.«

»Varför hjälper ni honom inte att komma ut ur fängelset
då?« frågade Puman. »Ni hjälpte ju oss att fly från djurparken,
och det var minsann inte någon lätt sak. Om ni tänker riktigt

på skarpen och använder hela ert förstånd kan ni säkert hitta på något sätt att befria honom också.«

»Jag tror inte han vill bli befriad«, sade Dina. »De är tolv stycken som sitter i fängelset, och alla är där för att de inte kan bli ense om ifall fru Knapp, klädeshandlarens fru, tänkte eller inte tänkte stjäla ett par strumpor. Om de bara kunde bli ense skulle de slippa ut ur fängelset i morgon dag.«

»Tänkte verkligen kvinnan stjäla de där strumporna?« frågade Falken.

»Det är jag säker på att hon inte tänkte«, sade Dina.

»Jo, det tror jag hon gjorde«, sade Dorinda.

»Ingen vet det«, sade Dina, »men vi har allesammans vår egen åsikt om saken, och den tänker vi naturligtvis hålla fast vid.«

»Jag är glad att jag inte är människa«, sade Puman. »Det måtte inte vara någon lätt sak att leva lyckligt när man är så på nåd och onåd utlämnad åt en massa idéer.«

»De har inga vingar att flyga med«, sade Falken, »de har inga fjädrar att värma sig med, ingen näbb att skära födan med, och deras ögon är skumma. Men de har idéer, och idéerna gör dem starka. Det var mänskliga varelser som tog oss till fånga, min vän, och det var mänskliga varelser som befriade oss ur fångenskapen.«

»Jag tycker visst inte illa om människorna«, sade Puman, »och inte underskattar jag dem heller. Men ibland tycker jag det är synd om dem.«

»Ibland tycker vi synd om oss själva också«, sade Dorinda. »I synnerhet när det regnar och vi inte kan springa ut och gömma oss för fröken Tjatlund.«

»Gå och tala med er musiklärare«, föreslog Puman, »och försök att få honom på andra tankar. Berätta för honom hur olyckliga ni är för att han sitter i fängelse. Inge honom idén att det är hans plikt att rymma, och då kanske den nya idén driver ut den där gamla som tvingar honom att stanna kvar i häktet.«

»Det låter mycket invecklat«, sade Dina, »men vi kan ju försöka.«

»Så får vi något att göra«, sade Dorinda.

Sedan lekte de tafatt en timme eller så, men enligt alldeles nya regler som de själva hittat på: Puman måste gå på bakbenen, Dina och Dorinda på alla fyra och Falken måste flaxa omkring med hjälp av bara en vinge. Och sedan gick Dina och Dorinda med sönderrivna och fläckiga klänningar och smutsiga armbågar och knän hem till te och blev grundligt uppläxade av fröken Tjatlund.

Följande dag var torsdag, och tisdagar och torsdagar var besöksdagar i fängelset. På eftermiddagen gick de alltså för att hälsa på herr Gido Gitarr.

Omkring fyrtio personer från Medelby hade den dagen kommit för att besöka fångarna, och de hade med sig korgar fulla med bullar och skinksmörgåsar och bakelser och termosflaskor med te och buteljer med sockerdricka. Allesammans satt i gräset på fängelsegården och hade picknick med juryns medlemmar. Herr Skrot, järnhandlaren, hade en grammofon som spelade »Du hoppets och ärans land«, och fastän de hade förfärligt roligt allesammans lyckades juryns medlemmar ändå på samma gång se högeligen nobla och dygdiga ut.

Herr Gido Gitarr var emellertid inte med i den glada skaran av picknickfirare. Dina och Dorinda fick söka igenom hela fängelset innan de slutligen hittade honom högst uppe på vinden i ett litet rum som användes till att torka tvätt. Han satt på en trästol under ett klädstreck, på vilket hängde ett par flanellbyxor, tillhörande herr Jehu, fångvaktaren, ett av fru Jehus förkläden, doktor Snällmans bästa skjorta, tre näsdukar, en badhandduk och ett fuktigt örngott. Han reste sig när Dina och Dorinda kom in, och hälsade på dem med ett sorgset leende. »Mina kära vänner«, sade han. »Mina älsklingselever! Har ni kommit för att hälsa på er gamle lärare? Så snällt av er!«

Han var en liten man med ett slätrakat ansikte, mycket blekt. Han hade stora, mörka ögon och tjocka, mörka ögonbryn som hoppade upp och ner så snart han blev upprörd. Ibland flög det vänstra halvvägs upp i hans panna, och ibland drog sig det högra ner i en underlig, ensidig rynka. Hans hår var tjockt och ganska lockigt och bildade en spets mitt i den vita pannan. Han gestikulerade ofta med händerna, som var långa och smala, och han gick med lätta och behagfulla steg. Folket i Medelby anmärkte på att han hade så besynnerliga kläder, men Dina tyckte att hans mörkgröna sammetsjacka och gula corduroybyxor passade honom mycket bra, och Dorinda beundrade högeligen hans röda väst med mässingsknapparna och hans vita sidenskjorta. Han talade sitt nya fosterlands språk flytande och väl, men han lade in en hel del ovanliga ljud, såsom rullande r, och t:n som kom en att tro att någon slagit en stämgaffel i bordet, och långa vokaler med sång i sig.

»Ni tycker väl«, sade han, »att det är en underlig plats som ni finner mig på, ett sånt här rum där folk hänger sina kläder på tork. Men jag måste gå upp hit med mitt örngott, för i morse när jag vaknade greps jag av stor sorg över att jag var tvungen att sitta här i fängelset. Och då började jag gråta och mitt örngott blev alldeles vått. Nu tycker ni förstås att det är dumt av en vuxen man att gråta. Men i mitt land gråter alla människor när de är ledsna, både stora och små. Och när de är glada skrattar de. De äldsta och de yngsta tillsammans, alla skrattar.«

»Det var mycket förståndigt av er att hänga ert örngott på tork innan ni ska lägga er igen«, sade Dina.

»För om ni hade lagt er att sova på det innan det var torrt«, sade Dorinda, »kunde ni ha blivit förkyld, och det hade gjort er ändå mycket ledsnare.«

»Jag tänkte just på det«, sade herr Gitarr, »för jag är inte så dum ändå. När jag jämför mig med andra människor som jag känner, tycker jag till och med ofta att jag är en mycket klok person.«

»Skulle ni vilja rymma ur fängelset?« frågade Dina.

»Ack«, sade herr Gitarr, »det kan jag inte. Jag måste stanna här med de andra medlemmarna av juryn. Det är min plikt. Men säg mig nu: har ni glömt all musik jag lärt er och alla danserna? Eller kommer ni ihåg dem och övar er varje dag?«

»Det är så svårt att göra det när inte ni är med och hjälper oss«, sade Dorinda. »Vi har alltid tyckt bättre om musiken och dansen än något annat, och vi kommer att vara hemskt olyckliga, ända tills vi får börja våra lektioner för er igen.«

Hon talade mycket tydligt och ordentligt, precis som om hon läst upp en dikt som hon lärt sig utantill. Hon och Dina hade i själva verket noga tänkt över vad de skulle säga till herr Gitarr, och på vägen till fängelset hade de repeterat samtalet om och om igen. Nu var det Dinas tur.

»Ni har plikter mot oss, era elever«, sade hon, »lika väl som mot era medfångar. Kanske det är er plikt att tänka på den plikten först och på den andra plikten sedan, alldeles som man måste komma ihåg att borsta tänderna innan man lägger sig, och i så fall bör ni bestämma er för att rymma, och vi ska göra vårt bästa för att hjälpa er.«

»Vi är mycket skickliga i att hjälpa folk att rymma«, sade Dorinda, »och vi ställer hela vår rika erfarenhet till ert förfogande.«

»Ni kan lita på oss«, sade Dina.

De stod där mellan klädstrecken med byxor och handdukar framför sig och tedukar och pyjamas bakom sig och tittade på herr Gitarr med allvarliga och oroliga ögon. Och herr Gitarr tittade på dem. Hans ögonbryn började glida upp och ner, först det ena och sedan det andra och innan han svarade gjorde han flera vackra rörelser med sina långa, vita händer. Sedan sade han: »Nej!« och satte sig ner igen.

Dina viskade:

»Nu är det din tur, Dorinda.«

»Jag har glömt vad det var«, mumlade Dorinda.

»*Vi rikta…*«

»Vi rikta till er en sista vädjan«, sade Dorinda, »i förlitande på den tillgivenhet ni så ofta visat oss…«

»Nej, nej!« ropade herr Gitarr, flög upp från sin stol och viftade med sina händer, som om han anfört en orkester. »Ni får inte vädja till min tillgivenhet. Det är inte rätt! Jag vill så gärna rymma, mer än allt annat önskar jag komma ut ur fängelset och åter få lära er att dansa och spela piano, men det är min plikt, min ohyggliga, men ofrånkomliga plikt att stanna här. Jag har svurit att jag aldrig ska ge efter för domaren Strängberg, och om jag nu skulle rymma så vore det nästan som att ta till flykten för honom. Det vore att fly från min plikt, som är att stå honom emot, att stå tyranniet emot, varhelst det visar sig.«

»Men då kanske ni får stanna här i fängelset i hela ert liv«, sade Dina.

Herr Gitarr intog en teatralisk ställning. Han stod mycket rak och stilla, med stolt och högburet huvud. Han lade sin vänstra hands långa fingrar över hjärtat, och med den andra handen lyft mot taket förklarade han högtidligt:

»Måste så ske får jag finna mig i det. Jag kommer aldrig att ge efter!«

Men i nästa ögonblick vände han sig bort och gömde ansiktet i den halvtorra badhandduken. Han torkade sina dubbla tårefloder på den och utbrast:

»Men jag hoppas att det inte ska bli så! Jag vill så gärna komma ut härifrån snart. Jag ska göra min plikt, men ack, måtte inte min plikt bli tyngre än att jag kan bära den!«

»Vi har kommit hit«, sade Dina, »för att vi så gärna ville hjälpa er, och kan ni föreslå något annat sätt…«

»Ni får inte be mig om att rymma.«

»Vad skulle vi annars kunna göra för er?« frågade Dorinda.

»Det finns bara en väg ut ur den här svårigheten«, sade herr Gitarr. »Varken jag eller någon annan av juryns medlemmar kommer någonsin att ge med sig, och därför måste domaren Strängberg göra det. Laga att han ändrar mening, övertyga honom om att han har orätt, så blir vi alla frigivna. Det är den enda utvägen.«

»Bevare oss«, sade Dina, »det blir inte lätt det.«

»Det vore mycket lättare att hjälpa er att rymma«, sade Dorinda.

»Ni förstår nog«, sade Dina, »att vad ni ber oss om är något mycket, mycket svårt.«

»Det är så svårt«, sade herr Gitarr i dyster ton, »att det inte skulle förvåna mig om ni ansåg det vara omöjligt.«

»Nej, jag vill inte säga det«, sade Dina fundersamt.

»Vi har gjort många saker«, sade Dorinda, »som de flesta människor skulle anse *fullkomligt* omöjliga.«

»Det är ganska märkvärdigt«, sade Dina, »vad allt man kan göra om man bestämmer sig för att göra det.«

»Ibland är det till och med *mycket* märkvärdigt«, sade Dorinda.

Herr Gitarr skakade sorgset på huvudet och tog sitt örngott från strecket.

»Det är torrt nu«, sade han. »Men i morgon bitti blir det nog vått av tårar igen. Farväl, mina kära små vänner, mina älsklingselever. Kom snart och hälsa på mig igen.«

»När vi träffas nästa gång«, sade Dina med beslutsam röst, »kommer ni att vara i ert eget hem på Järneksgatan.«

22

PÅ lördag morgon gick flickorna med fröken Tjatlund in till Medelby för att göra några uppköp, och under vägen sade Dorinda till Dina:

»Har du hittat på någonting ännu?«

»Inte ännu«, sade Dina.

»Det var så gott som ett löfte vi gav honom«, sade Dorinda. »Jag menar, när du sa att nästa gång vi träffade honom, skulle det bli hemma hos honom på Järneksgatan. Det var nära på ett löfte, tycker jag.«

»Det var ett löfte«, sade Dina, »och vi måste hålla det. Men jag vet inte hur det ska gå till.«

»Måste vi hålla våra löften, också när vi blir stora?« undrade Dorinda.

»Jag tror det«, sade Dina, »man slipper inte ifrån dem.«

»Jag trodde livet skulle bli mycket lättare när man blev stor«, sade Dorinda med en suck.

»När vi blir mycket gamla och försiktiga«, sade Dina, »aktar vi oss nog att ge några löften. Och då blir ju allting lättare.«

»Titta på de där båda herrarna i plommonstop«, sade Dorinda. »Jag har glömt vad de heter!«

»Herr Uppman och herr Nerman«, sade Dina.

»Kallas de inte för jurister?«

»Jag tror de kallas för advokater.«

»Ja, det är ju detsamma. Det var ju de som diskuterade med domaren och juryn, när fru Knapp förhördes.«

»Man måste förstås betala dem«, sade Dina eftertänksamt. »Hur mycket pengar har du?«

»Sju shilling i sparbössan och åtta pence i fickan.«

»Jag har nio shilling och tre pence allt som allt. Det blir sexton shilling och elva pence tillsammans.«

»Det är mycket pengar, det«, sade Dorinda.

»Tycker du vi ska be dem hjälpa oss?«

»Ja, de är förstås skickliga på att resonera med folk«, sade Dorinda, »särskilt med domare.«

»Det vore nog inte så dumt«, fortsatte Dorinda efter en stund. »Men vi måste först bli av med fröken Tjatlund.« De gick framåt Askgatan åt torget till, och herr Uppman och herr Nerman gick ett stycke framför dem. De båda advokaterna knackade på varenda dörr, herr Uppman på den vänstra och herr Nerman på den högra sidan av gatan, och så snart en dörr öppnades, började herr Uppman – eller herr Nerman, vilken det nu var – genast tala mycket allvarligt med den som öppnat. Men vad de sade kunde varken Dina eller Dorinda höra.

De och fröken Tjatlund fortsatte Askgatan framåt, vände sedan in på Gyllenlacksgatan och kom fram till torget.

Där stannade fröken Tjatlund och sade i kort och bestämd ton:

»Ser ni flickor, nu har jag en massa ärenden att uträtta, och ni skulle bara vara till hinder för mig, så det är bäst att ni stannar här och pratar med barnen där borta vid statyn. Men kom ihåg att ni inte får lämna torget!«

»Nej, det är så klart, fröken«, sade Dina och Dorinda så artigt de kunde. Men fröken hade inte väl försvunnit in i närmaste butik, förrän Dina föraktfullt utropade:

»Som om vi skulle vilja tala med Katrin Krans!«

»Eller med Robin och Robina Pillerin!« sade Dorinda lika föraktfullt.

»Kom, så går vi i stället och söker rätt på herr Uppman och herr Nerman«, sade Dina. De skyndade tillbaka Gyllenlacksgatan, och när de vek av på Askgatan såg de herr Uppman stå och ringa på dörren till hörnhuset.

»God morgon«, sade han till frun som kom och öppnade. »God morgon, fru Suseby. Har ni begått något brott i dag?

Snatteri eller stöld, bedrägeri eller helgerån eller trolldom eller utpressning eller inbrott, överfall eller misshandel, eller överfall *med* misshandel?«

»Nej, ingenting i dag«, sade fru Suseby.

»Är ni alldeles säker på det?« frågade herr Uppman med mycket ivrig röst. »Är ni alldeles säker, fru Suseby? Kom ihåg att brottets frö ständigt finns hos människan, och att det alltid är färdigt att spira upp när villkoren för dess tillväxt blir gynnsamma. Är ni alldeles säker på att ni inte har begått den allra minsta lilla olaglighet under de här sista dagarna, fru Suseby? För se jag är nu som alltid beredd att försvara er mot vilken anklagelse som helst, antingen det är fråga om trolöshet mot huvudman eller olaglig handel med diamanter, förfalskning eller falskmynteri, brutet äktenskapslöfte eller väpnat motstånd vid häktning. Är ni alldeles säker, fru Suseby? Hur är det med mened eller mordbrand? Nog har ni väl gjort något galet?«

Fru Suseby var femtiotvå år gammal, hon hade grått hår, ett godmodigt, runt ansikte och glasögon med stålbågar. Hon funderade en liten stund och sade sedan i beklagande ton:

»Nej, herr Uppman, tyvärr är det ingenting alls i dag, ingenting alls.«

»Gott, gott«, sade herr Uppman vänligt, »om det är så kan det ju inte hjälpas. Jag får hoppas på bättre lycka nästa gång, fru Suseby. Då ska jag bara lämna det här lilla annonskortet, så att ni vet att när ni behöver min hjälp, står jag helt och hållet till er tjänst. Här är kortet. Adjö så länge, fru Suseby, adjö!«

På kortet som herr Uppman räckte henne stod:

Stirrar fängelset er i ansiktet?
Förlora inte modet!
ADVOKATEN UPPMAN
står
till er tjänst!
Han blåser bort era brott!
Vad ni än har förbrutit

anförtro ert försvar
åt honom!

ADVOKATEN UPPMAN

är landets förnämste jurist!!
Våra klienter få alltid rätt.
OBS! För att vara tillmötesgående och göra sitt namn
ännu mera känt erbjuder sig advokaten Uppman att
försvara varje ny klient och förstagångsförbrytare mot
anklagelse för övervåld, stöld eller barnplågeri mot den
billiga avgiften av endast fem shilling!
Märk. Detta enastående erbjudande
kommer kanske inte att upprepas.
Begagna er av det NU

Under tiden ringde herr Nerman tvärs över gatan på hos herr
Struttman, och när herr Struttman kom och öppnade sade herr
Nerman, så snart han önskat honom god morgon:

»Hur skulle det vara med en liten trevlig och inbringande
rättegång i dag, herr Struttman? Har någon försökt med ut-
pressning emot er på senare tiden? Har någon stulit blommor
eller pumpor i er trädgård? Har någon cyklist slagit omkull er
eller någon bil kört över er, har ni blivit skadad på tåg, spårvagn,
flygplan, buss eller något annat offentligt kommunikations-
medel? Om så är, herr Struttman, så låt inte tiden gå, utan
väck åtal *nu* med detsamma.«

Herr Struttman var en gammal man med långt, vitt skägg,
och han rörde sig endast med stor svårighet med hjälp av två
käppar. Han funderade en stund, sedan sade han långsamt:

»Nej, herr Nerman, ingenting sådant har hänt mig på mycket,
mycket länge.«

»Förhasta er inte nu«, sade herr Nerman. »Ta god tid på
er och tänk efter. Sök i ert minne. Är ni alldeles säker på att
ni inte har blivit biten av en hund, stångad av en vild tjur,
bedragen på ert arv, suttit instängd i en hiss eller blivit bestulen
av ficktjuvar?«

»Jag har inte varit ute för något sådant alls«, sade herr Strutt-
man. »Det är möjligt att jag är för gammal nu för att sånt där
ska hända mig.«

»Nå men era grannar då?« frågade herr Nerman. »Har inte
någon av dem förtalat er?«

»Nej, inte vad jag vet«, sade herr Struttman. »Men jag har
knappast varit utom dörren på de sista tio dagarna.«

»Ja, får ni höra något så låter ni väl mig veta det«, sade herr
Nerman. »Jag ska alltid med största nöje åta mig er sak, herr
Struttman, inför vilken domstol i landet som helst, i civilmål
eller brottmål, inför polisdomstolen här eller inför högsta
domstolen. Och kom ihåg, herr Struttman, att en rättegång är
inte bara uppfriskande, den kan också vara inbringande! Tillåt
mig nu att få lämna er det här lilla nyttiga kortet! Slarva inte
bort det och glöm inte att jag alltid står till er tjänst. Farväl,
herr Struttman, farväl!«

På det kort som herr Nerman räckte herr Struttman stod
att läsa:

Känner ni det vackra ordet
Process?
Det betyder
Rättegång!
Vet ni till fullo allt vad det
innebär?
Om inte så är
ADVOKATEN NERMAN
till hands för att hjälpa er.
Nerman är mannen som skaffar er
skadestånd.
Låt Nerman föra er talan, det blir både inbringande
och lärorikt!
Om ni bor i en orolig trakt, där era grannar jämt och samt
döda er boskap, sätta eld på ert hus, röva bort era
barn, pressa pengar ur er mor, stjäla era

möbler, kasta sten på ert växthus,
låna er gräsklippnings-
maskin och tala
illa om er
Gläd er
och skicka efter Nerman
Han tvingar dem att betala.

Herr Uppman och herr Nerman möttes sedan mitt på gatan, och båda sköt ner sina plommonstop i nacken och sade:

»Ja, det var det, det!«

»Har det gått bra för dig?« frågade herr Uppman.

»Inte så illa«, sade herr Nerman. »Och för dig?«

»Något så när«, sade herr Uppman. »Ska vi ta Ekgatan nu, eller ska vi äta lunch först?«

»Lunch först«, sade herr Nerman.

»Herrarna har väl inte tid att tala med oss ett par minuter?« frågade Dina.

Hon och Dorinda hade tåligt väntat tills herr Uppman och herr Nerman avslutat sina samtal med fru Suseby och herr Struttman, och nu gick de fram till advokaterna mitt på gatan med en sådan allvarlig och viktig min, att herr Uppman och herr Nerman genast satte sina hattar till rätta och tog på sig en lika högtidlig min som barnen.

»Har ni begått ett brott?« frågade herr Uppman. »Tala om alltsammans för mig.«

»Vi har nog begått flera«, sade Dina, »men dem oroar vi oss inte för.«

»Nej, inte ett smul«, sade Dorinda.

»Då har väl någon tillfogat er skada, hotat er, misshandlat er eller baktalat er?« sade herr Nerman. »Anförtro er åt mig, så ska jag hjälpa er.«

»Tack så mycket«, sade Dina, »men vi vill inte uppta er värdefulla tid med sådant. Vi vill ha ert råd i en verkligt viktig sak.«

»Då är det inte värt att ödsla bort en enda minut till«, sade

herr Uppman. »Öppna munnen riktigt, tala tydligt och berätta
för oss vad det är.«

»Tveka inte, stamma inte«, sade herr Nerman. »Glöm inga
detaljer, men var kortfattade. Var alldeles naturliga, men tänk
på ert uttal. Ni kan lita på oss.«

»Vi vill veta«, sade Dina, »hur man ska få domaren Sträng-
berg att ändra mening.«

»Å, himmel!« sade herr Uppman.

»Kors i all sin dar!« sade herr Nerman.

»En domare«, sade herr Uppman, »ändrar aldrig mening.«

»Aldrig«, sade herr Nerman. »Det vore onaturligt.«

»Men domaren Strängberg måste ändra mening«, sade
Dorinda, »för vi har lovat att han ska göra det. Eller vi har
åtminstone lovat att göra någonting som vi inte kan göra förrän
han har ändrat sig. Så ni förstår hur viktigt det är för oss att
han gör det.«

»Ni ställer oss inför en nästan hopplös uppgift«, sade herr
Uppman.

»Men det vore ändå inte likt oss«, sade herr Nerman, »att
rygga tillbaka för svårigheter.«

»Ingen god advokat«, sade herr Uppman, »låter skrämma
sig av svårigheter.«

»Eller ens avskräcka sig av uppgiftens hopplöshet«, sade
herr Nerman.

»Och ändå«, sade herr Uppman, »är det inte ofta en advokat
blir ombedd att åta sig ett sådant fall som detta.«

»Men om vi lyckas«, sade herr Nerman, »kommer vi att
vinna odödlig ära.«

»Det har du rätt i«, sade herr Uppman. »Att få en domare
att ändra åsikt vore i sanning en historisk bragd.«

»Låt oss gå bort till torget«, sade herr Nerman, »och sätta
oss bekvämt på bänken nedanför drottning Viktorias staty. Där
kan vi tala igenom saken grundligt och i alla detaljer.«

23

FÖLJDEN av detta samtal blev att herr Uppman och herr Nerman, de båda advokaterna, på eftermiddagen klockan tre med fasta och beslutsamma steg vandrade uppför allén till domarens stora hus på norra sidan av Brillån. Domaren höll just på att spela miniatyrgolf tillsammans med sin kokerska, och som hans båda andra hembiträden tittade på, dröjde det en stund innan advokaterna blev insläppta. De fick faktiskt vänta i nästan tjugo minuter, ända tills partiet var slut, men då visades de in i biblioteket.

Eftersom domaren Strängberg hade vunnit partiet var han på mycket gott humör. Han hade på sig vita flanellbyxor, ett rött bälte om livet och sin peruk. Han bjöd herr Uppman på en cigarr och herr Nerman – som inte rökte – på en gräddkola och undrade vad han kunde stå till tjänst med.

»Vi vill bara be er om svar på ett par frågor«, sade herr Uppman.

»Gärna det«, sade domaren. »Vad är det för något ni vill fråga mig om?«

»Ja, till att börja med«, sade herr Nerman, »vill vi veta hur ofta ni byter skjorta?«

»Varje dag«, sade domaren. Det var ju inte riktigt sant, men domaren tyckte att det skulle bli ett gott exempel för folket om det blev bekant att han hade så utomordentligt renliga och regelbundna vanor.

»Och hur ofta byter ni strumpor?« frågade herr Uppman.

»Varje dag«, sade domaren, som alltjämt var på bästa humör.

»Och undertröja?« frågade herr Nerman.

»Och näsduk?«

»Varje dag«, sade domaren, för han förstod att detta skulle

165

göra ett djupt intryck i byn, »varje dag, och ibland *två gånger* om dagen.«

»Kors i alla tider!« sade herr Uppman, som om han varit alldeles överväldigad.

»Och era lakan och örngott?« frågade herr Nerman. »Hur ofta blir de bytta?«

»Det får ni fråga ett av hembiträdena«, sade domaren en smula högdraget. »Men så mycket kan jag säga att de byts ofta och regelbundet.«

»Det är verkligen fint«, sade herr Uppman. »Tycker du inte det, Nerman?«

»Det är storartat«, sade herr Nerman. »Säg mig nu, herr Strängberg, har ni ätit en god lunch i dag?«

»Naturligtvis«, sade domaren Strängberg. »Lunchen här hemma är alltid mycket god. I dag hade vi avredd sparrissoppa, lammkotletter med ärter och färsk potatis, körsbärstårta och sedan gräddost. Jag tror det duger?«

»Ja, minsann«, sade herr Uppman. »Men åt ni allihopa på samma tallrik?«

»Naturligtvis inte!« sade domaren förnärmad. »Jag hade fyra olika tallrikar, allra minst.«

»Ni byter således tallrikar ännu oftare än ni byter strumpor«, sade herr Nerman.

»Ja, det gör jag«, sade domaren.

»Mycket intressant«, sade herr Uppman. »Det var mycket intressant, tycker du inte, Nerman?«

»Ofantligt tänkvärt«, svarade herr Nerman.

Sedan pekade herr Uppman på en bok som låg på ett litet bord bredvid domarens stol och sade, alltjämt i en livligt beundrande ton:

»Ni är naturligtvis mycket road av läsning, herr domare?«

»Det där är en bok«, sade domaren, »som jag studerat med stort nöje de senaste dagarna. Den handlar om det gamla Egypten. Eller kanske det var det gamla Grekland eller också det gamla Mesopotamien. Jag har inte kommit så långt i den ännu.«

166

»Och läser ni alltid samma bok?« frågade herr Nerman.

»Bevare mig väl!« sade domaren. »Så snart jag slutat en börjar jag med en ny.«

»Så ni byter alltså böcker också?« sade herr Uppman. »Ni byter dem tydligen ganska ofta?«

»Ja visst«, sade domaren. »Det gör väl alla?«

Det blev en stunds tystnad efter detta, och domaren hade just börjat undra varför herr Uppman och herr Nerman ville veta så mycket om hans personliga vanor, då herr Nerman plötsligt ställde ännu en fråga. Därvid lutade sig både herr Uppman och herr Nerman långt tillbaka i sina stolar och tittade uppåt taket, som om de grubblat på något djupsinnigt.

»Minns ni målet mot fru Knapp?« frågade herr Nerman.

»Naturligtvis«, sade domaren, ganska stelt.

»Jurymedlemmarna«, sade herr Uppman, »sitter ännu i fängelse.«

»Och där får de stanna«, sade domaren förargad och höjde rösten. »Där får de stanna – det förberedde jag dem högtidligt på för flera veckor sedan – ända tills de enhälligt bestämmer sig för om de ska förklara henne Skyldig eller Icke skyldig.«

»Är det ert oryggliga beslut?« frågade herr Nerman.

»Det är det«, sade domaren.

»Men ni kan väl byta åsikt!« sade herr Uppman.

»Jag byter *aldrig* åsikt!« skrek domaren.

»Verkligen? Aldrig?« frågade herr Nerman.

»Inte ens en gång i månaden?« sade herr Uppman.

»Jag sade ALDRIG!« röt domaren.

»Så avskyvärt!« sade herr Nerman.

»Så osunt!« sade herr Uppman.

»Ni byter skjorta och strumpor«, sade herr Nerman.

»Och örngott och lakan«, sade herr Uppman.

»Och tallrikar och näsdukar.«

»Och böcker och undertröjor.«

»Och ändå byter ni aldrig åsikt!« sade herr Nerman. »Det är nästan otroligt, eller hur, Uppman?«

»Det är onekligen snaskigt«, sade herr Uppman.

»Märker ni inte en så underlig lukt det är här i rummet?« frågade herr Nerman.

»Här finns ingen underlig lukt!« röt domaren.

»Jo, det finns det visst, en mycket obehaglig lukt förresten«, sade herr Uppman och höll sig för näsan.

»Ni borde verkligen byta åsikt«, sade herr Nerman och höll sig också för näsan.

»Ut ur mitt hus!« skrek domaren.

»Med största nöje«, sade herr Uppman.

»Det ska bli skönt att få frisk luft«, sade herr Nerman. Och så reste de sig båda och satte på sig sina plommonstop – som de lagt ifrån sig på golvet när de kom in – lämnade biblioteket med värdig hållning och stängde noga dörren efter sig. Domaren var så ursinnig att han slet av sig peruken, kastade den på golvet och började hoppa jämfota på den.

Han hade hoppat tre gånger när dörren öppnades på glänt och herr Nerman åter blev synlig i den smala springan. Han höll sig fortfarande för näsan.

»Bitt edda skäl att kobba tillbaka«, sade han, »är att jag vill påbidda er ob att renlighet kobber däst efter rättfärdighet.«

24

VID niotiden den kvällen hörde Dina och Dorinda någon vissla i trädgården. De hade redan lagt sig, men de var fullt vakna, och när de hörde visslingen för andra gången, satte de på sig tofflor och morgonrockar och smög sig tyst nerför trappan och ut i trädgården genom verandadörren i matsalen. Bakom rhododendronsnåret upptäckte de herr Uppman och herr Nerman.

De lyssnade med stort intresse till de båda advokaternas berättelse om samtalet med domaren och var fulla av beundran för deras skicklighet.

»Ja, nu har vi gjort vad vi kunnat«, sade herr Uppman, »men om våra ansträngningar ska krönas med framgång eller inte beror på vad ni kan göra.«

»Vi har skurit brödet, men ni måste rosta det«, sade herr Nerman.

»Jag förstår inte riktigt vad ni menar«, sade Dina.

»Vi har väckt en ny tanke i domarens hjärna«, sade herr Uppman. »Nämligen att den som inte byter åsikter inte är bättre än den som inte byter skjorta eller strumpor.«

»Och nu måste ni«, sade herr Nerman, »visa honom hur förfärliga följder det kan bli om man *inte* byter åsikter.«

»Ja visst!« sade Dina. »Nu förstår jag.«

»Det gör jag också«, sade Dorinda, »och jag har redan tänkt ut något. Något som vi kan göra, menar jag.«

»I så fall«, sade herr Uppman, »går herr Nerman och jag hem nu och börjar arbeta på vårt nästa fall. Vi är strängt upptagna män, vi advokater.«

»Vi är förfärligt tacksamma för att ni hjälpt oss«, sade Dina. »Vill ni nu bara säga hur mycket vi är skyldiga?«

»Hur mycket pengar har ni?« frågade herr Nerman.

»Sexton shilling och elva pence«, sade Dina. »Kom du ihåg att ta dem med dig, Dorinda?«

»Ja, jag har dem här«, sade Dorinda och halade upp en hopknuten näsduk ur sin morgonrocksficka.

»Sexton och elva, det är just vad vi alltid brukar ta för ett fall som detta«, sade herr Uppman artigt.

Dina knöt upp knutarna och bredde ut näsduken på gräset.

»Jag är rädd att det här inte blir så lätt att dela mellan er«, sade hon.

Herr Uppman och herr Nerman kastade sig på knä och började ivrigt plocka slantarna i två små högar.

»Det ska nog gå bra«, sade herr Nerman.

»Vi ska nog se till att det blir rättvist«, sade herr Uppman, »så att ingen kan beklaga sig och ingenting blir kvar… Men himmel! Vad är det där?«

Det hade nu blivit alldeles mörkt inne i skuggan av buskarna, och mitt framför herr Uppman, som låg på knä i gräset, skymtade plötsligt i snåret två guldglänsande ljus, alldeles som om ett par små lampor stått och lyst där inne.

»Bli inte rädd«, sade Dorinda lugnande. »Det är bara en god vän till oss.« Och hon ropade glatt: »God afton, Puma.«

Till svar kom ett underligt ljud, till hälften en hostning och till hälften en morrning, och i detsamma hördes ett flaxande i den skymmande luften, och någonting som hade stora vingar kom nedsvepande och höjde sig plötsligt igen.

»Och det där?« frågade herr Uppman med darrande röst. »Vad var det då?«

»En annan av våra vänner«, sade Dina, satte händerna för munnen och ropade uppåt himlen: »Hallå, Falk!«

Herr Uppman och herr Nerman reste sig hastigt.

»Det är nog på tiden att vi ger oss i väg nu«, sade herr Nerman.

»Ja, det börjar bli sent«, sade herr Uppman och tittade ängsligt på de små lysande lamporna inne bland buskarna.

»God natt då«, sade herr Nerman. »Och lycka till!«

»Vi är hemskt tacksamma«, sade Dina och Dorinda. »Hemskt
tacksamma!« ropade de ännu högre, för de båda advokaterna
skyndade bort med stor brådska.

Då kom Falken nedsusande från den mörknande himlen
och satte sig lätt som en fjäder på Dinas axel, medan Puman
ljudlöst gled fram ur snåret och lade sitt huvud i Dorindas
framsträckta händer. Sedan gjorde de det bekvämt åt sig i gräset
och hade ett långt samtal.

Det var Dina och Dorinda som talade mest, för de var ivriga
att berätta för sina vänner om de framsteg de gjort i sina försök
att få herr Gitarr ut ur fängelset. Och sedan talade de om vad
de härnäst tänkte göra. De hade hela sin plan klar nu, och
de ville att Falken skulle hjälpa dem med att skaffa ett halvt
dussin råttor.

»Levande eller döda?« frågade Falken artigt.

»Döda förstås«, sade Dina hastigt. »Riktigt döda måste de
vara.«

»Ni har så bråttom, ni människor«, sade Puman med en
gäspning. »Alltid funderar ni på något, gör något eller talar
om något. Det måste vara förfärligt tröttsamt.«

»Vad har du själv gjort i dag då?« frågade Dorinda.

»Ingenting«, sade Puman. »Ingenting alls. Bara levat.«

»Det har varit en så vacker dag«, sade Falken. »En av de
vackraste jag någonsin sett.«

»Har det?« sade Dina. »Vi har haft så mycket att tänka på att
vi knappast lagt märke till vad det varit för väder.«

»Det var dumt av er«, sade Puman.

»Jag tycker det var styggt av er«, sade Falken. »Ni skulle ju
inte vilja slarva bort mat eller dryck. Varför då slarva bort det
vackra vädret?«

»Men vi hade ju så mycket att göra«, sade Dina.

»Ja, se det är det värsta med människorna«, sade Puman.

»Känner ni till norra delen av Lyckoskogen?« frågade Falken.
»Marken höjer sig där till ett berg som på andra sidan stupar

brant ner. Nära toppen var det för många hundra år sedan ett jordskred, och där är berget ännu alldeles kalt, men lite längre ner skjuter en klippspets rätt upp ur skogssluttningen. Vid den klippan tillbringade vi vår dag. Jag satt på ett utsprång med hela den vida nejden under mig, och Puman låg på en gren i ett stort träd, och genom löven silade solen ner på henne.«

»En gång«, sade Puman, »när ni tröttnat på att göra så mycket, måste ni komma och vara med oss en hel dag. Inte göra något alls, bara vara till. Det kommer ni att ha gott av.«

»Men blev ni inte hungriga?« frågade Dorinda.

»Jag hade fått ett gott mål på natten«, sade Puman. »Jag hade dödat ett fett lamm.«

»Vems lamm var det?« frågade Dina.

»Hur ska jag kunna veta det? Det var mitt när jag hade dödat det.«

De satt ännu en liten stund och pratade, och sedan återvände Puman och Falken till skogen och Dina och Dorinda till sina sängar.

Men de somnade inte så snart, för de var rätt oroliga för att Puman hade börjat döda får.

»Och det tjänar ingenting till att tala med henne om hur orätt det är att döda får som andra äger«, sade Dina modstulet. »Hon skulle inte alls förstå det.«

»Men du ångrar väl ändå inte att vi släppte ut henne ur djurparken?«

»Nej, det gör jag förstås inte. Vi kunde ju inte göra annat sen vi blivit vänner med henne. Men så snart man företar sig något blir det alltid oväntade följder. Det är det som gör livet så svårt.«

»Hon låter nog inte fånga sig«, sade Dorinda tröstande. »Inte tror jag någon här omkring kan ta henne.«

De pratade ännu en stund, sedan blev de sömniga utan att själva märka det, och när de vaknade på morgonen fann de att Falken redan hade varit där och lagt sex döda åkerråttor på fönsterbrädet.

»Spring och hämta en av pappas stora näsdukar, så ska vi göra ett litet knyte av dem«, sade Dina.

Dorinda gick genom korridoren bort till sin pappas övergivna toalettrum och sökte reda på en näsduk. Hon stod och funderade en stund, men rätt som det var fick hon en idé som gjorde henne alldeles förtjust. Hon rusade tillbaka till deras eget rum, slog upp dörren och ropade:

»Dina, jag vet precis var vi ska lägga dem.«

»Var då?«

»Vänta tills vi kommer dit«, sade Dorinda, »så ska jag visa dig.«

25

»Minns du«, sade Dorinda efter frukosten, »att för länge, länge sen, innan pappa hade rest bort, var vi nere vid ån en dag, och jag hade ett ljuster, och vi fångade två små ålungar?«

»Och stoppade ner dem i en flaska som vi hittade«, sade Dina.

»Och satte en kork i flaskan, så att de inte skulle komma ut.«

»Och tog flaskan med oss hem och satte den bakom redskapsskjulet, och sen har vi väl glömt bort den.«

»Ålarna måste vara döda nu«, sade Dorinda.

»Hemskt döda«, sade Dina tankfullt. »Det var mycket illa gjort av oss, men nu kan de i alla fall bli till nytta.«

»Jag tänkte detsamma.«

»Och de där tre sillarna vi köpte i går börjar redan lukta.«

»Vi har allt vad vi behöver nu utom brevkorten«, sade Dorinda, »och dem kan vi skriva medan vi läser våra läxor.«

På eftermiddagen gick de tvärs över fälten bort till domaren Strängbergs stora hus på andra sidan ån. De undvek Medelby, för de hade med sig ett par paket, som de inte ville att någon skulle se. De hade valt rätta tiden för ett sådant besök – just den tid då domaren, hans kokerska, hans husjungfru och hans kammarjungfru brukade vara ute och spela miniatyrgolf på gräsplanen – och eftersom matsalsfönstret stod på vid gavel och fönsterbrädet knappast var mer än en halv meter över marken, var det mycket lätt för dem att ta sig in utan att någon såg dem och utan att behöva ringa på klockan eller bulta på dörren.

Tyst och hastigt gick de uppför trappan och letade sig fram till domarens sovrum. De förstod att det var hans, för på ett bord i ett hörn stod tre byster, som föreställde Caesar och

Shakespeare och hertigen av Wellington, och de var alla klädda i domarens stora reservperuker.

»Nå, vad tänker du nu göra med råttorna?« frågade Dina.

»Kom hit ska du få se«, sade Dorinda, som hade krupit in under sängen, och när Dina följde efter henne pekade hon på spiralfjädrarna i resårmadrassen.

»De ser alldeles ut som små burar, tycker du inte det?« sade hon. »Det är väl en bra plats för våra råttor. Ingen kommer att söka dem där.«

Dina instämde, och så stoppade de in de sex döda råttorna i sex av spiralfjädrarna under domarens säng och kröp fram igen och tittade ut genom fönstret ner på gräsplanen, där domaren spelade miniatyrgolf med sin kokerska och sin kammarjungfru och sin husjungfru. Sedan fortsatte de med sina hemliga förehavanden.

»Det här måste vara hans toalettrum«, sade Dina och öppnade en annan dörr.

»En sån mängd kläder han har«, sade Dorinda och kikade in i ett klädskåp.

»Och dussintals med skjortor«, sade Dina, som dragit ut en byrålåda.

Några av de brevkort de hade skrivit gömde de nu i de prydliga högarna med skjortor, och andra stoppade de i fickorna på hans många kostymer, och när detta var gjort sade Dina att de måste försöka ta reda på biblioteket.

Det låg på nedre botten, och så snart de kom in fick de på den praktfulla spiselhyllan syn på två stora grekiska vaser av det slag som fröken Tjatlund lärt dem att kalla amforor.

»Det är precis vad vi behöver«, sade Dina. Hon drog fram en stol till spisen, klättrade upp på den, och sedan hon tagit korken ur flaskan med de döda ålungarna, ställde hon ner den i den närmaste vasen.

»Det luktar gräsligt«, sade Dorinda när hon kände stanken från den öppnade flaskan.

»Det luktar värre än gräsligt«, sade Dina. »Om inte detta kan få honom att ändra åsikt, så kan ingenting göra det.«

»Och vi har ändå sillarna kvar«, sade Dorinda.

»Jag tror att matsalen är rätta stället för dem. Du minns väl de där stora oljeporträtten som troligen föreställer hans far och hans mor? Och den andra tavlan med får som betar på ett berg? Vi kan sätta fast sillarna på väggen bakom dem med de här häftstiften som jag har tagit med mig.«

Då Dorinda inte hade någonting bättre att föreslå, gjorde de som Dina ville, och sedan lämnade de huset genom det öppna matsalsfönstret och tog vägen till Medelby. De hade nämligen ett ärende till Katrin Krans, bagarens dotter.

Båda avskydde Katrin, den där flickan med det elaka ansiktet och de långa, smala benen, och de hade ingalunda förlåtit henne för vad hon gjort dem den gången då de ätit för mycket och svällt upp till riktiga ballonger. Men de visste att Katrin var den i byn som de kunde ha största nytta av för sina planer, för hon hade en naturlig böjelse att ställa till förargelse och visste ingenting bättre.

Hon blev mycket överraskad och ganska rädd när de kom hem till henne och sade att det var något mycket hemligt det gällde. Men de hade inte väl förklarat sina planer för henne och berättat vad de redan gjort och sagt henne vad de ville hon skulle göra, förrän hennes elaka ansikte blev vitt av spänning och hennes mörka ögon började lysa av förtjusning. Så ivrig var hon att hon drog i sina fingrar tills det knakade i lederna, alldeles som det knäpper i torra kvistar som bryts av.

»Ni kan lita på mig«, lovade hon. »Alla barnen här kommer säkert att lyda mig, och om domaren inte ändrar åsikt inom en vecka, kan ni få sticka fler knappnålar i mig än jag nånsin har stuckit i er.«

»Tack«, sade Dina lite högdraget, »men vi sticker aldrig knappnålar i folk.«

»Det ska ni naturligtvis inte göra, om ni inte har lust«, sade Katrin. »Men jag står i alla fall fast vid mitt löfte.«

Dina och Dorinda väntade nu ett par dagar med stor otålighet på hur deras plan skulle utfalla, och det dröjde inte länge förrän de fick höra goda nyheter. Domaren började se verkligt olycklig ut, och hans kokerska berättade att han alldeles hade förlorat aptiten.

Den eftermiddagen Dina och Dorinda hade gömt råttorna och ålarna och sillarna i hans hus, hade han efter avslutat golfparti gått in i biblioteket för att läsa, och han märkte då genast en underlig lukt i rummet. Han ringde och husjungfrun kom in, och när han bad henne känna om det inte var något som luktade, såg hon mycket förvånad ut och svarade: »Jag känner ingen annan lukt än av er cigarr.«

Då ringde han på kammarjungfrun och bad henne känna efter.

»Jag känner ingenting annat än den goda läderlukten från er länstol«, sade hon.

Då blev domaren arg och skickade efter kokerskan och lät henne nosa överallt i rummet som en blodhund. Men kokerskan förklarade mycket bestämt:

»Jag känner ingen annan lukt än av de härliga rosorna som jag själv skurit av och själv satt på ert bord.«

Men sanningen var att de alla kände att det luktade besynnerligt i rummet, fastän ingen ville erkänna det, därför att de arbetade från morgon till kväll för att hålla huset rent och fint, och de ville inte medge att det kunde finnas något smutsigt eller illaluktande där.

Domaren skickade då ut dem igen och försökte övertyga sig själv om att lukten bara var en inbillning, och efter ett par timmar blev han van vid den och märkte den inte. Men när han nästa morgon kom ner till frukosten i matsalen snusade och snusade han och rynkade på näsan och kallade åter in sin kokerska, sin husjungfru och sin kammarjungfru och sade:

»Det känns en sån obehaglig lukt i det här rummet också. Vad är det? Vad kan den komma av? Och varför ser ni inte till att här hålls snyggt?«

Men alla tre, som såg så prydliga och rena ut i sina bomulls-
klänningar och vita förkläden, nytvättade och skinande i an-
siktet, svarade förnärmade att rummet luktade så ljuvligt som
en trädgård och alltid skulle göra det, så länge de hade hand
om huset. Domaren åt modstulen sin frukost och gick sedan
hastigt ut. Men på sin väg genom Medelby mötte han en hel
mängd små pojkar och flickor som, när de såg honom närma
sig, hastigt sprang undan och höll händerna för näsan på ett
mycket uppseendeväckande sätt.

Lukten i biblioteket var ännu värre den kvällen, och när han
gått och lagt sig låg han vaken minst en timme, drog då och då
in luften genom näsan och sade till sig själv: »Det är ju bara
inbillning. Det kan inte vara annat än inbillning.«

Men på morgonen var råttlukten omisskännlig. Han steg
tidigt upp och genomsökte rummet för att utforska varifrån
den kunde komma, men han fann ingenting. När han skulle
ta en ren skjorta, hittade han emellertid instucket i den ett
brevkort, på vilket stod skrivet:

Har ni ändrat mening i dag?

Nu blev han mycket ond, men så snart han kom ner i matsalen
blev han mer orolig än ond, för nu luktade hela rummet alldeles
tydligt skämd fisk. Han stack handen i fickan för att ta upp sin
näsduk – och då fann han ett nytt brevkort med orden:

Har ni ändrat mening i dag?

I Medelby mötte han den morgonen minst trettio små pojkar
och flickor, som på ett högst uppseendeväckande sätt höll han-
den för näsan när han gick förbi, och två gånger hörde han
Katrin Krans säga till dem med sin gälla röst: »Kan ni tänka
er, han har inte bytt mening på många veckor nu!«

Så stod sakerna under flera dagar, och domaren blev mer
och mer bekymrad, och lukterna av råttor, sill och ål blev värre

och värre i hans hus, för fastän kokerskan och husjungfrun och kammarjungfrun dammade och skurade från morgon till kväll och sökte överallt för att upptäcka var lukten kom ifrån, tänkte de aldrig på att titta mellan spiralfjädrarna under sängen eller i den grekiska amforan eller bakom porträtten av domarens far och mor. När några dagar gått började han se mager och tärd ut, och varhelst han gick hörde han röster som sade: »Han har inte bytt mening på många veckor!« Till slut började han undra om detta ändå kanske var orsaken till den otäcka stanken i hans hem.

Så kom en natt då han inte kunde sova alls, för råttlukten var starkare än någonsin, och i matsalen hade det luktat gräsligt av fisk och i biblioteket hade det luktat rent förfärligt av något ruttet.

Han satte sig upp i sängen och vred på ljuset och såg på sin klocka. Den var fyra. Snart skulle han bli tvungen att stiga upp igen och gå in till Medelby, där alla de små pojkarna och flickorna skulle hålla sig för näsan när de såg honom komma, och dra sig bort ifrån honom på ett iögonenfallande sätt.

»Ack, vad ska jag ta mig till, vad ska jag ta mig till?« suckade han och rev sönder sitt lakan utan att ens märka vad han gjorde.

Då tyckte han sig höra en hemlighetsfull röst viska i sitt öra: »Att riva sönder lakan kan inte hjälpa dig, vad du måste göra är att ändra mening. *Ändra mening!* ÄNDRA MENING!«

Etthundrafemtiosju gånger upprepade rösten detta budskap, men sedan förlorade domaren tålamodet och skrek: »Gärna för mig, gärna för mig. Jag ska ändra min mening, om det är det enda sättet att bli kvitt de här vidriga lukterna. Jag ska ändra mig, säger jag ju, men ge mig lite tid! Jag är ju tvungen att få på mig byxorna först.«

Han steg upp och klädde sig så fort han kunde, och skyndade genom Medelby bort mot fängelset, som låg på andra sidan av byn. Solen gick upp just då han kom fram till torget, och husens alla fönster glimmade i morgonljuset, himlakupan liknade en kinesisk tekopp, genomskinlig och rund, och en flock av små moln stod alldeles stilla där uppe, likt en skock får när en främmande hund först dyker upp. Domaren Strängberg kände sig lyckligare än han gjort på länge och skyndade vidare till fängelset så fort han kunde. Så glada de stackars jurymedlemmarna skulle bli, tänkte han, när de fick veta att han beslutat sig för att frige dem. De skulle förmodligen utbringa ett trefaldigt hurra för honom, det skulle de säkert.

Han drog i dörrklockans stora mässingshandtag vid fängelsets port och hörde den ringa någonstans långt innanför: *Inkel-bangel-bankel-bang. Inkel-bangel-bankel-bang. Inkel-bangel, inkel-bangel, bang.*

Ingen kom och öppnade för honom, och då ringde han om igen och så om igen: *Inkel-bangel, inkel-bangel, inkel-bangel-bankel-bang...*

Efter en stund öppnades ett fönster och sedan ett till och ett till, och alla fångarna stack ut sina huvuden och ropade: »Vem är det som ställer till ett sånt oväsen?«

»Det är jag!« skrek domaren. »Jag har kommit för att säga er att jag har ändrat mening och att ni kan få gå hem allihopa. Ni kan gå hem nu med detsamma!«

»Jag tänker inte gå hem så här dags på morgonen för att behaga er eller någon annan heller«, skrek herr Malt, ölutköraren, och slog igen sitt fönster med en smäll.

»Ska vi inte ens få sova i fred nu heller?« tjöt fru Filén och slog igen sitt fönster med en ännu kraftigare smäll.

»Ni tror väl inte vi tänker ge oss av förrän vi har fått frukost?« vrålade herr Russinkvist och slog också igen sitt fönster.

»Gå er väg!« ropade alla de andra. »Vänta åtminstone tills vi ätit frukost.« Och allesammans stängde de sina fönster på ett verkligen mycket beslutsamt sätt.

Ett uttryck av djup sorgsenhet spred sig över domarens ansikte, men med en viljeansträngning behärskade han sin otålighet och gick och satte sig i en grässluttning mitt emot fängelseporten. Han tände en cigarr och beredde sig att vänta tills klockan blev nio, vilket var den vanliga frukosttiden i Medelbys fängelse.

Högt över honom där han satt och rökte kom en stor fågel flygande under himlen, kretsade i en vid cirkel omkring honom och flög sedan snabbt bort mot major Rytters hus, där den slog ner på fönsterblecket utanför ett av fönstren och ivrigt började knacka på rutan med sin näbb.

Dina och Dorinda vaknade genast och släppte in Falken.

»Jag tror er plan har lyckats«, sade han. »Domaren sitter utanför fängelset och väntar förmodligen på att latmaskarna ska vakna och släppa in honom.«

»Han har ändrat mening!« utropade Dina.

»Och herr Gitarr blir fri!« sade Dorinda och klappade i händerna.

»Ja, det ser så ut«, sade Falken.

»Då måste vi kila med detsamma«, sade Dina, »och skaffa undan sillarna och råttorna och ålarna, innan domaren kommer tillbaka. Skynda dig upp, Dorinda, och klä dig. Adjö, Falk, tack för att du kom. Vi ses snart igen!«

Och Falken flög sin väg, och Dina och Dorinda kom i kläderna på tre minuter och sprang hela vägen över fälten bort till domarens hus.

Just som de kom fram såg de kokerskan och husjungfrun och kammarjungfrun skynda bort i riktning mot Medelby, för nyheten hade hastigt spritt sig, och vid det här laget hade varenda en hört vad som hänt, och alla byns invånare, utom riktiga småbarn och folk som låg sjuka, strömmade i täta skaror till fängelset för att vara med när jurymännen frigavs.

Därför blev det en lätt sak för Dina och Dorinda att ta bort råttorna från resårmadrassen och sillarna från väggen bakom porträtten och ålarna ur den grekiska vasen, varefter de kvickt som tanken begravde dem i domarens egen blomsterrabatt. Därefter tvättade de sig om händerna och sprang bort till fängelset de också.

De kom i god tid, för juryns medlemmar vägrade alltjämt att lämna fängelset innan de fått frukost, och ville inte ens tillåta fru Jehu att servera den en halvtimme tidigare än vanligt.

Men klockan halv tio kom de ut, mycket allvarliga och viktiga, och domaren stod på en stol och meddelade dem mycket artigt att han hade ändrat mening, och därför skulle de nu bli frigivna ur fängelset och kunde gå vart de ville och göra vad de ville – »Inom rimliga gränser förstås, inom rimliga gränser«, tillade han hastigt.

Sedan ville alla juryns medlemmar hålla tal för att prisa friheten, rätten och landets författning, men pastor Nådendal hade redan ordnat en kör, och snart sjöng alla tillsammans »Du klara sol«. Och när de sedan marscherade in till Medelby stämde de upp i marschtakt:

> När jag givit mig ut på luffen
> för att se mig i världen om,
> då fick jag så trevligt sällskap,
> och så jag till London kom.

Hela vägen sjöng de, och poliskonstapel Svärd marscherade vid sidan av den långa processionen och kommenderade: »Vänster, höger; vänster, höger; vänster! Raska på, era eländiga krattor, annars ska jag laga att ingen av er får nån middag i dag. Vänster, höger, vänster!«

Och på Medelby torg samlades de kring drottning Viktorias staty och sjöng och sjöng, tills de blev så hesa att de inte kunde sjunga mer.

26

D E T var endast för herr Gido Gitarr som Dina och Dorinda
berättade vilken roll de spelat vid befriandet av jurymedlem-
marna, och han tackade dem så vackert och uppskattade så
livligt deras rådighet, att de kände sig mer än ersatta för det
besvär de gjort sig och inte önskade någon tacksamhet från de
andra. Och lika gott var det för alla de andra fångarna trodde
att de blivit frigivna till följd av sin egen ståndaktighet, och
ingen av dem var beredd att visa någon tacksamhet. Katrin
Krans spred visserligen ut en historia om hur hon förmått
trettio barn att hålla sig för näsan så snart de såg en skymt av
domaren Strängberg, och hon berättade också för alla att Dina
och Dorinda hade smugglat in döda djur i domarens hus, men
folk visste ju att Katrin Krans var en stygg flicka som talade
osanning varenda dag, så ingen trodde ett ord av vad hon sade.
Följden blev att i hela Medelby var herr Gido Gitarr den enda
vuxna person som någonsin fick veta den verkliga sanningen.

När de några dagar efter denna stora händelse kom för att
få sin vanliga danslektion, sade han till dem:

»Om jag hade varit tvungen att stanna i det där fängelset
en vecka till så hade jag blivit tokig. Och om jag hade blivit
tokig skulle jag ha kastat mig ut genom fönstret. Och om jag
hade kastat mig ut genom fönstret skulle jag ha brutit nacken
av mig. Om jag hade brutit nacken av mig skulle jag ha legat
där alldeles livlös. Men i stället för detta är jag nu full av liv,
jag hoppar och sjunger av glädje som en forell i bäcken och
en gök i skogen, och det är alltsammans er förtjänst. Kära lilla
Dina – söta Dorinda – jag är er tjänare för alltid! Och nu ska
vi dansa. Jag ska lära er en storartad spansk dans. I den måste

ni vara snabba som stormvinden och lätta som luften och glada som pajasar. Den dansen heter Jaleo de Jerez.«

Herr Gitarr lärde aldrig sina elever någon av de danser där folk inte gör annat än promenerar omkring och då och då tar ett litet hopp eller gör en liten glidning åt ena eller andra sidan. Enligt hans mening var sådant inte av något värde. Han tyckte om Englands och Spaniens, Skottlands och Frankrikes, Polens och Rysslands gamla danser, som var förnäma och kärnfulla, och dem undervisade han i med sådan oerhörd entusiasm, att många av hans elever blev alldeles utmattade redan efter två eller tre lektioner och deras föräldrar måste skicka dem till en badort för att vila upp ordentligt. Men Dina och Dorinda, som så nyligen varit känguruer och övat sig att hoppa, var så starka att de kunde dansa en fandango och en schottisch, en mazurka, en irländsk jigg och en sjömansdans utan att bli trötta ett enda dugg.

De var förtjusta över sina lektioner hos herr Gitarr, och under en två, tre veckor levde de mycket lyckliga. Deras mamma hade rest till London och fröken Tjatlund hade hösnuva, så de hade nu god tid att vara hos Puman och Falken, som lärde dem att göra ingenting. Detta är mycket svårare än man tror, och det är bara djuren som är verkligt kunniga i det. Men Dina och Dorinda gjorde framsteg och lärde sig snart att göra *nästan* ingenting.

Men så kom deras mamma hem igen. De gick och mötte henne, och så snart de fick se henne förstod de att hon var mycket orolig för något. Hon lutade sig ut genom fönstret när tåget rullade in på stationen, och det långa halsbandet av blå och gula pärlor som hon bar om halsen hade på något sätt slingrat sig om handtaget på dörren. Det tog dem flera minuter att göra loss det och få ut henne, och då upptäckte de att hon hade förlorat allt sitt bagage utom en påse plommon, och den var inte hennes.

»Stackars mamma«, sade de. »Kom med hem nu och få dig en kopp te.«

Hon berättade för dem att hon var mycket orolig för deras pappa, för hon hade inte hört något från honom på flera veckor. Hon hade varit i London för att försöka få närmare underrättelser, men ingen hade kunnat säga henne något. »Jag kommer inte att känna mig lugn ett ögonblick«, sade hon, »förrän jag har fått ett brev från honom själv, där han säger mig att han är vid god hälsa och i trygghet och äntligen på väg hem till oss.«

Fastän Dina och Dorinda ofta tänkte på sin pappa, hade de aldrig varit det minsta oroliga för honom. De var övertygade om att han kunde ta vara på sig själv under alla omständigheter, även de farligaste. Men när de nu såg hur orolig deras mamma var, kunde de inte hjälpa att de blev lite ängsliga de också, och liksom hon började de vänta på brevbäraren och hålla utkik efter honom med ständigt växande otålighet.

En dag såg de honom komma långsamt gående på vägen, och när de skyndade ut för att möta honom fann de honom vid trädgårdsgrinden med ett enda brev i handen. Han stod och tittade på det med en mycket underlig min och sedan gav han det till Dina utan ett ord, fastän han vanligen var en mycket vänlig och pratsam man.

Kuvertet var smutsigt, och i ena hörnet fanns en mörk, röd fläck.

»Det är blod«, sade Dina.

»Det är pappas stil«, sade Dorinda.

»Det är det«, sade Dina, och båda tittade på blodfläcken med skrämda ögon. Deras kinder hade blivit vita. Dina hörde sitt hjärta bulta, och det gjorde också Dorinda.

»Jag tänker öppna det«, sade Dina.

»Men det är ju till mamma.«

»Ja, men tänk om det är dåliga nyheter! Mamma är inte stark, och det här kan göra henne sjuk.«

»Men om det är dåliga nyheter, måste vi ändå tala om dem för henne.«

»Vi kanske kan göra något först«, sade Dina, stack in fingret och rev upp kuvertet.

Brevet var helt kort. Deras far hade skrivit:

Fastän nyheterna från mig inte är så goda, ska du inte oroa dig. Jag blev arresterad för tre veckor sedan och befinner mig nu i en fängelsehåla i slottet i Miko. Jag har det bra och tror säkert att jag blir frigiven inom kort. Fängelsehålan är ju inte så vidare trevlig, men jag blir inte illa behandlad, och mitt största bekymmer är att jag varken fått ta emot eller sända några brev. Jag skickar den här lilla hälsningen med en vän som reser till England i affärer och som lovat att ta den med sig, fastän han därigenom själv utsätter sig för stor fara. Jag ber dig än en gång att inte oroa dig för mig. Ha bara tålamod, så kommer allt att ordna sig. Som tur var hade jag på mig vinterunderkläder när jag blev arresterad, så jag håller mig varm, fastän fängelsehålan är oeldad.

Det dröjde en stund innan Dina och Dorinda kunde få fram ett ord. De var skräckslagna av vad de läst, upprörda i sitt innersta vid tanken på att deras pappa var fånge i en fängelsehåla. De kunde föreställa sig mörkret där inne, den dävna källarlukten, de fuktiga skrovliga stenväggarna, den svaga strimman av ljus som föll in från det lilla gallerförsedda fönstret högt uppe i ena hörnet. Deras stackars pappa! Och så tappert han hade skrivit. Han låtsades knappast om sin egen olycka, tänkte bara på att trösta deras mamma, fast han själv måste lida svårt till kropp och själ. Kanske var han fastkedjad vid en mur!

»Vi måste rädda honom«, sade Dina plötsligt.

»Han är så förfärligt långt borta«, sade Dorinda.

»Miko är huvudstaden i Bombardiet.«

»Dess förnämsta industrier är fabrikation av musikinstrument, porslin, tunnor och öl, medan det omgivande landet är rikt på bokskogar, körsbärsträdgårdar, lerlager och flockar av gräs«, sade Dorinda. »Det har fröken lärt oss.«

»Herr Gitarr är från Miko. Han kan tala om för oss hur man ska resa dit.«

»Det hade jag glömt«, sade Dorinda. »Å, han vill säkert hjälpa oss, och jag tror nog att vi kommer att behöva all hjälp som vi kan få. För vi har aldrig räddat någon från en fängelsehåla förut.«

»För bara ett par månader sedan hade vi inte räddat någon från någonting«, sade Dina. »Och nu har vi redan stor erfarenhet av sånt.«

»Inte av fängelsehålor«, sade Dorinda. »Jag känner på mig att fängelsehålor är hemskt krångliga. Jag undrar om fru Häxelin kan ge oss några goda råd?«

»Det är möjligt«, sade Dina. »Men som du vet, vill hon inte gärna bli ombedd att hjälpa människor.«

»Men hon kunde kanske ge oss en ny trolldryck eller något pulver som gjorde oss osynliga. Hon kan ju göra sig själv osynlig.«

»Men om vi båda blev osynliga skulle vi troligen tappa bort varandra«, sade Dina. »Och hur skulle det bli med våra kläder? Skulle de bli osynliga också, eller skulle vi bli tvungna att ta av oss dem och gå ner i en iskall fängelsehåla med ingenting alls på oss? Och så måste vi förstås ha med oss lite av medicinen till pappa, så att han kunde bli osynlig också. Men flaskan själv skulle inte vara osynlig, så den skulle bäras av ingenting eller av dig eller mig som såg ut som ingenting, och vad tror du att soldaterna som vaktar slottet skulle göra om de fick se en flaska komma svävande genom luften rakt emot dem?«

»De skulle kanske tro att de drömde«, sade Dorinda, »eller också skulle de låtsas om ingenting av rädsla att de andra skulle skratta åt dem om de ett tu tre sa: ›Jag ser en flaska.‹«

»Det är mycket troligare«, sade Dina, »att de skulle gissa vad som hänt. Alla människor måste ju någon gång ha tänkt på hur skojigt det skulle vara om de, och bara de, kunde göra sig osynliga. Fick nu en hop soldater se en flaska komma svävande så där, skulle de säkert genast säga: ›Där går en osynlig man!‹

Och så skulle de bli avundsjuka på honom och börja slå i luften med sina bössor, precis som drevkarlar när de driver ut fasaner ur skogen.«

»Skulle man känna slagen när man var osynlig?« undrade Dorinda.

»Kanske och kanske inte«, sade Dina. »Om man bara blir genomskinlig som glas tror jag att man skulle känna dem. Men om man förvandlas till någonting likt ett moln, så skulle man det inte. Jag tror, vet du, att vi måste hitta på något annat, något *vanligare* sätt att rädda pappa.«

»Det säger du bara för att du inte vill bli osynlig«, sade Dorinda, som kände sig ganska sårad av Dinas invändningar mot hennes förslag.

»Låt oss gå till herr Gitarr och tala med honom«, sade Dina och gjorde därmed slut på disputen, för hon kunde inte ens för sig själv riktigt förklara varför hon avskydde tanken på att bli osynlig. Dorinda fortsatte att muttra en stund, och då hon helt oväntat hittade en gul konservburk vid dikeskanten, sparkade hon den framför sig hela vägen ända till herr Gitarrs hus.

Just då de stod utanför porten öppnades den och två av herr Gitarrs elever kom ut. Det var en liten fet pojke och en ganska tjock flicka, och båda dröp av svett och var så trötta att de knappast orkade gå. Herr Gitarr hade hållit på och lärt dem en kosackdans.

De hörde honom spela piano där inne. Han spelade klämmigt och medryckande och sjöng därtill en vacker och glad sång på ett främmande språk. Men han slutade så snart de kom in, och välkomnade dem med sirlig artighet, alldeles som om de varit fina damer som kommit till honom på visit. Sedan märkte han hur allvarliga de var. Då blev han genast själv allvarlig och frågade dem vad som stod på. Dina räckte honom brevet.

Herr Gitarr läste det uppmärksamt och sade sedan långsamt: »Jag är född i Miko. Det är en vacker stad i ett vackert land, men nu regerar där en grym man, en tyrann, och hela folket lider som det aldrig lidit förr. Er pappa är i stor fara.«

»Vi tänker rädda honom«, sade Dorinda.

Herr Gitarr log sorgset.

»Det går inte. Det finns många tusen människor i fängelserna runt om i Bombardiet och lika många som drömmer om att rädda dem. Men aldrig går deras drömmar i uppfyllelse. Fängelserna i Bombardiet har starka murar, vakterna är tappra och grymma och landet regeras skoningslöst och med järnhand av sin tyrann, greve Hulahu Blod. Ni kan ingenting göra, mina stackars barn. Ingenting alls!«

»Men vi hjälpte er ut ur fängelset«, sade Dina.

»Och vi hjälpte Guldpuman och Silverfalken ut ur baron Druvas djurpark«, sade Dorinda.

»Det får du inte tala om«, sade Dina och rynkade pannan.

»Varför det?«

»För det är en hemlighet.«

»Det är det inte längre«, sade Dorinda, och så berättade hon för herr Gitarr hela historien om hur de hade blivit förvandlade till känguruer och bott en lång tid i baron Druvas djurpark.

Dina kände sig mycket olycklig där hon satt och hörde på allt detta, för hon tyckte att den saken var helt och hållet deras privataffär – hennes och Dorindas och Pumans och Falkens – och att den på något sätt förstördes för henne av att andra människor fick reda på vad de varit med om. En hemlighet var något så underbart att ha, men så snart man talat om den för någon var den inte underbar längre. Dina tyckte att Dorinda fördärvade allting för dem.

Men gjorde hon verkligen det? Dina märkte snart att herr Gitarr var i hög grad intresserad av berättelsen. Till att börja med föreföll han bara förvånad. Sedan blev han allvarsam och såg på Dorinda med blanka, frågande ögon och en djup rynka i pannan. Och när han hörde om pytonormens död, klappade han i händerna och ropade »Hurra!« och gjorde ett mycket svårt danssteg, som kallas *entrechat-dix*.

Han var tydligen imponerad, och Dina förstod strax att

skulle han kunna förmås att hjälpa dem, måste han få veta vad de dög till. Så Dorinda hade tydligen gjort rätt i att berätta historien om djurparken, och Dina, som erkände för sig själv att hon haft orätt, lyssnade med stigande beundran till sin syster.

När berättelsen var slut steg herr Gitarr upp och gick flera varv fram och tillbaka i rummet utan att säga något. Sedan stannade han och sade:

»När jag var pojke och bodde i Bombardiet, hörde jag ofta historier om människor som kunde förvandla sig till fåglar och fyrfotadjur. Det berättades i byarna om några mycket elaka män som vid fullmåne blev vargar och gick på jakt i skogen. Jag hörde också talas om en gammal gumma som brukade anta skepnaden av en korp för att lyssna på vad folk sade ute på åkrarna där de arbetade. Och en kusin till mig som rymde och gick till sjöss kom sedan hem igen och berättade om de stora fåglar som brukade följa fartyget långt, långt ut till havs, och han sa att de i själva verket var döda sjömäns själar, och de följde fartyget för att se om de unga sjömännen var lika duktiga som de själva hade varit och om de arbetade lika bra och var lika modiga när stormen ven i tackel och tåg.«

»De här historierna«, sade herr Gitarr, »och andra liknande hade jag alldeles glömt. Men nu när ni säger att ni nyligen har varit känguruer, kommer jag ihåg en massa saker. Jag känner mig ringa och ödmjuk, som när jag var ett barn, men också glad och stark, därför att det kanske är sant vad jag då trodde var sant: att inget är omöjligt.«

Och mycket vackert och elegant gjorde herr Gitarr ännu ett *entrechat-dix*.

»Vill ni hjälpa oss då«, frågade Dorinda, »så att vi kan fara till Bombardiet och rädda pappa?«

Herr Gitarr började åter gå fram och tillbaka i rummet med händerna på ryggen och ett djupt veck i pannan.

»Det är mycket svårt och farligt«, sade han. »Ack så svårt, och ack så farligt!«

»Men när vi hjälpte er ut ur fängelset«, sade Dina, »så sa ni att ni stod i stor tacksamhetsskuld till oss.«

Herr Gitarr stannade alldeles stilla mitt i rummet. Sedan lade han sin vänstra hand på hjärtat – eller snarare på den del av sin gula väst som var närmast hjärtat – lyfte den högra mot taket och sade med hög och klingande röst:

»Ja, och nu vill jag betala den skulden! Hör noga på, så ska jag tala om för er hur vi ska ta oss fram till Bombardiet och tränga ända in i Mikos slott, ända in i tyrannen greve Hulahu Blods slott.«

27

GREVE HULAHU BLOD hatade alla riken på jorden utom
sitt eget, och sitt eget föraktade han. Han föraktade det av två
skäl. När han var ung hade hans landsmän aldrig förstått hur
framstående han var. Och sedan han blev Tyrannen av Bom-
bardiet – genom en rad grymma, lömska, listiga och fasansfulla
handlingar – förstod de aldrig hur lätt det skulle vara att göra
sig av med honom, utan de lät honom i stället regera över
dem, precis som han ville. Och vad han helst av allt ville var
att tillfoga människor lidande.

Han hatade England och Frankrike och Tyskland och Ryss-
land och Amerika och Holland och Turkiet och Italien och
Spanien och Österrike och Sverige och Portugal och Schweiz
och Kina. Men det hindrade honom inte från att köpa engelska
bulldoggar och franskt vin och tysk korv och rysk kaviar och
amerikansk glass och holländska tulpaner och turkiska kara-
meller och italienska tavlor och spansk lök och österrikiska
hattar och svenska tändstickor och portugisiska krigsskepp
och schweizisk mjölkchoklad och kinesiska pussel och allt
möjligt annat, det gjorde detsamma varifrån det kom. För han
var mycket rik.

Nu hände det sig att han helt nyligen hade bestämt sig
för att helt möblera om sitt slott, från ovan till nedan, utom
fängelsehålorna förstås, och då han fick höra att hertigen av
Svältensköld, som bodde nära Medelby och var mycket fattig,
hade beslutat att sälja alla möblerna och tavlorna och silver-
tallrikarna och mattorna och så vidare i *sitt* slott, telegraferade
han till hertigen och erbjöd sig att köpa hela härligheten. Herti-
gen av Svältensköld antog genast anbudet, och en vecka därefter
kom ett sändebud från hovet i Bombardiet med en check på

85.471 pund, 6 shilling och 9 pence, vilket var betalningen för möblerna och tavlorna och silvertallrikarna och mattorna och så vidare på hertig Svältenskölds slott, och han började genast vidta förberedelser för att få allt packat och avsänt till Miko.

Sändebudet hette Grodenius och var professor. Han och herr Gitarr hade bott dörr om dörr när de båda var småpojkar, och han sökte genast upp herr Gitarr då han kom till England och visade honom checken, som var skriven med guldbläck. Och sedan berättade han för honom de senaste nyheterna från Bombardiet.

Allt detta berättade herr Gitarr för Dina och Dorinda, och därpå sade han:

»När min vän Grodenius far hem ska han ha med sig hertigen av Svältenskölds stolar och bord och sängar och tavlor och draperier, instuvade i fem väldiga möbelvagnar. Alldeles kolossala vagnar, de största som finns. Så stora att det måste finnas rum – tror ni inte det? – för er och mig att gömma oss bland alla de där möblerna, och på så sätt kan vi komma till Bombardiet helt ledigt och lätt och ta oss in i själva slottet. Och om ni är lika duktiga som ni var när ni hjälpte mig ur fängelset och Puman och Silverfalken ur djurparken, kan ni nog också hitta på något sätt att rädda er pappa ur fängelsehålan. Fråga inte mig hur det ska gå till. Det blir er sak. Sedan ska möbelvagnarna skickas tillbaka till England med stora påklistrade lappar, där det står: *Tom vagn. Återsändes till ägaren.* Men de är inte alla tomma. Är vi duktiga och har lyckan med oss kommer ni och jag och er pappa att åka i en av dem.«

»Det låter så enkelt och lätt«, sade Dorinda. »Det låter som den enklaste sak i världen.«

»Nej, nej, nej!« sade herr Gitarr. »Inbilla er aldrig det. Allt vad jag kan göra för att hjälpa er, det ska jag göra – om min vän Grodenius går med på mitt förslag – men alldeles som kärnan i ett plommon är hård, så kommer den innersta delen av vår uppgift att bli hård och svår och farlig. Vi far till Bombardiet: bra! Vi tar oss in i slottet: utmärkt! Men att få ut er far ur fängelsehålan och oss alla ur Miko kan bli lika svårt som att knäcka en plommonkärna mellan tummen och pekfingret. Ta för all del inte saken för lätt. Tänk igenom den ordentligt och gör upp era planer med största omsorg.«

»Vad slags professor är professor Grodenius?« frågade Dina.

»Han ser ut som en groda«, sade herr Gitarr, »och han är professor i kiromanti.«

»Menas det att han är en spåman?«

»Han läser framtiden i handens linjer«, sade herr Gitarr. »Det är naturligtvis rena skojet enligt min mening, men vår tyrann, greve Hulahu, tror på det, och Grodenius har blivit hans favorit.«

»Men tror professorn själv på vad han spår?«

»Det skulle inte vara riktigt snällt att fråga honom om det«, sade herr Gitarr. »Han gråter så lätt. Ända sen han var en liten pojke och tittade sig i en spegel och såg att han liknade en groda har han gråtit ofta och mycket. Men nu måste ni gå och göra upp era planer och ordna för resan, och jag ska skriva ett brev till Grodenius.«

28

FÖLJANDE dag gick Dina till fru Häxelin. Hon gick ensam. Dorinda hade tiggt och bett att få följa med, men Dina hade efter mycket funderande sagt henne att det var omöjligt. Hon hade förklarat för Dorinda, liksom hon gjort förut, att fru Häxelin kunde vara mycket besvärlig ibland och att hon alltid var mycket besvärligare när det gällde främlingar än personer som hon kände. Detta var alldeles sant, men Dina hade dessutom två andra skäl som hon inte sade något om, för det ville hon inte. Det var att hon kände sig rädd för att Dorinda skulle skratta åt fru Häxelin, som hade för vana att alltid när hon talade öppna högra sidan av munnen och blunda med vänstra ögat och sedan, ibland mitt i en mening, börja tala med andra sidan av munnen och öppna vänstra ögat och blunda med det högra i stället. Hon gjorde så, sade hon, för att hennes ansikte så lätt blev trött, och genom att bara använda halva i taget kunde hon låta andra halvan vila. Men folk som inte kände till hennes grimaser blev ofta illa berörda av dem.

Dinas andra skäl var ett skäl som hon med rätta skämdes för. Hon var stolt över att hon kände fru Häxelin och ville ha henne alldeles för sig själv, som om fru Häxelin varit en hemlighet. Hon förstod ju hur självviskt detta var och hur orätt det var, men det var en så behaglig form av självviskhet och hon kunde inte besluta sig för att offra den. Inte ännu. Men hon gav sitt ord på att om de lyckades rädda sin pappa, skulle Dorinda få följa med henne och hälsa på fru Häxelin när de kom hem.

»Och det«, sade hon högtidligt, »är ett *löfte*. Och jag lovar också att jag ska fråga henne om hon känner till någon medicin som kan göra folk osynliga. Men jag tror ju inte ett ögonblick att hon gör det.«

Dorinda måste alltså trösta sig så gott hon kunde med dessa båda löften och vänta så tåligt som möjligt på Dinas återkomst. Hon använde den mesta tiden på att göra upp en förteckning över de saker de måste ha med sig om de for till Miko i en möbelvagn.

Och så kom Dina tillbaka, och hennes första ord var:

»Fru Häxelin blev inte det minsta glad att få se mig, och när jag frågade henne om det fanns något sätt att bli osynlig sa hon: ›Jag vet bara ett sätt, om man inte som jag är född med den förmågan, och det är att helt och hållet krypa ur sitt skinn och sätta på det igen med insidan ut, och jag kan ge er adress på en skräddare som gör det åt er om ni vill. Men den jag sist hörde talas om som gick till honom blev så sjuk att han måste ligga till sängs efteråt, och det hade han inte mycket nytta av heller, för inte en själ kunde se honom, och där fick han ligga utan någon vård alls; så mitt första råd är att du inte ger dig in på något sådant, och mitt andra råd är att du går hem nu genast och lämnar mig i fred för jag har ätit en skinka till middag som Puman gav mig till födelsedagspresent – jag fyller nittiåtta i dag – och efter allt det där fläsket behöver jag sova nu och har inte lust att stå här och höra på dina dumheter.‹«

»Gick du då?« frågade Dorinda.

»Nej«, sade Dina. »Jag lät henne sova en timme, och sen väckte jag henne på ett fint sätt. Jag kittlade mig i näsan med ett grässtrå och nös tre gånger, högt och ljudligt. Och sen talade jag om för henne allt vad som har hänt pappa och sa henne att vi tänkte försöka rädda honom, men jag vet ju inte om hon hörde på vad jag sa, för det såg ut som om hon halvsov hela tiden. När jag hade slutat min berättelse sa hon ingenting på en lång stund, och sen slog hon upp sitt ena öga och frågade: ›Vad vill du jag ska göra?‹

›Jag vill att ni ska hjälpa oss‹, sa jag. ›Jag vill så gärna att ni ska säga oss hur vi ska få ut pappa ur fängelsehålan.‹

Då blev hon hemskt arg och sa: ›Ni får lära er att hjälpa er själva, det är den bästa hjälpen: i stället för att komma hit och

besvära en gammal gumma, som har så mycket besvär ändå
med allt elände som folk ställer till i världen nu för tiden.‹

Hon var inte alls som när jag såg henne sist. Hon håller väl
på att bli gammal«, sade Dina.

»Gav hon dig ingenting då?« frågade Dorinda.

»Jo, till slut såg det ut som om hon tyckte det var synd om
oss, eller synd om pappa, för rätt vad det var steg hon upp och
sa: ›Jag ska ge dig två saker, och den ena av dem är ett gott råd
och den andra är en liten påse med någonting som luktar. Här
har du nu rådet till att börja med:

> En riktig vän
> är bättre än
> allt annat i hela naturen.
> Vågor som strömma
> lära dig drömma –
> men glöm ej att se över muren!
> Plöj och så ditt eget vett.
> Vad som spirar Gud dig gett.
> Skörda det undan skuren!
> Läs så i livets bok,
> lär dig att bliva klok –
> men glöm ej att se över muren.
>
> Böj knä ibland
> och rensa ditt land,
> sköt ödmjukt din torva och djuren!
> Sen res dig och se
> hur bergen sig te
> som höja sig långt bortom muren!
>
> Var ren och god,
> så får du mod
> att dig lyfta mot himlen som furen.
> I koja och slott

sök sanningen blott,
som dväljes långt bort,
ja, oändligt långt bort,
många hundratals mil bortom muren!‹«

»Förstår du vad hon menar med det?« frågade Dorinda.

»Inte riktigt«, sade Dina. »Förresten tycker jag att goda råd aldrig är till så stor nytta som folk inbillar sig när de ger dem. De säger en aldrig vad man ska göra, utan tvingar en bara att fundera och tänka själv. Och det blir hemskt tröttsamt.«

»Jag tycker inte heller om goda råd«, sade Dorinda. »Var är påsen då, som hon gav dig? Och vad ska den vara till?«

»Jag lämnade den nere på trädgårdssoffan, för den luktar så starkt. Jag förstår inte riktigt heller hur den ska kunna hjälpa oss. Men fru Häxelin sa att vi ska använda den till att dra en trollkrets runt huset efter tedags i kväll. Det måste vara en vid krets, minst hundra steg tvärs över, och vi får inte lämna några luckor i den.«

»Vad ska det tjäna till?« frågade Dorinda.

»Jag vet inte riktigt«, sade Dina. »Men ser du, när jag hade berättat för fru Häxelin att vi tänkte ge oss i väg till Miko, om hon hjälpte oss eller inte, så sa hon: ›Ni behöver en vän, en stark vän och en modig vän, och här har jag något som kan skydda er vän, och det är det enda jag kan göra för er, och kom nu inte hit och besvära mig mer.‹ Och så gick hon bort till sitt skåp, och där satt hennes skata, men skatan hade också ätit skinka och var förfärligt sömnig hon med. Hon öppnade näbben och gäspade. Sedan tog fru Häxelin fram påsen med den starka lukten och gav mig den.«

»Sa hon ingenting annat?«

»Joo, just som jag skulle gå, ropade hon mig tillbaka och viskade: ›Puman har varit ute på krigsstigen igen. Hon har dödat ännu en gris och ett lamm, och i natt tog hon en kalv. De ska nu jaga henne med drevkarlar och med hundar, och du och din syster är de enda vänner hon har, och hon kan bli er bästa hjälp om hon bara får tillfälle. Lägg det på minnet. Och ge dig nu av hem, och kom inte och besvära mig igen, för jag är gammal och behöver ha lite lugn.‹«

»Det är mycket orätt av Puman att döda djur så där«, sade Dorinda. »Fast hon inte förstår skillnaden mellan vad som är hennes och vad som är andras, så är det orätt i alla fall. Men inte kan de få tag i henne, eller vad tror du?«

»Jag hoppas de inte kan det«, sade Dina. »Det finns ingen som kan springa så fort som hon, inte ens en häst.«

»De har två koppel rävhundar inte långt härifrån«, sade Dina, »och så är det kapten Bilbos stövare och herr Hagges blodhundar och hundratals terrier och rapphönshundar och bulldoggar. Om de jagar henne med alla de där så blir det svårt för henne att komma undan. Stackars Puma! Det var väldigt hyggligt av henne att ge fru Häxelin en skinka. Och det är på sätt och vis vårt fel att hon är i så stor fara, för det var vi som släppte ut henne ur djurparken. Jag är förfärligt orolig för henne.«

»Falken varnar henne nog«, sade Dorinda. »Du ska se att hon klarar sig.«

Sedan gick de in och drack te, och efter teet hämtade de den lilla påsen som luktade och gned den mot marken, så att det blev en cirkel runt huset, minst hundra steg tvärs över. Detta tog dem lång tid, och det var senare än vanligt när de gick och lade sig.

De hade nästan somnat då de hörde Falkens vingar i det öppna fönstret och hans röst som ropade på dem. Dorinda hoppade genast ur sängen och drog upp rullgardinen så att han kunde ta sig in. Ett silverskimmer följde honom in i rummet och kom hans fjädrar att lysa, för månen gick just upp.

»Guldpuman är i fara«, sade han. »Hon har dödat för många djur, fast det finns ju en sådan mängd ute på fälten, att väl ingen kunde tänka att deras ägare skulle sakna ett par lamm eller en gris eller en kalv. Människorna här i trakten måste vara förfärligt snåla och förfärligt styva på att räkna också, för nu har de blivit rasande, och de har beslutat att jaga och döda det främmande djuret som anfaller deras hjordar. I går var de hos de där herrarna som håller rävhundarna, ett koppel på den här sidan om Lyckoskogen och ett koppel på den andra. Och sen gick de till en man som har ett släpp blodhundar, stora, ilskna bestar, och till en annan som jagar med ett tjog småhundar som de kallar stövare. Många andra har också slutit sig till dem med spårhundar och vinthundar och terrier och apportörer. Männen har gevär, somliga är till häst och andra till fots. I kväll har de samlats och omringat hela skogen. Först såg vi dem komma från öster, men det oroade oss inte, varken Puman eller mig, för vi visste ju att hon kunde springa undan dem. Men sedan svingade jag mig upp, högt över skogen, och västerut såg jag andra och norrut och söderut ännu fler. De närmade sig från alla håll för att slå en ring kring Lyckoskogen. Och därför flög jag ner och talade om för henne vad jag hade sett, och hon bad mig skynda hit och fråga er om hon kunde få skydd här.«

»Naturligtvis får hon det«, sade Dina och Dorinda med en mun.

»Hör!« sade Falken. »Man hör dem redan.«

I den månljusa natten nådde dem hundarnas skall klart och tydligt, fastän ännu avlägset. Och denna avlägsna kör lät vild och upphetsad. Den kom Dinas hjärta att bulta allt häftigare, och Dorinda kände sig knottrig över hela kroppen, som om en kall vind omsvept henne.

»Skynda er!« ropade Falken. »Gå ner och öppna dörren, men mycket tyst, så att ingen hör det.«

De sprang nerför trappan, vred om nyckeln i ytterdörren och öppnade den försiktigt så att den inte skulle knarra. Lite ängsligt spejade de ut i den tomma trädgården. Redan hördes hundarnas skall högre. De närmade sig.

I nästa ögonblick gled en smidig skepnad över gräsmattan, och Puman stod lite flämtande i dörren.

»Vill ni ge mig skydd?« frågade hon.

»Ja, ja«, viskade de.

»Vart ska jag gå?«

»Kom upp i vårt rum«, sade Dorinda och gick före och visade vägen, medan Dina stängde och låste dörren lika försiktigt som hon öppnat den. Sedan följde hon efter Dorinda, och när hon kommit in i barnkammaren låste hon även den dörren och lade nyckeln under sin kudde.

»Hade du svårt att komma undan dem?« frågade Dorinda.

Puman låg på brasmattan och flämtade ännu.

»De var för många«, sade hon, »och de kom från alla håll.«

»Här är du i alla fall i säkerhet«, sade Dina, men just som hon sagt det hördes ett nytt och ännu vildare skall, så ursinnigt att de kände det som om händer gripit om deras strupar och klämt till.

Detta nya oväsen kom från baksidan av huset, där plötsligt ett nytt koppel hundar givit hals. Deras skall tycktes uppfylla natten. Det var gälla röster och djupa röster, hundar som gjorde ståndskall och hundar som gläfste, en tjutande kör.

»Ett litet stycke från er dörr«, sade Puman, »steg det upp en lukt framför mig som en mur. Den hejdade mig, jag visste inte vad det var, men sedan tog jag ett språng över den.«

»Det är vi som har gjort den«, sade Dorinda.

»Fru Häxelin gav oss en påse«, förklarade Dina, »och sa att vi skulle dra en ring kring huset genom att gnida den mot marken. Men vi förstod ju inte vad det skulle tjäna till.«

»Såg ni till att den blev riktigt sammanhängande?« frågade Puman. »Lämnade ni inga luckor någonstans?«

»Vi var mycket noga«, sade Dina.

»Se, så vi rev sönder oss när vi kröp genom häckarna«, sade Dorinda.

»Det håller dem nog ute«, sade Falken.

»Vi får hoppas det«, sade Puman, steg upp från brasmattan och började långsamt gå av och an i rummet. Håret på hennes hals hade rest sig och hennes ögon glimmade.

Nu hade de skällande hundarna omringat huset, och deras fruktansvärda skall hördes från alla håll. Några röster var gälla och andra djupa, några var klara som klockor, och andra nästan lika dova som mistlurar. Somliga gläfste och andra ylade och en tjöt som en varg som blivit fångad i en fälla. Och det var inte utan skäl, för på sätt och vis var de alla fångade i en fälla.

Så snart de kom till lukten, som Dina och Dorinda hade lagt ut, måste de följa den. Den var så stark att den höll fast deras hundnosar, som om de varit kedjade vid den. Den fyllde deras enkla hundsjälar och drog dem runt huset i full galopp, runt och runt igen.

Det var två koppel rävhundar, både baron Harald Harnesks från norra delen av grevskapet och herr Tigerklos från den södra, och så var det kapten Bilbos stövare och en trettio eller fyrtio rapphönshundar och vinthundar och spårhundar och terrier av alla slag och fru Ros utterhundar från Krassegården ett par mil från Medelby, som alltid var så ilskna, och hennes två pudlar, och så en foxterrier som var ute på egen hand och hade ont i sinnet, och fru Nådendals lejonhjärtade lilla pekingeser, vilken hela tiden sprang i vägen för de stora hundarna, som snavade över den och ramlade omkull.

Runt, runt sprang de, skällande och gläfsande i månskenet, och de herrar som hade haft dem med sig – baron Harald Harnesk och herr Tigerklo och deras båda skogvaktare och en åtta, nio arrendatorer och kapten Bilbo och fru Ros man – somliga till häst och somliga till fots, jagade runt, runt de också, tills de förstod att det var något galet, och då försökte de kalla tillbaka sina hundar och hojtade och skrek och ställde till nästan lika mycket oväsen som hundarna själva, men till ingen nytta. För lukten var så stark att ingenting kunde förmå ens de små hundarna att lämna den, och de stora var nästan vilda i sin förtjusning och spänning och sin löjliga tro att de hela tiden kom närmare och närmare något som de kunde döda.

Just då dök herr Hagge upp med sina blodhundar. De kom sent till platsen, för de jagade mycket långsammare och planmässigare än rävhundarna. En rävhund som förlorat spåret rusar vidare för att söka det, men den kloka och skarpsinniga blodhunden går tillbaka. De andra kopplen och rapphöns-hundarna och terrierna och vinthundarna hade nu galopperat runt huset elva gånger i full fart, och några av dem var lite trötta. De jagade alla åt samma håll och rörde sig i en cirkel som visarna på en klocka, fast mycket fortare.

Men när blodhundarna nu kom till platsen och kände lukten, gav de skall så att det lät som åska, och med flaxande öron och nosarna tätt efter marken började de genast rusa runt i motsatt riktning, motsols. Det första som hände var att en blodhund, Hannibal, mötte en rävhund som hette Kiv och slog omkull honom. Sedan stötte två andra blodhundar, Ripp och Rapp som var bröder, samman med två utterhundar, som hette Piff och Paff. Utterhundarna, som var alldeles ovana vid att springa så långt, och så fort, var varma och uttröttade och ilsknare än någonsin. Därför bet Piff Ripp och Paff bet Rapp, den första i örat och den andra i benet, och foxterriern, som var ute på egen hand och hade ont i sinnet, förstod att det började arta sig till slagsmål och tyckte att han ville vara med, och därför bet han i sin tur utterhunden Paff i vänstra kinden. Paff, som inte bara var varm och trött utan också alldeles vimsig, tjöt som en gast och kastade sig över en mycket vacker rävhund som hette Deja och som bara stannat ett ögonblick för att se vad som stod på.

Nu var Deja en av herr Tigerklos älsklingshundar, och när herr Tigerklo såg att hon blev anfallen blev han så upprörd att han föll av hästen. Hästen galopperade sin väg, och i förbifarten knuffade den ner baron Harnesk från hans häst, som också satte av i galopp med baron Harnesks skogvaktare hack i häl efter sig. Under tiden hade herr Tigerklo, där han låg och kravlade för att komma upp, blivit biten i näsan av foxterriern, och knappt var han på fötter förrän en av baron Harnesks rävhundar, som snavat över en fet spaniel och till följd därav var på dåligt humör, knuffade omkull honom igen. I samma ögonblick kastade sig en åtta, nio hundar av olika raser och arter över honom, och foxterriern, som var en pigg och företagsam hund, bet fyra eller fem av dem så flinkt och raskt att ingen visste vem som hade gjort det, varför alla började slåss huller om buller.

På det ställe där cirkeln av lukt gick tvärs över vägen, till vänster om major Rytters hus, hade hundarna gjort hål genom häckarna, och här hade nu blivit en trafikstockning av mycket bullersamt och allvarligt slag. Blodhundarna var huvudsakligen skulden till detta, för de envisades att jaga i motsatt riktning mot alla de andra, men det var också de snabba rävhundarnas fel, för när de nu blev trötta hände det oftare och oftare att de snavade och föll över de mindre och långsammare stövarna, och det ökade villervallan. Öppningarna i häcken var fulla av jakthundar som försökte ta sig igenom, och en trettio, fyrtio av alla sorter slogs med varandra på vägen, medan herr Tigerklos skogvaktare och åtta, tio arrendatorer stod runt omkring och skrek åt dem. Fru Ros man hade blivit biten av fru Nådendals lejonhjärtade lilla pekingeser och satt och grät i ett dike.

Från sitt fönster hade Dina och Dorinda i det klara månskenet kunnat följa den vilda jakten. Falken satt på fönsterbrädet, och Puman stod på bakbenen mellan de båda flickorna. Under mer än en kvart hade de stått där och betraktat det underliga skådespelet, men nu var det endast några få hundar kvar som rusade runt och några andra som sprang planlöst fram och tillbaka medan de allra flesta endera höll på att slåss borta på vägen eller hade kastat sig in i den strid som börjat över herr Tigerklo då han föll från hästen. Herr Tigerklo själv hade begivit sig på hemväg, förföljd av två utterhundar, Divan och Duvan, vilka absolut ville slita av honom hans ridbyxor. Fru Ros pudlar, som var kloka nog att hålla sig på avstånd från striden, men inte kloka nog att förstå att det bar av runt och runt i cirkel, fortsatte att springa samma väg, och det gjorde också tre envisa gamla hundar som hette Skojaren, Skälmen och Odågan, medan en stor blodhund, vars namn var Horatius och som såg ut som en bild av sorgen, lika orubbligt lufsade och lafsade i motsatt riktning. Här och där låg hundar med utsträckt tunga och flämtande sidor alldeles utmattade av ansträngning, och skallet från dem som ännu sprang eller ännu slogs lät hest och sprucket.

»En sån tur att mamma for till London igen!« sade Dina. »Hon skulle ha blivit förfärligt skrämd av allt det här bråket.«

»Jag undrar om fröken Tjatlund är rädd också?« sade Dorinda. »Hon har nog krupit ner och gömt huvudet under täcket.«

Men fastän fröken Tjatlund verkligen blivit mer förskräckt än hon någonsin varit förr i sitt liv, hade hon inte alldeles blivit skrämd från sina sinnens bruk. Hon hade ringt till poliskonstapel Svärd och underrättat honom om att alla grevskapets hundar blivit galna och nu rusade runt deras hus, medan flera mastrar och en mängd andra herrar också hade förlorat förståndet och ställt till med ett vilt slagsmål. Ville inte konstapeln vara snäll och komma så fort som möjligt och göra slut på spektaklet?

Poliskonstapel Svärd hade en stark pliktkänsla och var en klok karl. Han gick till brandstationen, väckte brandkaptenen och befallde honom att ta ut brandsprutan.

Dina och Dorinda hörde den komma under väldigt ringande i den stora klockan, men endast Falken såg vad som sedan hände. Han flög från fönsterposten upp på högsta grenen i ett träd som stod alldeles vid vägen, och därifrån iakttog han konstapel Svärd, som ledde det hela.

Det fanns en vattenpost inte långt från huset, och till den kopplades nu hastigt en slang. Sedan gick konstapeln med den glänsande mässingspipen i handen modigt mot de fyrtio jakthundarna, som ännu slogs på vägen.

»För att undvika ytterligare blodsutgjutelse ber jag er vara god och vrida på vattnet!« ropade han till brandkaptenen.

En kraftig stråle sprutade fram ur pipen. Mässingsmunstycket lyste som blekt guld i månskenet, och vattenströmmen, tjock som handleden på en karl, glittrade och väste och kastade omkull hundarna. Rävhundar och utterhundar, terrier och spaniels och de sorgsna och flaxörade blodhundarna, vacklade och föll och drevs illa medfarna ut ur striden. Allt var över på en halv minut, och en halv minut senare fanns inte en hund inom synhåll. De sprang hem med svansen mellan benen, och deras förskrämda gläfs blev allt svagare och svagare.

Då siktade poliskonstapel Svärd med slangen på skogvaktarna och arrendatorerna och kastade omkull dem också, och han ropade med hög röst:

»Vad är det för gräsligt bråk som ni har ställt till? Om ni inte håller er lugna, ska jag ge er en rotblöta!«

Och det gav han dem också och det en ordentlig en, för vid det här laget var vägen som en strand när tidvattnet strömmar in, och somliga försökte simma, och så snart de sedan ville resa sig kom vattenstrålen och kastade omkull dem igen, som om den varit en murbräcka.

När den sista av dem drivits bort gick konstapeln över till andra sidan med slangpipen släpande efter sig. Här gjorde han slut på den strid som ännu fortsatte på det hållet, och körde bort de eftersläntrande hundarna och de haltande hundarna och väckte de hundar som hade somnat och skickade hem dem allesammans. Därefter ropade han till brandkaptenen:

»Segern är vunnen, ni är en präktig pojke, och det är jag också, så nu kan vi stänga kranen!«

Och så rullade de upp slangen och körde tillbaka till Medelby i månskenet, mycket nöjda med sig själva, och den stora klockan på brandvagnen ringde hela vägen hem.

29

GULDPUMAN sov den natten på brasmattan och Dina vaknade tidigt och släppte ut henne. Hon förmanade henne att inte gå långt bort.

Puman sade allvarligt:

»Vore det inte bättre att jag gick min väg ifrån er? Så långt ifrån er att ni aldrig såg mig mer? Jag ställer bara till tråkigheter här, och ju längre jag stannar, dess värre blir det. Kanske får ni obehag för min skull. Kanske gör jag er också ledsna.«

»Jag skulle bli förfärligt ledsen om du råkade i svårigheter.«

»Ska vi ta farväl av varandra då? Ska jag gå och söka upp en bättre, mer gästvänlig del av England, där jag kan få äta mig mätt i frid utan att onda jägare sätter efter mig varje gång jag dödat ett får?«

»Jag tror inte du så lätt skulle finna en sån plats«, sade Dina. »Åtminstone inte i England. Men nu är det något annat vi måste tänka på. När fru Häxelin gav mig påsen med den där lukten i, måste hon väl ha vetat att du var i fara och skulle behöva hjälp?«

»Hon är fjärrsynt«, sade Puman.

»Men jag hade gått till fru Häxelin för att be henne hjälpa oss. Be henne hjälpa Dorinda och herr Gitarr och mig att rädda pappa. Du vet ju att han är i en fängelsehåla.«

»Du har talat om det för mig«, sade Puman. »Och det är inte troligt att jag glömmer det, för jag har själv en gång suttit fången.«

»Då förstår du hur han har det«, sade Dina. »Men nu är frågan: Ville fru Häxelin hjälpa oss att rädda pappa genom att först av allt hjälpa oss att hjälpa dig, så att du i din tur kunde hjälpa oss, om du förstår hur jag menar?«

»Jag förstår«, sade Puman. »Men hur ska jag kunna hjälpa er?«

»Du är mycket stark, och du kan strida. Och om vi lyckas ta oss in i slottet, behöver vi kanske någon som kan strida.«

»Jag följer med er«, sade Puman.

»Jag förstår nog att jag begär mycket av dig«, sade Dina, »för det kan bli förfärligt farligt.«

»Ni gav mig friheten«, sade Puman, »och därför är jag er trogna vän och tjänare. Ni räddade mitt liv från hundarna, och därför är mitt liv ert. Jag är i fara här, och om jag följer er så byter jag bara ut en sorts fara mot en annan. Det är inte påkostande. – Titta där uppe, vid kanten av molnet – nej, högre, se högre! Där till vänster, där molnet genomlyses av solen – ser jag Falken. Jag ska tala om för honom mitt beslut och föreslå honom att också följa med oss. Då kommer vi att få riktigt trevligt.«

Dina föll på knä och slog armarna om Pumans hals.

»Kära Puma«, sade hon, »hur ska jag kunna tacka dig, så att du förstår att det är uppriktigt och sant? Jag kan inte finna ord för att säga dig vad jag känner.«

»Säg ingenting«, sade Puman, »utom detta enda: Vi är vänner. Det är tillräckligt.«

Sedan sprang hon mjukt och tyst längs en häck och fram till ett fält, där hon lade sig att vänta på Falken, och Dina gick tillbaka till Dorinda för att berätta för henne den goda nyheten att de fått en trofast bundsförvant på sin färd.

Tre dagar senare skickade herr Gitarr dem ett brevkort, på vilket han skrivit: »Kom i eftermiddag. *Ett avgörande har träffats, vars innebörd jag önskar meddela er.*«

Budskapets ordknapphet och värdiga språk gjorde ett starkt intryck på barnen, och när de sedan träffade sin lärare och såg hur han uppträdde, blev de först en smula häpna och sedan fyllda med bävan och vördnad.

För herr Gitarr gick med högtidliga steg fram och tillbaka på golvet i det rum där han gav sina danslektioner. På huvudet hade han en grön hatt med en fjäder i och i handen en promenadkäpp.

»Sitt ner och se på mig«, sade han och fortsatte att gå fram och tillbaka på golvet med avmätta och taktfasta steg. Då och då låtsades han känna igen en vän och lyfte sin gröna hatt med en elegant sväng, men sedan vände han sig hastigt om och skrek: »Ha, usling! För sent! För sent! Din sista timme har slagit!« Och med en vridning av handtaget på sin promenadkäpp drog han fram en tunn, blank värja och gjorde ett fruktansvärt utfall mot sin inbillade fiende.

Det fanns en tavla på väggen föreställande en guldfiskkupa och en bukett gula krysantemer i en skimrande vas. Spetsen av herr Gitarrs värja trängde nu igenom tavlan mitt i guldfisk-kupan, och ett ögonblick trodde Dina att vattnet skulle börja sippra ut, ja, hon blev riktigt missräknad när ingenting hände.

Men Dorinda frågade artigt:

»Vem var uslingen, herr Gitarr?«

»Vilken som helst av alla de fiender vi kommer att möta i Miko«, svarade han. »Jag bereder mig nu inte endast att möta faran, utan också att övervinna den. Jag har köpt den här värjkäppen och varje dag övar jag mig i fäktning. Se på mig!«

Herr Gitarr intog en fäktares ställning. Han lyfte sin vänstra arm i en uppåtstigande båge med fingrarna behagfullt nedhäng-ande. Hans fötter stod stadigt långt från varandra, hans knän var lätt böjda, den arm som bar svärdet pekade mot strupen på en osynlig fiende, och hans ansiktsuttryck var fruktansvärt och vilt. Han gjorde utfall och återgick till försvarsställning och gjorde utfall igen. Sedan verkade det som om hans fiende börjat vika, och herr Gitarr förföljde honom med snabba, glidande steg, stötte ner honom, svängde därpå genast runt och gick till anfall mot nästa. När han dödat ett halvt dussin motståndare, kastade han värjan ifrån sig och sade: »Nu är jag avväpnad – eller det tror de. Men jag har vidtagit mina mått och steg. Titta på den här.«

Ur sin västficka drog han upp en reservoarpenna.

»Ska ni skriva er sista hälsning med den?« frågade Dorinda.

Herr Gitarr log överlägset och började skruva av toppen. I stället för en vanlig bläckpenna visade han dem en vass stålspets.

»Det är inte någon penna«, sade han, »det är en dolk! Nej, nej, var försiktiga, ni får inte röra den. För liksom en reservoarpenna är full med bläck, så är den här full med gift!«

»En sån utmärkt idé!« sade Dorinda.

»Tror ni att det blir mycket strid?« frågade Dina.

»Det är nog bäst att vara beredd på det värsta«, sade herr Gitarr allvarligt.

»Då blir ni nog glad att höra att Puman kommer med oss. Guldpuman, ni vet, som vi hjälpte att rymma från baron Druvas djurpark.«

»Jag har aldrig rest tillsammans med en Puma förut«, sade herr Gitarr. »Det kommer säkert att bli en mycket intressant upplevelse.«

»När ska vi fara?« frågade Dorinda.

»Mycket snart«, sade herr Gitarr.

»Har ni lyckats övertala professor Grodenius att låta oss åka i möbelvagnen?« frågade Dina.

»Grodenius är min mycket goda vän«, sade herr Gitarr. »Jag var från början övertygad om att jag skulle kunna övertala honom att härbärgera oss bland möblerna. Det visade sig att han behövde mycket lite övertalning. Jag sade honom vilka ni var, jag sade honom er fars namn, och då utropade han genast: ›Jag vill göra allt jag kan för att hjälpa den tappre och storsinte major Rytter! Jag hade med mig hit till England ett brev från honom till hans hustru. Han är min avhållne vän.‹ Och sedan berättade han den här historien för mig.

En dag satt han i Miko och studerade linjerna i en herres hand och förutsade hans framtida öden. ›Nästa vecka‹, sade han, ›ska ni bege er ut på en lång sjöresa.‹ Då uppgav herrn ett rop av vrede och började slå professor Grodenius med en käpp. Stackars Grodenius sprang ut ur sitt hus, och herrn följde efter honom. Denne herre brukade alltid bli förfärligt sjösjuk så fort han kom på sjön, och han var så ond på Grodenius för att han hade spått honom något så ledsamt, att han förmodligen hade dödat min stackars vän om han lyckats få tag i honom. Men det hände sig nu att er far kom gående på trottoaren, och Grodenius bad honom om hjälp. Då gav er far den ilskne herrn ett kraftigt knytnävsslag på käken så att han miste flera tänder. Och herrn sa till Grodenius med ett lyckligt leende: ›Nu ser ni själv att ni är en lögnare! Jag kan minsann inte fara på någon sjöresa nästa vecka, för jag blir tvungen att gå till tandläkaren.‹ Så Grodenius säger att er far räddade hans liv, och det ska bli honom en glädje att få göra allt vad han kan för er. Han ska se till att möblerna i en av de stora vagnarna blir stuvade så att det finns god plats för oss i den. Och dagen för avfärden är bestämd till nästa onsdag.«

30

DINA och Dorinda satt vid varandras sida vid barnkammar-
bordet och gjorde upp en lista på vad de skulle ta med sig på
resan till Miko. Dina hade redan skrivit:

    1 primuskök
    1 stekpanna
    1 liten kastrull
    1 större kastrull
    1 tekanna
    3 små tallrikar
    3 stora tallrikar
    3 koppar
    1 matskål till Puman

»Hur ska vi kunna diska tallrikarna?« frågade Dorinda. »Vi
kan förstås inte ha mycket vatten med oss i en möbelvagn.«

»Man behöver inte så mycket vatten om man har gott om
disktrasor att torka av med«, sade Dina. Och så skrev hon:

    1 lakan från gästrummet att göra disktrasor av.
    Alla sängvärmare, sockerdricksflaskor och
    andra buteljer vi kan hitta, fulla med vatten.
    Salt och peppar.
    12 ägg.

»Behöver vi så många?« frågade Dorinda.

»Herr Gitarr sa att resan kommer att ta minst tre dagar, så
det blir tre frukostar. Ett var åt oss båda och två åt herr Gitarr

multiplicerat med tre blir tolv. Vad tycker du att vi ska ta med oss åt Puman?«

»En fårstek till första dagen, en grisstek till den andra och en oxstek till den tredje«, föreslog Dorinda.

»Det blir förfärligt dyrt.«

»Då får vi väl be henne att döda ett nytt får och ta det med sig själv.«

»Det vore nog inte riktigt rätt«, sade Dina, »och jag tror inte heller vi skulle tycka om att resa tillsammans med ett dött får. Det är bäst att vi är ärliga och hyggliga, fastän det kostar hemskt med pengar. Hur mycket bröd behöver vi?«

»Jag tycker om kex«, sade Dorinda.

»Vi måste ha bröd också«, sade Dina och skrev:

1 stor limpa
2 stora bleckaskar med blandade kex
½ kg smör
1 ½ kg korv

»Och så kakao och marmelad och kondenserad mjölk«, sade Dorinda.

»Och tandkräm och tvål och pannkaka och lite äpplen«, sade Dina.

»Choklad«, sade Dorinda.

»Och böcker och en kortlek och en konservöppnare«, sade Dina.

»Vad ska vi ha en konservöppnare till?«

»Att öppna konservburkar förstås.«

»Men vi har ju inga.«

»Jag skulle just anteckna dem«, sade Dina och skrev:

3 burkar ananas i bitar
3 burkar päron
3 burkar persikor

»Och sardiner«, sade Dorinda, »och jag tänker ha på mig mina covercoatbyxor, och det är nog bäst att vi tar våra vinterkappor, för det kan bli kallt nere i fängelsehålan.«

»Vi tänker inte stanna i fängelsehålan«, sade Dina.

»Neej, men vi blir kanske tvungna«, sade Dorinda.

»Då borde vi kanske ta några fler böcker med oss«, sade Dina, »och ett par kuddar att sitta på.«

»Jag hoppas professor Grodenius låter oss få god plats i möbelvagnen.«

»Det är en förfärlig massa saker vi tänker ta med oss, och ändå är jag säker på att vi glömmer de viktigaste. Låt oss gå igenom listan en gång till.«

»Socker«, sade Dorinda, »och skedar.«

»Handdukar«, sade Dina.

»Kan inte lakanet räcka till handdukar också?«

»Jo, det kan hända. Men vi får lov att ha en karta.«

»Och en fil«, sade Dorinda.

»Vad ska vi ha en fil till?«

»Det kanske finns ett fönster i fängelsehålan med järnstänger för.«

»Det var en mycket god idé«, sade Dina. »Och så måste vi ha en ficklampa, och en tändsticksask, ifall ficklampan skulle komma i olag.«

»Och lite ost.«

»Jag tycker inte så mycket om ost.«

»Inte jag heller, men det finns säkert råttor i fängelset, och då kan vi tämja dem med osten och göra oss vänner med dem, ifall vi kommer in men inte kan ta oss ut igen.«

»Vi ska inte skaffa oss vänner i fängelset«, sade Dina. »Vi ska bara fundera ut planer på att komma ut ur det.«

»Vi kan väl inte sitta hela tiden och fundera ut planer, för då vet vi till slut inte vad vi ska bestämma oss för.«

»Ja«, sade Dina, »vill du nödvändigt tämja råttor, så får du väl det då. Men när vi reser till Miko bara för att rädda pappa ur hans fängelse, så tycker jag inte vi ska sitta här och fundera ut hur vi ska roa oss.«

»Varför tar du då med så många böcker?«

»För att man kan lära sig en massa saker av dem.«

»Man kan lära sig mycket av djur också, och råttor är väl djur i alla fall?«

»Mycket små djur.«

»Det största djuret i hela djurparken«, sade Dorinda, »var herr Högman. Och han var faktiskt den dummaste. Så inte ska man förakta det som är litet.«

»Nej, det har du rätt i«, sade Dina.

»Ja, jag tänker i alla fall tämja några råttor om jag får lust«, sade Dorinda. Och hon tog blyertspennan från Dina och skrev:

1 hekto ost

Sedan satt de tysta en lång stund, för ingen av dem kunde hitta på något mer, och till slut sade Dina:

»Det här får vara nog nu så länge. Vi ska ta och visa herr Gitarr listan.«

Herr Gitarr såg bekymrad ut. Han hade också försökt sätta upp en lista på sådant som var nödvändigt att ta med, men det enda han hade hittat på var:

En värjkäpp och en reservoarpennedolk
Ett par tofflor
Olivolja

»Vad ska olivoljan vara till?« frågade Dina.

»Den är utmärkt att steka i«, sade herr Gitarr.

»Men vad ska vi steka i den?« frågade Dorinda.

»Det vet jag inte«, sade herr Gitarr. »Jag är inte så hemma i sådant som hör till hushåll, och jag kan inte alls föreställa mig vad man får lust att äta i en möbelvagn.«

»Vi har en lista på en del saker här«, sade Dina och visade honom vad hon hade skrivit upp.

»Det är ju förträffligt«, sade herr Gitarr. »Ni har tänkt på allting. Ni är verkligen duktiga! Jag har funderat hela dagen, men inte kunnat hitta på mer än vad ni ser här – tofflor och olivolja är mycket nyttiga saker, men vi behöver något mer på en tre dagars resa – och här kommer ni nu med den fullständiga listan på allt nödvändigt. Kloka och förtjusande Dina! Underbara och förståndiga Dorinda! Jag beundrar er, jag är er tjänare, jag hälsar er!«

Och herr Gitarr lyfte först Dinas hand och sedan Dorindas till sina läppar och kysste dem i tur och ordning med utsökt artighet.

»Det blir nog inte så lätt«, sade Dina, »att samla ihop allt vad vi ska ha med oss och få det ordentligt packat. Många av de här sakerna kan vi nog skaffa hemma hos oss, men andra blir vi tvungna att köpa. Och hur ska vi få dem till möbelvagnen? Vi vet ju inte ens var den står.«

»Möbelvagnarna står uppe hos hertigen av Svältensköld, och ett par av dem håller redan på att lastas under min vän Grodenius uppsikt. Ni behöver inte vara oroliga för inpackningen och ditforslingen av våra förråd. Jag ska skaffa allt och i god tid skicka det till slottet. Om ni sen kommer hit på onsdag eftermiddag, så ska en bil stå färdig här, och med den åker vi till slottet, och där börjar vår resa. Ack Miko, min arma födelsestad, så ska jag då få återse dig! Det är en så vacker stad, det kommer att krossa mitt hjärta att återse den – och greve Hulahu Blod, den grymme tyrannen, krossar kanske min skalle! Mod, barn, vi måste vara tappra och sluga och mycket beslutsamma! Men gå nu, för jag ska öva mig en timme med min värjkäpp.«

»Vad ska vi ha på oss för kläder?« frågade Dina.

»Kläder som inte har många knappar«, sade herr Gitarr. »Det är det förargligaste som finns när knappar går ur.«

Herr Gitarr, som redan hade börjat fäkta, intresserade sig

tydligen inte för deras reskläder, och därför sade de adjö och gick hem.

Falken kom vid läggdags till deras fönster och frågade vad de hade för nytt att berätta. De talade om för honom vilka förberedelser de gjort, och då sade han:

»Jag ämnar mig också till Bombardiet. Jag hade egentligen tänkt flyga hem till Grönland med det snaraste, men jag vill inte låta er och Puman ge er ut på en så äventyrlig färd utan att jag är med. Nej, nej, tacka mig inte. Jag har er att tacka för friheten, och det är en välgärning som jag aldrig kan återgälda. Ingenting hindrar mig att fara vart jag vill, och det blir nog bara roligt för mig att få se ännu ett land. När jag kommer hem får jag mycket att berätta för mitt eget folk, som inte är så stort.«

En liten stund senare frågade han:

»Vad ska jag säga Puman?«

»Säg henne«, sade Dina, »att hon ska vara vid korsvägen på andra sidan Medelby, just vid början av den långa björkallén, klockan sex på onsdag. Herr Gitarr kör oss i bil till Svälten- skölds slott. Vi stannar vid korsvägen och tar upp henne.«

»Ni får nog inte se henne förrän då«, sade Falken. »Hon tänker lämna Lyckoskogen för att de närmaste dagarna jaga längre västerut. Jag har upptäckt en vildare trakt där det finns gott om får, och där tror jag hon kan äta sig mätt utan att bli oroad av folket. Landet häromkring är för litet både för henne och mig. Det är ett härligt land, men för jägare, såna som vi, är det för mycket människor och för litet utrymme. Men godnatt nu. Sov gott och dröm om er pappas befrielse.«

Men varken Dina eller Dorinda hade lätt för att somna vare sig den kvällen eller de följande kvällarna, ända tills det blev onsdag. Och för var dag blev fröken Tjatlund allt ondare på dem, för de hade inget intresse för något annat ämne än geo- grafi, och den enda geografi de ville lära sig var Bombardiets.

Deras mor var lyckligtvis kvar i London, så det gjorde ingen- ting att de måste fara sin väg utan att säga adjö till henne. På onsdagens eftermiddag skrev de ett brev och lade det på toalettbordet i hennes rum. Där stod: »Kära mamma! Vi reser till Bombardiet för att befria pappa. Vi trodde du skulle gilla det, för han är ju i fängelse nu. Du behöver inte vara orolig för oss, för vi är mycket styva på att befria folk. Många hälsningar från Dina och Dorinda.«

Sedan begav de sig till herr Gitarrs bostad, och där stod bilen och väntade, men herr Gitarr själv höll fortfarande på att packa. Han hade en mycket liten kappsäck, och i den försökte han pressa ner fyra limpor, tre skjortor, tre par strumpor, en väckarklocka, ett vaxduksämbar, en burk hallonsylt, en gul väst, en tågtidtabell och en omelettpanna.

»Allt det här är sådant som vi kan behöva«, sade han. »Om ni nu vill vara snälla och sätta er på locket, så kanske jag kan få igen det. Sätt er upp riktigt: Så där ja, nu gick det. Och nu ger vi oss i väg!«

De stannade vid korsvägen, och medan Dorinda avvände chaufförens uppmärksamhet genom att bjuda honom på karameller, öppnade Dina bildörren och släppte in Puman. Hon hade legat i ett dike och såg mycket välfödd ut efter sin jaktutflykt västerut. Herr Gitarr verkade visserligen lite nervös när han blev presenterad för henne, men de blev snart goda vänner, och färden till hertigens slott gick mycket bra.

Där träffade de professor Grodenius. Han var en liten fetlagd man med breda axlar, kort och runt ansikte, platt näsa och ingen hals. Han hade små ögon, en väldig mun och grönaktig hy, och alldeles som herr Gitarr hade sagt var han ovanligt lik en groda, fastän han var klädd i en blågredelin kostym. Han talade engelska ganska bra, men yttrade sällan mer än två eller tre ord åt gången, och dem upprepade han för det mesta.

Han bugade sig för Dina och Dorinda och sade:

»Mycket hedrad, mycket hedrad. Er pappas barn, pappas barn. Pappa min vän. Glad att hjälpa, glad att hjälpa.«

Sedan tittade han på sin klocka och utbrast:

»Sent, sent. Raska på. Vagnen där, vagnen där!«

Fem väldiga möbelvagnar stod i en rad utanför porten till

hertigens slott. Chaufförerna och karlarna som hjälpt till med lastningen var inne och drack te, och det fanns inga andra i närheten än de som skulle resa. Professor Grodenius gav till ett litet rop när han fick se Puman och började springa, men herr Gitarr ropade honom tillbaka och talade om för honom att Puman var en vän till familjen. Professorn kände sig endast delvis lugnad och började gå på tå för att inte ådra sig Pumans uppmärksamhet. Han blev återigen skrämd och gav till ett nytt litet rop när Falken plötsligt kom som fallen från skyarna och slog sig ner på taket till den vagn som Dina och Dorinda skulle åka i.

»Han är också en vän till familjen«, sade herr Gitarr. Professor Grodenius sade något på sitt eget språk som Dina och Dorinda inte kunde förstå, men det lät som om han var förargad. Han öppnade emellertid dörren till möbelvagnen och pekade på en liten tunnel genom alla möblerna som fyllde den från golv till tak.

»Kryp in, kryp in«, sade han. »Händer och knän, händer och knän. Rakt igenom.«

Herr Gitarr kröp först, Dorinda följde efter honom, sedan kom Puman och sist Dina. Och Dina hade knappt hunnit in i tunneln, som inte var bredare eller högre än insidan av en tunna, förrän professor Grodenius stängde dörren efter henne, fällde ner en lång järnbom framför den och låste den med ett stort hänglås, som satt fast vid bommen.

Nu, tänkte Dina, när hon hörde dörren slå igen och järnbommen skramla, nu måste vi fara till Bombardiet, vare sig vi vill eller inte, för det går inte att komma ut. Det går inte att komma ut!

Usch! tänkte hon för sig själv, hur kunde vi nånsin komma på idén att ge oss in i någonting så ohyggligt farligt och fruktansvärt svårt och hemskt otrevligt som detta?

»Alltsammans kommer sig av månvinden, som har gjort oss stygga för ett helt år«, mumlade hon. »För det kan ju inte förnekas att det är mycket styggt att fara hemifrån utan lov av mamma eller av någon annan, och polisen skulle nog anse det mycket styggt att smuggla sig in i ett främmande land i en möbelvagn. Men lyckas vi rädda pappa och föra hem honom med oss, så vore det ju en god sak. Fast inte vet jag var det stygga slutar och det goda börjar. Jag undrar just om någon vet det?«

Då hörde hon Dorinda ropa:

»Dina, Dina, var är du?«

»Jag kommer«, svarade hon, och när hon kröp längre in fann hon ett mycket litet rum, vars väggar utgjordes av stolar och bord och packlårar och ett klädskåp och en tom bokhylla. Det var långt nog att rymma en soffa, och upplystes av en fotogenlampa som hängde i en krok i vagnstaket.

»Det här är herr Gitarrs rum«, sade Dorinda. »Vårt ligger längre in. Kom får du se.«

De kröp genom ännu en trång tunnel som ledde till ett rum inte olikt herr Gitarrs, men en liten smula större. En av dess väggar var möbelvagnens framsida. En annan, den till vänster, utgjordes av en ofantlig oljemålning i tung guldram, och den föreställde den tredje hertigen av Svältensköld, iförd en strumpebandsriddares vackra dräkt. Den till höger bestod av ett jättelikt mahognyskåp. Bakväggen som de kommit in genom utgjordes av två höga byråar eller chiffonjéer. Det fanns en matta på golvet och några kuddar och ett litet bord och två soffor.

»Och vi har ett riktigt fönster«, sade Dorinda. Hon drog ut lådorna i en av chiffonjéerna så att det blev en trappa och klättrade upp och öppnade en liten lucka i vagnstaket. »Vi kan komma ut och in som vi vill, och blir det vackra nätter kan vi sitta på taket och tala med Falken.«

»Var ska Puman ligga då?«

»I klädskåpet«, sade Dorinda. »Det finns två mattor där, så hon får det mycket bra. Och du och jag får sofforna. Professor Grodenius har packat upp alla våra saker och lagt in dem i den där andra byrån. Var inte det hyggligt av honom? Och är det inte ett härligt rum, Dina?«

»Joo, jag tror det blir mycket trevligare än jag tänkt mig.«

»Ja, nu har resan börjat!« utropade herr Gitarr. »Hör!«

De hörde det svaga ljudet av en motors dunkande och väggarna började skaka.

»Kom ner, Dorinda!«

»Nu är vi på väg«, sade herr Gitarr. »Låt oss hurra tre gånger! Hurra! Hurra! Hurra!«

Vagnen satte sig i gång så plötsligt, att han ramlade rakt emot porträttet av den tredje hertigen av Svältensköld.

»Han skulle ha blivit mycket ond om han levat«, sade herr Gitarr. »Jag ber ödmjukligen ers nåd förlåta mig.«

»Jag är hungrig«, sade Dorinda. »Ska vi inte äta kvällsmat?«

De tog fram primusköket och tände det och kokade choklad och satte fram tallrikar på bordet och öppnade en burk med inlagd frukt och gjorde smörgåsar och åt en massa kex, och sedan öppnade de en fruktburk till och åt några skivor av en trekilos russinkaka som herr Gitarr tagit med sig, ifall den som stått förut på listan inte skulle räcka.

»Jag har också tagit med några burkar lax och lite sockerdricka«, sade han, »och eftersom det är vår första måltid tillsammans och därför ett slags födelsedagsfest, så föreslår jag att vi nu fortsätter med lax och sockerdricka.«

De fick sålunda allesammans ett härligt kvällsmål, utom Puman som ätit så mycket dagen förut, att hon redan somnat i sitt skåp. Sedan diskade de tallrikarna och använde därvid en bit av lakanet, som Dina hade tagit från gästrummet, och vatten från en av sängvärmarna. I nedersta lådan i den stora byrån till vänster låg tjugofyra flaskor av olika slag – sängvärmare av lergods, sängvärmare av gummi, vinflaskor och ölflaskor – alla fulla med vatten. Och i herr Gitarrs rum fanns i en av väggarna ett tvättställ med en kanna och två handfat, det ena använde de att diska i.

Sedan satt de en stund och pratade, men rätt som det var gick herr Gitarr in i sitt rum, och de lade sig alla och somnade strax.

En gång på natten stannade vagnen, och Dina hörde halvvaken en röst från tunneln: »Får jag komma in?«

»Jag tror«, sade herr Gitarr, som hade en elektrisk ficklampa i handen och var klädd i en röd morgonrock av siden, »att vi redan står på Dovers station. De kommer nu att skruva loss hela överredet av vår bil och placera det på en järnvägsvagn. Sen får vi göra en liten resa med tågfärjan. Den blir inte lång. Vi far tvärs över Kanalen!«

De hörde röster utanför. Det var karlar som arbetade, och en av dem klättrade upp på vagnstaket. Sedan nådde dem bullret av en lyftkran, och någonting tungt föll med en duns ner på taket. Det var en väldig järnkrok, som vagnen skulle lyftas med.

Repen gjordes fast, det hojtades och skreks än mer, och med korta ryck började rummet röra sig. Ena sidan höjde sig lite mer än den andra så att golvet sluttade, sedan lyftes de upp med ett nytt ryck, svängde över åt sidan, åkte framåt ett stycke och började så, lika ryckigt som förut, sänka sig igen. De kom ner på järnvägsvagnens flak med en duns, och med en annan duns kom järnkroken slamrande mot taket igen. En karl klättrade upp och gick bullersamt av och an, och på båda sidor om dem pratade folk med hög röst. Någon visslade en slagdänga.

Slutligen dog alla ljud bort, och det var de glada för. Herr Gitarr öppnade försiktigt luckan i taket och tittade ut. Natten var inte skrämmande mörk.

»Ingen syns till«, sade han. »Om ni vill gå ut på en liten promenad, är det inget som hindrar. Men gå inte långt.«

Dina och Dorinda klädde hastigt på sig, klättrade upp på taket och nerför vagnssidan på en järnstege och hoppade ner från järnvägsvagnen. Tåget som deras vagn hörde till stod på en godsbangård ett stycke utanför stationen. I mörkret såg de stora möbelvagnarna större ut än någonsin, och det var kallt och ödsligt på bangården. Det blåste hårt från havet, och de kände sig plötsligt riktigt olyckliga.

»Jag önskar vi inte behövde resa till Bombardiet«, sade Dorinda.

»Det önskar jag med«, sade Dina.

»Vi är inte tvungna att fara dit«, sade Dorinda. »Det är inte för sent än att ändra oss och resa hem.«

»Det är det nog ändå«, sade Dina. »Tänk vad herr Gitarr skulle känna sig besviken. Tänk på allt besvär som professor Grodenius har gjort sig för att vi skulle få det trevligt. Tänk på att vi måste förklara för Puman och Falken att vi är rädda. Och tänk på pappa.«

»Usch!« sade Dorinda. »Det är alltid så mycket saker att tänka på, och jag avskyr att tänka.«

»Kom nu«, sade Dina, tog Dorinda vid handen och drog henne med sig tillbaka till järnvägsvagnen. De klättrade upp och kröp ner genom luckan, och så stod de i sitt rum igen. De fann herr Gitarr i färd med att hugga ett hål i golvet med ett huggjärn och en hammare.

»Jag har hittat en verktygslåda«, sade han. »Det är en nyttig sak att ha. Jag har också upptäckt att mellan vagnsbotten och järnvägsvagnens flak är det flera centimeters mellanrum. Så när jag har fått det här hålet färdigt, kan vi hälla ut diskvattnet genom det varje dag när vi har diskat våra knivar och tallrikar och gafflar. Det kommer att gå fint.«

När herr Gitarr hade gjort ett hål i golvet, femton centimeter i fyrkant, tog han locket till en kexask, hamrade ut kanterna, lade det över hålet och bredde mattan över. Sedan förklarade han stolt:

»Nu känns det inget drag, och allt är som det ska vara. Det är så gott vi lägger oss igen allesammans och sover lugnt, tills vi kommer ut på havet.«

De hörde i sina drömmar hur tågen växlade, lokomotivet visslade, buffertarna smällde ihop, karlarna ropade och en ångbåtspipa blåste. Men de var så trötta efter avresans spänning, att varken Dina eller Dorinda vaknade förrän bordet gled tvärs över golvet och föll tungt mot den ena byrån. Då slog Dina upp ögonen och såg att väggarna lutade än åt det ena hållet och än åt det andra, och att lådorna kom ut ur byrån och drog sig in igen. Hon hörde minst hundra ljud, trävirke knakade, kättingar skramlade, möbler gnisslade när de åkte fram och tillbaka, vinden tjöt och vågorna slog dånande mot fartygssidorna. Hon hade en egendomlig känsla av att magen simmade som en celluloidanka när man drar med svampen fram och tillbaka i badkaret, och då hon satte sig upp var hon så yr i huvudet att hon måste lägga sig ner igen.

»Å, Dorinda!« stönade hon.

»Å, Dina!« suckade Dorinda. »Jag håller på att bli sjösjuk!«

Och inifrån skåpet började Puman gnälla på det ömkligaste sätt. »Å, å, å!« klagade hon. »Varför gav jag mig någonsin ut på havet? Å, vilket elände! Å, vilken olycka! Ve mig!«

»Stackars Puma«, sade Dina.

»Stackars oss!« sade Dorinda.

»Du får inte bli sjuk«, sade Dina.

»Jag kan inte låta bli«, sade Dorinda.

Vågorna slog mot fartygets sidor, väggarna lutade än åt ena hållet, än åt det andra, möblerna knakade och gnisslade, ångbåten stampade i sjön, och vinden tjöt likt en rasande jätte som jagade en liten jätte som just hade kastat sten på honom. I nära en timmes tid var Dina och Dorinda förfärligt olyckliga, men sedan blev havet lite lugnare, och Dina sade med svag röst:

»Det var allt omtänksamt av herr Gitarr att hugga ett hål åt oss i golvet.«

»Ja, det kom verkligen väl till pass«, sade Dorinda.

En matt röst hördes nu från tunneln:

»Får jag komma in ett tag?«

Herr Gitarr kom krypande och blev liggande på golvet.

»Jag vill inte resa på mig«, sade han. »Det känns skönare så här.«

»Vi börjar bli lite bättre nu«, sade Dina.

»Jag kom för att höra om ni vill ha frukost«, sade herr Gitarr.

»Nej!« sade Dorinda. »Nej, nej, nej!«

»Då går jag tillbaka till mitt rum«, sade herr Gitarr, »för jag vill inte heller ha någon. Hur står det till med Puman?«

»Ack, om jag hade stannat i Lyckoskogen«, jämrade sig Puman. »Det hade varit mindre plågsamt att slitas sönder av vilda hundar än att pinas på det här sättet!«

Sedan föll de i en halvslummer igen och brydde sig inte om oväsendet och larmet och rösterna utanför, som nu talade franska. Då ångaren lagt till, fördes lastvagnarna i land och kördes in på ett sidospår. Strax på eftermiddagen började de växlas fram och tillbaka igen, och de blev så småningom en del av ett nytt tåg, och tåget ångade ut från stationen på sin långa färd. När det rullade jämnt och lugnt, under hjulens glada sång, satte sig Dina upp och ropade:

»Dorinda! Nu är vi utrikes! Har du tänkt på det? Vi är i ett främmande land!«

»Jag är hungrig«, sade Dorinda.

»Vad finns det att äta?« undrade Puman.

»Får jag komma in?« sade herr Gitarr.

»Jag ska titta på utsikten ett tag«, sade Dina och klättrade upp i taket och öppnade luckan.

Helt plötsligt var de alla lyckliga igen och kände sig hungriga och livade. De åt en grundlig måltid och klättrade i tur och ordning uppför lådorna i byrån för att se på Frankrikes vida, välodlade fält, som de snabbt rullade förbi.

Resten av dagen gick fort, och när kvällen kom, stannade tåget vid en liten stad, där det delades i två delar, och möbelvagnarna växlade in på ett sidospår utanför staden. Där stod de sedan i två eller tre timmar, och Dina och Dorinda, herr Gitarr och Puman klättrade ner och tog sig en promenad och träffade Falken, som under den klara himlen hade följt tåget utan svårighet. Därefter gick de tillbaka och sov gott.

Följande dag föreföll dem mycket lång. Tåget rullade fram genom skogrika trakter, mellan höga kullar och längs floder. Här och där skymtade ett tornprytt slott mellan träden eller en liten stad på andra sidan en bro. Om de hade suttit bekvämt vid ett stort fönster och sett det ständigt växlande skådespelet dra förbi, skulle tiden ha gått på ett mycket behagligt sätt. Men de kunde inte titta ut genom luckan mer än en i sänder, och så fort de stack upp huvudet genom taket måste de strax klättra ner och ta ur kolstybb ur ögonen. Dagen var het, rummet var kvavt, och knarret och gnisslet i de tätt packade möblerna tycktes bli värre. Dina gäspade, och Dorinda knotade, och båda blev mer och mer otåliga. De ville komma fram till Miko lika fort som tanken kunde flyga, de ville vara där om fem minuter, eller tio minuter på sin höjd, och träffa sin pappa. Men på samma gång kunde de inte hjälpa att de, när de mer och mer närmade sig Bombardiet, kände sig lite ängsliga för vad som kunde hända dem när de kom fram. De försökte föreställa sig hur slottet såg ut. De tittade på herr Gitarr och undrade om bombarderna var lika honom eller om de var mer lika professor Grodenius.

»Vad talar folk om i Bombardiet?« frågade Dorinda.

»På den tiden då jag var en liten pojke«, sade herr Gitarr, »talade alla om gömda skatter. Det fanns en gammal man som bodde på sluttningen av ett berg, och en dag då han grävde en grav att begrava sin gamla fårhund i fann han en kista med sexhundra guldmynt, och många av dem var stora och tunga. Sedan började nästan alla gräva så fort de hade en ledig stund, för de hoppades finna en skatt, och var helst man gick träffade man människor som bara talade om de hål de hade grävt och var man bäst borde söka efter guld.«

»Fann de mycket?« frågade Dina.

»De fann ingenting alls«, sade herr Gitarr. »Ingen fann något utom den gamle mannen i bergssluttningen. Men under lång tid framåt var ändå gömda skatter det enda samtalsämnet i Bombardiet.«

»Och vad talade de om sedan?« frågade Dorinda.

»Om de hål de hade grävt«, sade herr Gitarr. »Somliga var inte större än ett ämbar, och somliga var så stora som en tunna. Somliga var så små som tekoppar, och somliga så djupa som brunnar. Men var man gick i hela Bombardiet fanns det hål av ena eller andra sorten, och många tyckte att de borde fyllas igen, och ännu många fler sade att man borde plantera träd i dem, och några få höll fast vid tron på att jorden var full med guld och att alla hålen borde grävas djupare och djupare, tills skatterna kom i dagen. Så det var mycket prat om det.«

»Och vad gjorde de sedan med hålen?« frågade Dina.

»Ingenting«, sade herr Gitarr. »Ingenting alls. De lät dem bara vara.«

»Vad talar folk om nu då?« frågade Dorinda.

»De talar mycket lite nu«, sade herr Gitarr. »De har blivit ett tyst folk, för vår ärelösa tyrann, greve Hulahu Blod, har ettusen spioner som finns överallt och lyssnar på allt vad människorna i hela landet säger. Och om någon säger det minsta mot greve Hulahu, blir han gripen och kastad i fängelse. Och eftersom frestelsen är stor att tala illa om honom, för han gör inte annat än vad som är nedrigt och skamligt och grymt, har folket för att skydda sig nästan slutat att tala. De säger nästan aldrig ett ord numera.«

Småningom närmade sig dagen sitt slut. Herr Gitarr berättade för dem om Bombardiet och dess folk, och då och då klättrade de upp till vagnstaket och tittade ut, och sedan kom de ner igen för att torka bort sotet ur sina ögon.

Skymningen sänkte sig, och när det blev mörkt stannade tåget åter på ett sidospår och lät snabbare tåg rusa förbi. Och de klättrade alla ner på marken och promenerade på en äng bredvid järnvägen och hade en liten pratstund med Falken. Sedan återvände de till den kvava möbelvagnen och sov en stund, men väcktes när tåget åter satte i gång.

»Vi är nog ganska nära Bombardiet vid det här laget«, sade Dina.

»Är du rädd?«

»Inte precis. Jag känner mig inte riktigt glad, men jag tror inte att jag är rädd.«

»Inte jag heller«, sade Dorinda, »men jag har så där ont i magen som jag alltid får när jag är rädd, och jag tänkte att vi kunde flytta sofforna intill varandra och sova sida vid sida, det skulle bestämt kännas bättre, eller vad tror du?«

När möblerna skrapade mot golvet, vaknade Puman i sitt skåp och frågade vad som stod på.

»Vi tänker bara sova i samma säng«, sade Dina.

I nästa ögonblick såg de bredvid sig två klara ögon glimma, och lätt och smidigt hoppade Puman upp i flickornas dubbelsäng och lade sig mellan dem.

»Känn på musklerna i mina skuldror och ben«, sade hon. »Lägg handen på min hals och på min käke. Kan ni se i mörkret hur kraftiga och skarpa och långa mina klor är när jag sticker ut dem? Ofta har jag kämpat i mitt hemlands skog och kämpat hårt, och aldrig har jag blivit besegrad, utom en enda gång, och då var det genom förräderi. Nu är jag här med all min styrka bara för att hjälpa er. Var inte rädda, för jag ska beskydda er.«

Pumans närvaro var så trösterik, hennes ord så lugnande och hennes silkeslena päls så mjuk att luta huvudet mot, att Dina och Dorinda genast somnade, och fast sängen blev ganska varm med alla tre sida vid sida, sov de till långt fram på morgonen, och herr Gitarr måste väcka dem. Han kom in och ruskade dem sakta, och när de öppnade ögonen, stod frukosten redan färdig på bordet. Där fanns inlagd frukt och kondenserad mjölk och kokta ägg och bröd och smör och bullar och marmelad för Dina och Dorinda, och resten av skinkan för Puman.

Herr Gitarr väntade tills de hade slutat att äta, och sedan sade han:

»Vi är nu i Bombardiet, och om ungefär fyra timmar är vi framme i Miko. När vi kommer till stationen, måste de lyfta av möbelvagnarna från järnvägsflaken och sätta hjul på dem. Sedan blir vi körda till slottet, som ligger en mil från stationen. Det är inte troligt att vi kommer fram till slottet förrän vid sex- eller sjutiden i kväll, och då blir det för sent att börja med avlastningen. Det tror jag åtminstone, och Grodenius var av samma mening när vi gjorde upp planerna för resan. Förmodligen får flyttvagnarna stå på slottsgården och blir inte

228

öppnade förrän i morgon. Men så snart det blir alldeles mörkt ska vi klättra ut och försöka ta oss in i slottet för att genast börja leta efter er far.

På gården, som är omgiven av höga murar, kommer det att vara mörkt som på botten av en brunn, och ingen kan se oss. Där finner vi säkert någon öppen dörr, för vi bombarder är slarviga i det avseendet och går omkring och tappar våra nycklar.«

Till en början gick allt precis som herr Gitarr hade förutsagt. Tåget kom fram till Mikos bangård, det blev ett förfärligt skakande och svängande och slängande och knyckande när möbelvagnarna lyftes från järnvägsflaken, och efter ett långt uppehåll började äntligen den sista delen av resan, från stationen till slottet. De åkte mycket långsamt nu, för vägen gick brant uppför och gjorde många skarpa krökar. När de närmade sig slottet ekade ljudet från motorn mellan stenmurar, och sedan körde de genom en stor portal in på borggården.

När motorn stannat hörde de ljudet av marscherande soldater, fötter stampade mot stenläggningen, och en officer skrek ut befallningar på ett främmande språk. Soldaterna gjorde halt, deras stövlar slog mot marken precis på samma gång, och tjugofyra trumpeter smattrade. Sedan började en militärmusikkår spela, den kom marscherande till ljudet av trummor och flöjter, och därefter hördes ännu en trumpetfanfar. Nya order skreks ut, det blev åter tramp av marscherande fötter och sedan blev det tyst. Men musiken och trampet hade lockat fram hundratals ekon från de höga murarna kring gården, och inne i möbelvagnen föreföll oväsendet nästan bedövande.

»Det där var flagghälsningen«, viskade herr Gitarr. »De spelar den varje kväll en timme efter solnedgången, när de halar ner flaggan från det högsta tornet. Det kommer snart att bli mörkt.«

Inne i möbelvagnen var det alldeles svart, och där satt de och väntade med feberaktig iver på att natten skulle komma.

Herr Gitarr höll sin klocka i handen – den hade en självlysande urtavla. Slutligen reste han sig, och mycket försiktigt, för att inte göra något buller, drog han ut lådorna i den höga byrån som bildade en stege upp till taket, klättrade uppför dem och öppnade luckan. Himlen var mörk, och genom öppningen lyste en ensam stjärna ner på dem. Herr Gitarr klättrade varsamt ner igen.

»Jag går först«, viskade han, »och tittar efter om det finns någon öppen dörr. Ni får stanna här tills ni hör mig knacka tre gånger på vagnens vägg. Kom då ut så fort ni kan, men mycket tyst. Ni måste vara riktigt tysta, glöm inte det.«

»Kom snart tillbaka«, sade Dorinda.

»Så fort jag kan«, sade herr Gitarr, klättrade än en gång upp till taket och försvann.

Dina och Dorinda lade sina händer på Pumans silkeslena rygg och väntade så i stark spänning.

»Hur länge har han varit borta nu?« viskade Dorinda.

»Ungefär fem minuter.«

»Kanske han inte finner någon dörr. Vad ska vi göra då?«

Innan Dina hann svara hördes plötsligt ett stort larm, människor skrek, järngrindar slogs upp, och himlen ovanför takluckan flammade till och lystes upp av skenet från en strålkastare.

Den vita strålglansen trängde in i lastvagnen, och bland de skrämmande skuggorna stirrade Dina på Dorinda och Dorinda på Dina, och deras ansikten var vita som lakan.

31

M I K O S slott låg på toppen av en brant klippa. Det liknade en krona på en konungs huvud: en liten krona högst uppe på ett stort, knotigt, gulblekt, skalligt huvud. På slätten nedanför utbredde sig staden, en samling gula och röda tak och här och där ett kyrktorn och en och annan ärggrön kupol. Träden som växte längs huvudgatorna liknade på avstånd långa häckar. Den branta, slingrande vägen som ledde upp till slottet var också kantad med träd, och från den ledde över kullarna andra mindre vägar, alldeles som ådror i ett blad, och vid dem låg villor och de rikas hus.

Slottet var utomordentligt starkt befäst och ganska fult. Två fyrkantiga torn med spetsiga tak vaktade ingången, och över valvporten som sammanband dem och ledde till yttre borggården fanns ett antal rum där officerarna vid livvakten bodde. Denna borggård var nästan lika stor som en fotbollsplan och helt och hållet belagd med stenhällar. Till höger och vänster om den låg logementen för soldaterna vid livvakten, och mitt emot valvporten reste sig den väldiga portalen till själva slottet. Detta var en fyrkantig byggnad som omslöt en inre borggård, och i varje hörn fanns ett fyrkantigt torn, två gånger så högt som de torn vilka bevakade ingången. Det nordöstra hörnets torn var det allra högsta. På dess norra och östra sidor sänkte sig klippan så brant som ett bråddjup, och det var här som fängelsehålorna låg. De upplystes endast av smala gluggar, uthuggna i själva klippan.

Ovanför stora portalen låg festsalen, och bredvid den, i högra tornet, hade greve Hulahu Blod sin privata våning. Festsalen var dekorerad med blanka rustningar och väldiga oljemålningar, föreställande Bombardiets härskare genom tiderna, ofta med ett slagfält som bakgrund. Men väggarna i greve Hulahus privata salong var prydda med ruskiga bilder av torterade människor och med utspända skinn av tigrar, lejon, björnar och leoparder, vilkas huvuden vilade på små hyllor och stirrade ut i rummet med stora ögon av glas, medan deras gula tänder var blottade i ett ohörbart rytande. I ett hörn fanns ett par hantlar, ett hopp-rep och en »muskelstärkare«. I ett annat hörn stod en bokhylla med en bok, som hade titeln: »Hur man skaffar sig vänner och får inflytande över människor«.

Greve Hulahu var en medelålders man med ett långt, gulblekt ansikte och tjocka läppar, som till färgen liknade mullbär. Hans hår var som stubben på en kornåker, han hade små gråaktiga gnistrande ögon, en lång näsa med en vårta på, och ur hans öron växte styva hårtussar. Han bar vanligen en vit uniform med guldepåletter, purpurfärgat skärp och en stor mängd medaljer, men han såg aldrig riktigt fin ut ändå, för hans ena arm var längre än den andra, och hans fötter var kolossala.

Samma kväll som Dina och Dorinda kom till slottet i möbel-vagnen, gick han otåligt fram och tillbaka i sin salong med bister uppsyn. Han kände sig uttråkad och han hade dessutom kväljningar, för han hade ätit alldeles för många chokladkakor och gräddbakelser till teet. Han hade försökt läsa, men boken på bokhyllan intresserade honom inte längre. Han funderade ett tag på att skicka efter några undersåtar att tortera, men förutom kväljningarna hade han också en smula huvudvärk, och de torterades skrik skulle kanske göra den värre, tänkte han. Därför gick han nu fram och tillbaka i sitt rum och tittade på tavlorna på väggarna, och på lejonens, tigrarnas, leopardernas och björnarnas fällar, och tavlorna, det märkte han nu, var dåligt målade, och fällarna var dammiga, och somliga av dem var malätna. Han beslöt att de alla skulle tas bort och ersättas med nya. Och så kom han plötsligt ihåg att han för några veckor sedan skickat professor Grodenius till England för att inköpa hertigen av Svältenskölds möbler och dyrbarheter.

Han drog upp sin revolver och sköt sex skott i taket. Det

var för att tillkalla hovmarskalken. Han sköt alltid ett skott för en page, två för en husjungfru, tre för sin kammartjänare, fyra för hovmästaren, fem för livvaktens befälhavare och sex för hovmarskalken. Och eftersom taket var beklätt med tjock pansarplåt, skedde ingen skada.

Hovmarskalken var en lång man med vackert ansikte, men kring hans mun ryckte det nervöst, och under de tre månader han beklätt sitt ämbete hade han börjat stamma.

Han öppnade dörren, bugade sig och sade:

»Vad önskar ers hö-hö-höghet?«

»Nya tavlor och nya möbler!« skrek greve Hulahu. »Hertigen av Svältenskölds möbler från England. Var är Grodenius? Varför har inte möblerna kommit?«

»De ha-ha-har kommit i kväll, ers hö-hö-höghet. V-v-vagnarna står nu på b-b-borggården.«

»Varför har jag inte fått veta det genast? Se till att de blir avlastade med detsamma. Jag vill ha nymöblerat här. Lasta av! Lasta av!«

»Men det är m-m-mörkt, ers hö-hö-höghet.«

»Det finns strålkastare på slottstornen. Sätt på dem så blir det ljust på borggården, och lasta sen av!«

Sedan hovmarskalken skyndat bort så fort han kunde för att utföra sin herres befallning, sköt greve Hulahu tre skott i taket efter kammartjänaren som skulle ge honom hans överrock, och därpå fem skott för att tillkalla befälhavaren över livvakten och ge honom befallning att vaktmanskapet skulle hjälpa till med avlastningen.

Sedan gick han själv ner på borggården, strålkastarna sattes på, dörrar slogs upp, soldater och tjänare strömmade till från alla håll – men inne i det lilla rummet i möbelvagnen väntade Dina och Dorinda och Puman med skräck och förfäran i sina hjärtan.

Hemska tankar oroade dem. Vad hade hänt och vad skulle mer hända? Vad hade det blivit av herr Gitarr?

Då hörde de att dörren till deras vagn låstes upp, de hörde

grova röster som talade ett okänt språk och de hörde möbler skrapa och knaka när de drogs ut.

»De börjar lasta av«, viskade Dina.

»Då finner de oss«, sade Dorinda. »Vad ska vi göra?«

»Gömma oss!« morrade Puman.

»Men var?« frågade Dina. »I klädskåpet?«

»Ja, där finns rum för oss alla«, svarade Puman.

»Men de kommer att upptäcka den här maten som finns kvar och allt det andra vi har med oss«, sade Dorinda.

»Göm undan det!« viskade Dina i vild upphetsning. »Stoppa ner det i byrålådorna, så att ingen ser det. Men skynda dig, Dorinda, skynda dig!«

»Dra ut lådan under skåpet«, sade Puman. »Där får jag rum. Lås den sedan och ta väl vara på nyckeln. Ni båda kan stå på var sida inne i skåpet och hålla dörrarna stängda, så gott det går.«

Det stora klädskåpet, som hade två dörrar, var delat med en skiljevägg i två avdelningar, och på innersidan av vänstra dörren satt en tjock mässingsstång.

»Jag låser in Dorinda i högra halvan«, viskade Dina, »och med mässingsstången kan jag hålla igen dörren till den andra. Hör, nu är de mycket närmare. Skynda dig, Dorinda.«

»Varför kan du inte hjälpa mig!« sade Dorinda. Hon stoppade ner en burk hallonsylt och resterna av Pumans oxstek i en byrålåda, såg efter att allt var undanstuvat och klev sedan in i klädskåpet.

Karlarna som lastade av bilarna arbetade raskt, och de hade redan burit ut hälften av möblerna. Nu hördes deras röster helt nära, och deras stövlar klampade hotfullt mot vagnsgolvet. Bakväggen i det lilla rummet hade redan börjat röra på sig, då Dina, efter att ha låst in Puman i skåpets underlåda och Dorinda i den högra avdelningen, själv klev in i den vänstra, drog till dörren och höll igen den med ett stadigt tag.

Efter ännu en stunds skrapande och stampande blev det klädskåpets tur. Starka armar drog fram det, lutade det på sidan och släpade ut det ur vagnen. Karlarna som fått det på sin lott knotade högljutt, och fast Dina och Dorinda inte kunde förstå vad de sade, gissade de utan svårighet att bärarna knotade över dess tyngd. Men Dina och Dorinda hade inte tid att tycka synd om dem, för de hade sina egna bekymmer. Än låg de på den ena sidan, än slungades de omilt över åt den andra, och hela tiden måste Dina klamra sig fast vid mässingsstången, så att inte dörren skulle flyga upp.

Skåpet sattes ner på borggården med en duns som kändes i hela kroppen, och sedan fick det stå där flera minuter, tills hovmarskalken hade frågat greve Hulahu vart det skulle bäras. Sedan lyftes det upp igen, lyftes högt på sex karlars axlar, och nu blev Dina och Dorinda liggande på rygg. De sex karlarna bar klädskåpet in genom slottsporten, uppför en stentrappa, runt en avsats och uppför en trappa till, och under tiden låg Dina och Dorinda mycket obekvämt med fötterna högre än huvudet.

De bars genom en korridor, och skåpet sattes åter ner, försiktigare denna gång. De väntade tysta, för de vågade inte ens viska, och under en halvtimme eller ännu längre hörde de karlarna komma bärande med fler och fler möbler, allt under det de skrek till varandra med grova röster. Sedan blev det tyst. Då knackade Dina lite på skiljeväggen mellan henne och Dorinda och viskade:

»Hur är det med dig?«

»Bra, tror jag«, svarade Dorinda. »Vet du var vi är?«

»Jag har inte en aning«, sade Dina. »Jag tänker räkna till tusen mycket långsamt, och om då allt är tyst ska jag titta ut ett tag. Och märker jag ingenting oroande då, ska jag släppa ut dig.«

Hon räknade till tusen, gläntade sedan lite försiktigt på dörren, bara en liten, liten springa, och tittade ut. Hon såg i andra änden av ett rum en bit av en stor oljemålning, föreställande en man i plymprydd hatt och scharlakansröd kappa, ridande på en apelkastad häst. Mannen såg sträng och befallande ut, men hästen hade vänliga ögon och ett uttryck av stor godhet. Strax bredvid tavlan stod en vacker rustning. Rummet, som verkade mycket, mycket stort, var endast svagt upplyst.

Nu öppnade hon dörren lite mer och såg ännu fler tavlor på väggen, fler rustningar och en massa möbler som stod överallt på golvet i stor oordning. Så vitt hon kunde se fanns det där inne ingen annan än de själva.

Hon smög sig försiktigt ut ur skåpet och gick på tå hit och dit för att övertyga sig om att de var ensamma. En enda elektrisk lampa brann högt uppe i det förgyllda taket. »Karlarna som bar upp möblerna har väl glömt att släcka den«, tänkte hon. »Mycket slarvigt av dem, men tur för oss så det är inte värt jag anmärker på dem.«

Sedan låste hon upp Dorindas dörr, och då såg hon att Dorinda var mycket blek.

»Du har väl inte varit sjösjuk igen?« frågade hon.

»Jo, närapå«, sade Dorinda, »men inte riktigt. – Men titta, Dina, titta!«

Bakom en rustning i rummets andra ände trädde en man fram.

»Vi träffas alltså igen«, sade han. »Det kan man verkligen kalla tur!«

32

»DET var ruskigt vad ni skrämde oss«, sade Dina strängt.

»Varför är ni så svart i ansiktet?«

»Är jag svart i ansiktet?« frågade herr Gitarr. »Det visste jag inte. Det måste vara smuts och olja från möbelvagnens underrede. Jag fick lov att gömma mig där när de satte på strålkastarna. Jag var just på väg tillbaka till er för att tala om att jag hade funnit en öppen dörr, då plötsligt allt blev bländvitt i det skarpa ljuset. Det var som om månen hade kommit ända ner på borggården. Jag hukade och sprang och kröp och ålade mig slutligen in under vagnen. Där låg jag medan de lastade av, och undrade hela tiden med ångest i själen hur det skulle gå när de hittade er. Men de hittade er inte, och jag anade då vad som hade hänt. ›De har säkert gömt sig i det stora klädskåpet‹, tänkte jag. ›Det är duktiga flickor!‹ Sen sa jag till mig själv för andra gången: ›Jag Gido Gitarr ska inte svika dem!‹ Och så höll jag noga utkik på ett tillfälle att komma undan, och rätt som det var fick jag se två karlar som släpade på en stor tung matta. Den hade varit hoprullad som en lång korv, men den började rulla upp sig, och karlen i den bakre änden vacklade under tyngden och doldes nästa av mattans veck. Då kröp jag ut och gav honom ett litet stick med min värja. Han skrek till, släppte sin ände av mattan, tittade sig om för att se vem som hade stuckit honom och sprang åt fel håll. Jag tog genast tag i mattan, som föll ner omkring mig så att jag knappt syntes, och så skrek jag till karlen i främre änden: ›Rury mai, ret tse chum a refai!‹ Det är bombardiska, det språk som talas här, och det betyder: ›Raska på, gosse, här är ännu mycket att göra.‹ Och då följde vi efter det stora klädskåpet och kom upp i det här rummet, som är själva festsalen, och jag passade på ett gynnsamt tillfälle och gömde mig i rustningen.«

»Det är härligt att ni är med oss igen«, sade Dorinda.

»Och så styvt av er att gömma er i mattan«, sade Dina.

Herr Gitarr bugade sig tacksamt och frågade var Puman var.

»Å himmel!« sade Dina. »Jag hoppas hon inte är kvävd!«

Hon skyndade sig att låsa upp lådan i skåpet, och Puman lyfte med en väldig gäspning sitt tunga huvud.

»Det var inte mycket luft i den där lådan«, sade hon. »Det var minsann inte så trevligt att ligga instängd där.«

Hon kröp långsamt ut, sträckte på sig och gäspade om och om igen. Sedan lade hon sig ner och somnade.

»Vad ska vi nu göra?« frågade Dina.

»Ni båda flickor ska ligga i greve Hulahus säng i natt«, sade herr Gitarr.

»Nähä!«

»Var ska han vara själv då?« frågade Dorinda.

»På ett ställe långt härifrån«, sade herr Gitarr. »Hör nu noga på vad jag säger. Medan jag stod gömd i den där rustningen kom greve Hulahu och hovmarskalken in och ställde sig alldeles framför mig. De talade om hur alla möblerna skulle ordnas. Sen kom en officer vid livvakten och anmälde för greve Hulahu att sju män, som länge hade stämplat mot honom, blivit infångade på ett ställe som heter Lodoban och ligger nära tre hundra kilometer härifrån. ›De ska skjutas i daggryningen i morgon‹, sade greve Hulahu, ›och jag kommer att närvara vid avrättningen.‹ – Han är mycket grym, och han tycker om att se folk skjutas. – Sedan gav han hovmarskalken order om att hans bil skulle köra fram med detsamma och sa till om att de inte skulle packa upp mer möbler i kväll. Så nu har han rest till Lodoban. Det tar honom minst fem timmar att komma dit. Och sen är det avrättningen. Och så ska han äta frukost. Vi kan ju anta att han börjar hemresan vid niotiden i morgon, och då kan han inte vara här förrän klockan två. Så ni kan lugnt sova i hans säng och behöver inte ens stiga upp tidigt.«

»Men vad händer om någon kommer in?« frågade Dorinda.

»I tyrannens privata rum kommer aldrig någon in som han inte har tillkallat genom att skjuta av sin revolver i taket.«

»Vet ni var hans rum finns då?« frågade Dina.

»Min vän Grodenius har givit mig en plan över slottet«, sade herr Gitarr, tog upp ett ganska tillskrynklat papper ur en innerficka och pekade på ett rum som var betecknat som festsalen.

»Här är vi nu«, sade han. »Och den här korridoren, ser ni, går raka vägen till tyrannens våning. Det är bara några steg dit.«

»Men dörrarna är väl låsta?« frågade Dina.

Med ett segerstolt leende drog herr Gitarr ur en annan ficka upp en stor nyckelknippa.

»Den här är eller rättare sagt var hovmarskalkens«, sade han stolt.

»Hur har ni kunnat få tag i den?« frågade Dorinda.

»Jag sa er ju nyss«, svarade herr Gitarr, »att när jag stod gömd i den där rustningen, kom greve Hulahu och hovmarskalken och ställde sig framför mig. I detsamma bar några soldater in ett stort piano. Det var mycket tungt, så det gick inte fort. Greve Hulahu skrek till dem att raska på, och hovmarskalken, som ville visa hur ivrig han var att hjälpa till, krängde av sig sin rock och sprang fram för att ta i, han också. Men han begick det felet att hänga sin rock på hjälmen till min rustning, och därför var det mycket lätt för mig att sticka handen i hans fickor och känna efter om det fanns något intressant i dem.«

»En sån tur«, sade Dina.

»När jag var liten«, sade herr Gitarr, »fick jag lära mig att Gud hjälper dem som hjälper sig själva. Och vill ni nu väcka Puman, så ska vi gå in i våra rum. Det vill säga i greve Hulahus rum. Och är ni inte alltför sömniga, så kan vi göra upp våra planer för morgondagen. Början har varit god, tycker ni inte det? Och i morgon kan vi kanske lägga oss i försåt för tyrannen, när han kommer hem från Lodoban, och ta honom till fånga. Det vore en god sak, men just inte så lätt. Kom nu, så får vi överlägga.«

33

GREVE HULAHUS sovrum var mycket stort och mycket praktfullt möblerat. Sängen som var bred nog för fyra var av massivt silver, de persikofärgade lakanen och örngotten var av finaste siden, och ejderdunstäcket var överklätt med purpurrött siden, broderat med tyrannens vapen i guld. Den övriga inredningen i rummet var lika fin. Där fanns två speglar, två meter höga och en och en halv meter breda. Där fanns också tre dörrar i rummet: en ledde till en privat salong, en till ett marmorklätt badrum med silverbadkar och en till en klädkammare, lika stor som sovrummet och med väldiga skåp kring väggarna, alla fulla med tyrannens praktfulla uniformer. Från de stora fönstren i dessa rum hade man en härlig utsikt över ett vidsträckt, skogbevuxet och av floder genomflutet land.

Dina och Dorinda blev stående försjunkna i beundran framför den fina sängen, och det var alldeles tydligt att de inte hade lust att diskutera några planer, utan bara längtade att få lägga sig mellan de mjuka lakanen, att sträcka ut sina trötta ben i den rymliga bädden och vila sina huvuden på de persikofärgade kuddarna.

»Men först måste vi ha oss ett bad i silverbadkaret«, sade Dina.

»Som ni vill då«, sade herr Gitarr och ryckte på axlarna. »Gå och lägg er nu, så får vi talas vid i morgon. Jag är ledsen att ni ska behöva ha en så avskyvärd tavla att se på här inne«, tillade han och pekade på ett förstorat fotografi i guldram, som hängde på väggen mitt emot sängen.

»En sån ful liten pojke!« sade Dina. »Vem är det?«

»Greve Hulahu vid sju års ålder«, sade herr Gitarr.

»Vi vänder honom mot väggen«, sade Dina.

»Titta vad jag har hittat«, sade Dorinda och öppnade en stor papperspåse som låg på bordet bredvid sängen. »Chokladpraliner! Det måste vara minst två kilo.«

»Tyrannen är mycket förtjust i sötsaker«, sade herr Gitarr. »Han tycker om att se människor dödas, och han tycker om chokladpraliner. Det är en underlig karl. Och vill ni nu bara låta mig tvätta mig i ansiktet och om händerna – jag ser ju att jag är kolsvart – så ska jag sedan säga godnatt. Puman och jag ligger i salongen, så ni kan känna er alldeles trygga. Där finns en mycket bekväm soffa för mig och en persisk matta för henne. Jag hoppas ni drömmer något trevligt.«

»Tänk att sova i greve Hulahus egen säng«, sade Dorinda en halvtimme senare.

»Tänk att sova under samma tak som pappa«, sade Dina. »Är det inte underbart att vi är så nära honom? Jag önskar vi kunde låta honom veta att vi är här!«

»Det önskar jag också«, sade Dorinda.

»Stackars pappa, han har det nog kallt och eländigt, och här njuter vi av all sorts lyx.«

»Jag tror inte vi får njuta av lyxen så länge«, sade Dorinda. »Inte sen greve Hulahu har kommit tillbaka.«

»Jag önskar jag kunde hitta på något sätt att skaffa honom ut ur fängelset. Pappa, menar jag. Har du hittat på något ännu?«

»Nej«, sade Dorinda, »men jag hoppas herr Gitarr har gjort det. Och har han inte gjort det redan, så kommer han att göra det. Han är så hemskt påhittig. Dina, jag tror nästan jag tar mig en chokladbit till innan jag somnar.«

»Ja, bara du inte får kväljningar igen.«

»Inte får jag det. Du talar som om jag jämt var sjösjuk.«

»Det var inte långt ifrån i klädskåpet.«

»Ja, men det är väl skillnad på att vara i ett klädskåp och ligga i en säng.«

»Smeta bara inte ner kudden«, sade Dina sömnigt.

»Det är inte våra kuddar«, svarade Dorinda med munnen full. Och nästan innan hon visste ordet av hade hon också somnat.

De hade knappast rört sig när klockan redan var åtta och herr Gitarr kom in och väckte dem. Så yrvakna de än var, märkte de genast att han verkade glad för något, och nästan det första han sade var:

»Jag har fått reda på en sak av största vikt! Men jag ska inte tala om för er vad det är nu. Inte förrän vi har ätit. Och bli inte oroliga om jag måste ställa till lite buller för att vi ska få frukost.«

Herr Gitarr beskrev nu tyrannens system att kalla på sina tjänare genom att avfyra en pistol mot taket. Detaljerna i detta system hade professor Grodenius talat om för honom. Sedan sade han:

»Greve Hulahu for bort så hastigt i går kväll, att mycket få personer vet om att han inte är hemma. Vi kan utan risk, eller nästan utan risk, säga till om frukost. Jag har hittat två laddade pistoler i salongen och tre andra i biljardrummet, som ligger innanför.«

»Det finns ett par stycken här också«, sade Dina, »och en i badrummet.«

»Tyrannen är mycket förtjust i revolvrar«, sade herr Gitarr. »Redan när han var en liten pojke, så stor som på det där porträttet, sköt han sin lärare med en sån där tingest. Nu har jag skrivit på den här lappen att jag vill ha frukost, och lappen lägger jag på bordet, och sen skjuter jag fyra skott i taket och rusar in i badrummet och vrider på båda kranarna, så att hovmästaren, när han kommer, tror att greve Hulahu håller på och tar sig ett bad. Här ser ni vad jag har skrivit.«

Präntade med stora bokstäver på ett blad från ett anteckningsblock stod följande ord: »Griben unjeredi tevi. Chi issu resch grunhy. Griben chess fosue, telpyn skepek, chum fikfa, satto, titsampipse, lamrameda dun rubir, dun eni fabsiket.«

»Det är naturligtvis skrivet på vårt språk, på bombardiska«, sade herr Gitarr. »På ert språk betyder det: Ta upp min frukost med detsamma. Jag är mycket hungrig. Jag vill ha sex ägg, rikligt med skinka, mycket kaffe, rostat bröd, bullar, marmelad, smör och en stor biffstek.«

»Det borde ju räcka«, sade Dorinda, »och sedan kan vi avsluta det hela med chokladpraliner. Biffsteken är väl för Puman, säg?«

»Det är så klart«, sade herr Gitarr. »Det är för tidigt på dagen för oss att äta biffstekar.«

Sedan tog han en revolver och sköt fyra skott i taket i salongen och sprang därpå in i badrummet och vred på kranarna. Dina och Dorinda, som turades om att ligga på knä vid sovrumsdörren och kika genom nyckelhålet, såg grevens hovmästare komma in och läsa meddelandet. Efter en förvånande kort stund bar han och en husjungfru in en jättefrukost på en jättebricka, och så snart de hade gått, låste herr Gitarr dörren efter dem, och de slog sig ner och åt en härlig måltid.

»Och nu«, sade herr Gitarr, när de hade ätit upp allt som fanns att äta, »ska ni få se vad jag fann i greve Hulahus skrivbord i går kväll! Det var i lådan där borta. Den var förstås låst, men vad gjorde det? Jag tog en eldgaffel och bröt upp den. Och detta är vad jag fann! En lista på alla fångarna i fängelsehålorna, niohundrafyrtiotvå män och kvinnor, och er far sitter ensam i nummer 200!«

»Hur ska vi komma dit?« frågade Dina.

»Ja, det blir inte så lätt«, medgav herr Gitarr. »På planritningen över slottet, som Grodenius i hast drog upp på ett papper och gav mig – här är den – tycks det finnas en hemlig gång från tyrannens privata våning, men det är inte tydligt var den börjar. Vi får försöka leta efter den.«

»Jag vet var den är«, sade Dorinda. »Den finns bakom den stora handduksstången av silver i badrummet. Stången sitter fast i väggen, och om man trycker in den på ett särskilt sätt öppnar sig väggen som en dörr och man ser ett par stentrappsteg innanför.«

»Hur kunde du upptäcka det?« utropade herr Gitarr.

»Å, jag gjorde lite gymnastik efter badet i går kväll. Jag pressade mig inåt och drog utåt, så där som man brukar för att stärka armarna. Och just som jag pressade på, öppnade sig dörren sakta. Jag stängde den igen och gick och lade mig.«

Herr Gitarr skyndade in i badrummet, tog ett stadigt tag i handduksstången och pressade av alla krafter. Men ingenting hände.

»Hur bar du dig åt?« frågade han.

»Så här«, sade Dorinda och visade honom. Men ändå hände ingenting.

»Är du säker på att en dörr öppnades?«

»Det är så klart!« sade Dorinda förnärmad.

»Men varför kan du inte öppna den nu då?« frågade Dina.

»Hur ska jag veta det? Om inte… fast jag tror då inte att det har med saken att göra, men jag skruvade av knoppen först. Jag ville se om stången var av silver alltigenom eller bara ihålig. Den var bara ihålig. Och sen kunde jag inte få fast knoppen första gången jag försökte, och det var just då jag tog min gymnastik.«

Herr Gitarr hade redan skruvat av den ekollonformade knoppen, som satt som avslutning på stången, och så snart den var borta tryckte han igen. Och nu öppnade sig marmorväggen som en dörr, och innanför syntes en brant trappa försvinna ner i mörkret.

»Den hemliga gången till fängelsehålorna!« utropade herr Gitarr. »Är vi alla färdiga? Ska vi gå nu?«

»Vi måste kanske bädda först«, sade Dina. »Fast det är en tyranns säng, måste vi uppföra oss hyggligt.«

»Skynda er då«, sade herr Gitarr. »Bädda kvickt, så ska jag skaffa en ficklampa under tiden. Det fanns en stor en i skrivbordslådan som jag bröt upp.«

När Dina och Dorinda var färdiga med bäddningen, fann de Puman i badrummet. Hon stod och stirrade ner på de smala trappstegen med sorgsna och dystra ögon.

»Jag tycker inte om såna här mörka gångar«, sade hon. »Vi går från det ena fängelset till det andra. Jag kan inte med de här väggarna som stänger in mig. För er som är vana att bo i hus känns de kanske inte så tryckande, men jag blir alldeles utom mig. Jag drömde i natt om mitt hemlands skog, om den heta solen och slätten och den bruna floden som virvlar och forsar. Och när jag vaknade i dag på morgonen, kände jag på mig att jag aldrig ska få se det landet igen.«

»Jo visst ska du få det«, sade Dina. »När vi har räddat pappa, kommer han att ordna den saken. Han kan ordna allting. Du ska fara på en båt till vilken hamn du själv vill, och sen blir du riktigt fri igen. Riktigt fri i ditt eget land.«

»Nej«, sade Puman sorgset. »Jag kommer aldrig att återse skogen.«

»När pappa får höra hur mycket du har hjälpt oss«, sade Dorinda, »kommer han att göra vad som helst för dig. Å, se inte så ledsen ut!«

»Man kan inte bli annat än ledsen när man vet bestämt att något sorgligt ska hända«, sade Puman. »Men tänk inte på mig nu. Tänk på er pappa som väntar på er.«

»Du åt ingenting till frukost«, sade Dina. »Jag förstod nog att det var något på tok.«

Herr Gitarr uppenbarade sig nu med en elektrisk lykta i ena handen och sin värjkäpp i den andra.

»Framåt!« ropade han. »Framåt!«

»Vänta ett tag«, sade Dorinda. »Jag ska bara hämta något.«

Hon återkom strax med Pumans biffstek, insvept i en servett, som hon gav Dina att bära, och den stora påsen med choklad-praliner, som hon bar själv.

»Det vore dumt att lämna de här«, sade hon. »Det är säkert ett och ett halvt kilo kvar.«

Herr Gitarr stängde lönndörren i väggen efter dem och gick sedan först. De smala och branta stentrappstegen var urholkade i mitten av mycken nötning. Dina räknade dem: det var trettio-sex. Sedan kom de till en smal gång mellan stenväggar. Den

var svart och mörk och luften kändes kall och luktade unken.
Den ledde till en spiraltrappa, vilkens steg gick neråt i mörkret
som en korkskruv och var sjuttiotvå till antalet. Ett rep som
var fästat vid järnringar i väggen gjorde nedstigandet lättare,
och här och där fanns en smal springa i muren som släppte in
en smula ljus. Trappan slutade framför en dörr, i vars lås satt
en väldig nyckel av järn. Låset var nyoljat och kunde öppnas
utan svårighet.

De befann sig nu i en bredare gång som sakta sluttade ner-
för och var ganska väl upplyst av smala skottgluggar i muren.
Stengolvet var fuktigt och halt. Ett par meter från dörren fanns
ett anslag, på vilket det stod:

XUA TOCKASH

»Det betyder: Till fängelsehålorna«, sade herr Gitarr. »Vi när-
mar oss.«

Femtio meter längre fram kom de till två nya anslag, på
vilka stod att läsa:

XUA TOCKASH   XUA TOCKASH
1–100   100–200

De fortsatte rakt fram, men nu kände de sig varsamt för och
gick mycket försiktigt. Gången var uthuggen i själva klippan,
och väggarna var skrovliga och fuktiga att ta på. Det fanns
inget ljus här, men lyktan lyste på små järnbeslagna dörrar,
var och en med ett nummer på. Nummer 200 var den allra
sista i gången.

Dina och Dorinda var nu så upphetsade att de darrade, och
herr Gitarr själv var så upprörd att det tog honom en lång stund
att hitta den rätta nyckeln på hovmarskalkens nyckelknippa.
Dina måste hålla lyktan och Dorinda värjkäppen medan han
sökte reda på den. Till slut hittade han den – det fanns en

huvudnyckel för cellerna med udda nummer och en för dem som hade jämna nummer – och med skälvande fingrar öppnade han dörren.

En skepnad som satt på en hög säckväv i ett hörn av fängelsehålan sade trött:

»Vad vill ni nu då?«

»Pappa!« ropade Dina och Dorinda på en gång. »Pappa!« Innan han hann resa sig upp låg de på knä bredvid honom med armarna om hans hals och försökte tala om för honom hur glada de var att återse honom och hur ledsna de var för att han fått utstå så mycket. De berättade i munnen på varandra hur de hade lyckats finna honom och vem herr Gitarr var, och vem Puman var, och vilka äventyr de hade haft och hur de nu skulle rädda honom, nästan med detsamma, fastän de ännu inte riktigt visste hur, och en mängd andra saker dessutom.

Efter mycket besvär och många frågor lyckades major Rytter få en smula reda i deras historia, men ändå kunde han inte komma över sin häpnad att se dem. Han var djupt rörd över deras stora kärlek som förmått dem att företa en så farlig resa, och full av beundran för deras mod och företagsamhet. Men när han fick höra att de lämnat Medelby utan sin mammas vetskap och utan att ens säga adjö till henne, blev han ledsen på dem och sade strängt:

»Det var mycket orätt gjort av er. Mycket, mycket orätt. Jag är verkligen bedrövad att höra det.«

»Allt blir nog bra, ska du se, finfint och bra, bara vi har befriat dig«, sade Dorinda.

»Er stackars mamma«, sade major Rytter. »Tänk att ni ville föra henne bakom ljuset och ge henne detta nya bekymmer när hon redan var så djupt bekymrad – jag kan inte förstå hur ni kunde göra det.«

»Det är precis som om vi vore hemma igen«, sade Dina missmodigt. »Så snart vi gör något som vi tror är riktigt bra, så visar det sig nästan alltid vara något extra illa.«

»Jaa«, sade Dorinda, »vårt liv har varit fullt av missräkningar, det kan man verkligen säga. – Men varför har du låtit skägget växa, pappa? Det klär dig inte.«

»Sen de tog ifrån mig min rakkniv«, sade major Rytter, »så har jag inte haft något val.« Sedan började han mycket artigt tala med herr Gitarr, och fastän han ännu kände sig ganska besvärad av Pumans närhet, ansåg han att det hörde till god ton att stryka henne över huvudet. Men varken han eller Puman hade någon glädje av det.

Dina och Dorinda synade under tiden fängelsehålan och blev förfärade över att deras pappa hade blivit instängd på ett så otäckt ställe. Hålan var ungefär tre meter lång och två och en halv meter bred, och väggarna och taket utgjordes av själva klippan som slottet var byggt på. Det fanns ingenting i denna cell utom en låg träsäng med ett par gamla filtar och så ett par blecktallrikar och en trasig emaljmugg och säckväven som majoren satt på. Yttermuren var åtminstone en meter tjock, men en glugg, omkring femton centimeter i fyrkant, hade huggits ut i den för att släppa in en smula ljus, och ljus kom också från ett gapande hål i golvet.

Detta var belagt med grova stenhällar. Tidigare hade det funnits en annan cell under denna, till vilken man förr endast kunnat komma genom att lyfta upp en ringförsedd stenplatta i golvet, men ytterväggen i denna undre håla hade vittrat bort, blivit uppfrätt av frost och regn som letat sig in genom sprickor i klippan, och nu låg den öppen som en grotta. Stenen i golvet som hade täckt nergången hade också försvunnit, och genom hålet i golvet trängde vinden in i häftiga stötar.

En enkel stege – en stadig påle med träslåar fastspikade på tvären – ledde till den undre hålan, och Dina och Dorinda klättrade nerför den för att se hur där såg ut. Då de försiktigt tittade sig omkring från den öppna sidan, såg de över och under sig den kala klippan lodrät och slät. Utsikten var storartad, men de förstod genast att det den vägen inte fanns någon möjlighet till flykt. De kände en lätt svindel när de tittade ner i dalen djupt under sina fötter.

När de kom upp igen i den övre hålan, fann de sin far ivrigt sysselsatt med att studera herr Gitarrs plan över slottet.

»Jag delar er åsikt«, sade han till herr Gitarr, »att det bästa vi nu kan göra är att återvända till greve Hulahus rum och därifrån försöka osedda smyga oss in i festsalen och gömma oss bland möblerna tills natten faller på. Har vi sen tur, kanske det blir möjligt för oss att komma ut ur slottet i skydd av mörkret.«

»Det är bäst att vi ger oss av med detsamma«, sade herr Gitarr. »Vi har ingen tid att förlora.«

»Kom då«, sade major Rytter. »Är ni färdiga, barn?«

»Chokladpralinerna«, sade Dorinda. »Var har de tagit vägen?«

»Där«, sade Dina.

»Vem har ätit upp dem? Det finns nästan inga kvar.«

»Ja, inte jag«, sade herr Gitarr.

»Inte jag heller«, sade major Rytter.

»Å!« utropade Dorinda. »Det är ett hål i påsen! De måste ha trillat ut på vägen!«

»Det kan ingen hjälpa«, sade majoren. »Vi har viktigare saker att tänka på nu. Eftersom ni känner vägen, herr Gitarr, så kanske ni vill vara snäll och gå först.«

»Vi måste gå tyst och fort«, sade herr Gitarr. »Håll er tätt tillsammans, gör inget buller och var beredd på vad som helst!«

Han tog några steg mot dörren, men innan han hunnit fram, slogs den häftigt upp, och två soldater trängde in med gevären höjda. Andra soldater syntes bakom dem.

Och sedan inträdde en ännu mer hotfull och skräckinjagande skepnad. Det var greve Hulahu Blod, och på hans läppar lekte ett triumferande hånleende.

34

H A N S praktfulla vita uniform var ganska skrynklig och han hade inte rakat sig. Efter avrättningarna i Lodoban hade han genast återvänt till Miko utan att ge sig tid att äta frukost – han hade haft några smörgåsar med sig – och därför hade han kommit tillbaka betydligt tidigare än herr Gitarr ansett möjligt.

Han gick raka vägen till sitt sovrum för att ta sig ett bad och äta några chokladpraliner. Han fann då att påsen hade försvunnit, men på golvet i badrummet låg en ensam pralin. Då han sedan öppnade dörren i väggen fann han en till på tredje trappsteget. Han tillkallade genast några soldater, och tillsammans med dem följde han spåret. Det ledde fram till fängelsehålan nummer 200.

Med ett otäckt segervisst leende i sitt gula ansikte ryckte han till sig påsen från Dorinda och stoppade i sig en sju, åtta chokladpraliner, den ena efter den andra. Ingen vågade säga ett ord.

Därpå höll han ett tal.

»Uki esi sti ki refai ont assi«, sade han. »Dun ki refai ont reak. Amsi vendeliti esi sti rusovel dun masi nov el Nagsali Rytter. Lapruce ki sifa esi nemi sornireps. Ki bili sornireps. Ki bea hundossat nov sornireps. Setse eni nov nemi boschbi a renti met. El remo el rerimer! Eri esi sti, dun eri esi nesratted dun tro nulit esi sti troms! Ha-ha-ha!«

Han gav sina soldater befallning att kroppsvisitera de nya fångarna, och från herr Gitarr tog de hans värjkäpp, hans reservoarpennedolk, hovmarskalkens nycklar och alla pengar han hade. Men varken Dina eller Dorinda hade något som ansågs värt att ta.

Därpå klämde greve Hulahu på dem allesammans för att

undersöka hur feta de var, skrattade än en gång och sade:

»Esi sirs kum kum rithenn tavan glon, nemi sornireps!«

Och så stoppade han de sista chokladpralinerna i munnen och lämnade dem plötsligt. Soldaterna följde efter honom, och dörren stängdes.

»Nu«, sade herr Gitarr, »är vi alla fångar, och jag har blivit av med min värjkäpp och min reservoarpennedolk. Jag fick aldrig något tillfälle att använda dem.«

»Pappa«, sade Dorinda, »finns det några råttor i din fängelse-håla?«

»Nej, inga alls«, svarade han sorgset.

»Det var synd det, för jag har med mig lite ost att tämja dem med, och den har jag kvar.«

»Var är Puman?« frågade Dina.

Puman hade med ögon som var skarpare än deras sett dörren öppnas innan någon annan lagt märke till det, och med ett snabbt och tyst hopp hade hon försvunnit genom hålet i golvet ner i den undre fängelsehålan.

Dina fann henne liggande längst ut på kanten, där väggen rasat ner och klippan stupade lodrätt. Hon tittade upp mot himlen.

»Är vi fångar igen?« frågade hon utan att vända på huvudet.

»Jag är rädd för det.«

»Har du en näsduk? Kom hit då och vifta med den.«

»Varför det?« frågade Dina.

»Ser du den där pricken på himlen? Jag tror det är Falken. Han kan inte se mig här, för vi är i skuggan, men han ser kanske något vitt som rör sig.«

Dina böjde sig ut så långt hon vågade och viftade med sin näsduk.

»Den är nog inte precis så ren«, sade hon.

Några minuter därefter kom Falken nedsvepande på sina starka och snabba vingar, flög först förbi öppningen, gled sedan fram i en vid krets och kom in till dem. Han lyssnade under djupt allvar till deras berättelse och frågade därpå:

»Vad kan jag göra för att hjälpa er?«

Efter att ha funderat en liten stund sade Dina:

»Vi har inga pengar. Pappa har inga, och de har tagit herr Gitarrs plånbok. Vårt enda hopp att komma tillbaka till England, om vi lyckas rymma, är därför att vi gömmer oss i en av de tomma möbelvagnarna. Herr Gitarr har sagt att de ska skickas tillbaka till firman som äger dem.«

»De står ännu på yttre borggården«, sade Falken. »Alla är inte avlastade ännu.«

»De blir nog körda tillbaka till stationen och kanske inväxlade på ett sidospår«, sade Dina. »Kan du hålla ett öga på dem och låta oss veta var de finns?«

»Det är mycket lätt«, sade Falken. »Vad kan jag göra mer?«

»Kom och håll oss sällskap ibland«, sade Puman. »Det är tråkigt att vara fången igen.«

»Jag är ledsen för er skull«, sade Falken. »Men förlora inte modet. I morgon ska ni se att det ljusnar!«

»Jag undrar det!« sade Dina och kände sig plötsligt olyckligare och sorgsnare än någonsin. Hur bedrövligt hade inte alla deras planer misslyckats! Deras iver, deras tillitsfulla hopp att kunna rädda sin far hade fallit samman som en spräckt ballong. Nu var de alla fångar, och vad hade de väl för hopp att kunna komma ut ur detta avskyvärda slott, komma undan tyrannen Hulahu och alla hans beväpnade soldater? Hon kände hur det blev hett och fuktigt i hennes ögon, hennes läppar darrade, och en känsla av förtvivlan fick makt med henne. »Nej, nej«, sade hon till sig själv, »jag vill inte gråta. Jag kanske får sitta fången i hela mitt återstående liv, men gråta ska jag inte göra! För om greve Hulahu fick höra att jag hade gråtit, skulle han bli mycket glad. Och inte vill jag göra något för att han ska bli glad!«

Hon vände tillbaka till den övre hålan och satte sig där vid sin fars sida på säckvävshögen. Ingen sade just något, och när mörkret föll på, gjorde de det så bekvämt åt sig som möjligt och försökte sova. Med bara en filt mellan sig och stengolvet låg inte Dina och Dorinda något vidare skönt, fast Puman var en god huvudkudde. Lyckligtvis var natten ännu ganska varm, men ibland trängde häftiga vindstötar upp genom hålet i golvet, och det lät som gastars tjut i fjärran.

På morgonen kom en soldat in till dem med en stor tillbringare ärtsoppa, en grov råglimpa och en hink vatten.

»Usch! en sån otäck frukost«, sade Dina.

»Det är inte bara frukost«, sade major Rytter. »Det här är vår mat för hela dagen.«

»Menar du att vi inte ska få någonting mer förrän i morgon?« frågade Dorinda.

»Ingenting mer.«

»Men jag vill ha mycket mer, för jag är hungrig!« Och Dorinda rusade plötsligt fram till soldaten och sparkade honom hårt på benet.

Han var en stor karl med ett tjockt och rött ansikte, och att bli sparkad på benet gjorde honom ingenting, för han hade träben. Han pratade med herr Gitarr på brett landsmål och berättade att han hade en dotter som liknade Dorinda. Han hade sju döttrar allt som allt och fem söner.

»Tror ni de skulle vara nöjda med lite ärtsoppa till både frukost, middag och kväll?« frågade herr Gitarr, som talade bombardiska.

»Nej, bevare mig väl«, sade soldaten. »De är alltid hungriga som vargar.«

»Det är de här barnen också«, sade herr Gitarr. »Vad kan ni ge oss mer?«

Soldaten avlägsnade sig och kom efter en stund tillbaka med två stora korintbullar.

»Tack ska ni ha«, sade herr Gitarr. »Kan ni nu ge oss några fler filtar också? Vi frös i natt.«

Soldaten tog av sig sin hjälm och rev sig i huvudet. Efter en liten stund sade han:

»Jag ska väl se vad jag kan göra.«

»Vi bombarder är inte något grymt folk«, sade herr Gitarr när soldaten gått. »Det är bara den där skändlige greve Hulahu som förmår folk att begå alla gräsligheterna.«

Längre fram på dagen kom soldaten till dem med tre gamla hästtäcken. De var smutsiga, men varma och tjocka.

»Tror ni«, sade Dina, »att han skulle vilja ge oss lite tvål?«

Men soldaten bara skrattade, när han hörde det.

»Tvål är bara för de rika«, sade han, »inte för fångar.«

Två dagar därefter kom greve Hulahu ner till dem igen, stannade en halvtimme, åt chokladpraliner hela tiden ur en påse som hans adjutant bar – adjutanten var en lång ung man med rött hår och skelande ögon. Även denna gång klämde han på dem allesammans för att känna om de blivit magrare. Han höll samma tal som han hade hållit förut och gick sedan sin väg med ett bullersamt skratt.

»Vad sa han?« frågade Dina.

»Precis detsamma som häromdagen«, sade herr Gitarr. »Att han inte vet vilka vi är och inte bryr sig om det heller. Vi är hans fångar, och det är nog för honom. Han tycker om att ha fångar, och ju fler han får, desto gladare är han. Han är en underlig karl, den där Hulahu.«

Dag följde på dag, och alla dagar var lika långa och tråkiga, alla nätter lika kalla och ruskiga. De plågade sig med att försöka tänka ut flyktplaner, men ingen kunde hitta på något sätt att ta sig ut ur fängelsehålan och än mindre ur slottet. Major Rytter var visserligen glad att ha fått sällskap, sedan han varit ensam så länge, men han var oroligare för sina små flickor än han någonsin varit för sig själv, och Dina och Dorinda längtade förfärligt hem. Till och med fröken Tjatlunds tråkigaste lektioner föreföll dem nu i jämförelse med fängelsehålan som stunder av verklig lycka. Herr Gitarr hade mist allt sitt glada stridshumör sedan hans värjkäpp hade tagits ifrån honom, och han satt för det mesta med huvudet stött i händerna.

Var tredje dag hade den rödhårige soldaten vakt, och då fick de alltid några korintbullar, men alla de andra dagarna fick de bara kall ärtsoppa, svart bröd och vatten. De var alltid hungriga, och för varje dag som gick, blev de smutsigare och smutsigare.

Puman låg för det mesta längst framme vid kanten i den undre cellen och blickade ut över de stora vidderna och ner i det branta djupet. Falken kom regelbundet och besökte henne, och de satt och pratade med varandra, som de hade brukat när de båda var fångar i baron Dagobert Druvas djurpark. Falken hade visserligen rymdens hela frihet, men eftersom han var deras vän, betraktade han sig nästan som fånge liksom de och blev för var dag dystrare, även han. Han berättade att möbelvagnarna nu var avlastade och förda till järnvägsstationen. De hade växlats in på ett sidospår, ungefär åtta kilometer från Miko, där de väntade på att bli inkopplade i ett tåg som skulle föra dem tillbaka till England. Men då ingen av fångarna begrep hur de skulle kunna ta sig ut och ända bort till den avlägsna stationen, ägnade de inte mycket intresse åt vad Falken hade att berätta.

Herr Gitarr försökte bli god vän med soldaterna som bar in maten, men ingen av dessa vågade hjälpa dem.

Ungefär varannan dag kom greve Hulahu och tittade på dem, kände på deras armar och revben om de blivit något magrare än förut och skrattade åt dem. En gång hade han med sig en fotograf som fotograferade dem. Han ägnade mycken tid åt att i stora album ordna fotografierna av alla sina fångar och av alla de personer han lät skjuta.

Nätterna blev kallare, och nu regnade det nästan varenda dag.

35

E N dag då puman som vanligt låg längst ute på kanten i den undre fängelsehålan och Dina just tänkte klättra nerför stegen för att sätta sig hos henne en stund, såg hon sin vän rycka till och hastigt vända på huvudet inåt cellen. Håret på Pumans hals reste sig, och hon blottade med en lätt morrning sina tänder.

Från den övre fängelsehålan tittade Dina åt samma håll som Puman och såg till sin häpnad att en stenplatta i det undre golvet rörde lite på sig. Den ena kanten höjde sig långsamt en knapp centimeter och föll sedan ner igen. Samtidigt hörde hon något som liknade ett dämpat ljud av främmande röster, fast hon inte var säker på vad det var. Medan hon undrade vad hon skulle göra, höjde sig stenplattan igen, och nu kunde ingen missta sig på att den rörde sig. Den lyftes upp på ena kanten en två, tre centimeter och föll åter tillbaka med en duns. Med ens var Puman på fötter och morrade än en gång sakta.

»Puma, Puma!« viskade Dina oroligt. »Kom hit! Kom genast!«

Efter ännu en blick bakom sig kröp Puman hastigt uppför stegen, lade sig på golvet bredvid Dina och tittade ner i det undre rummet.

»Pappa! Herr Gitarr! Dorinda!« viskade Dina. »Var tysta och kom hit! Gör inte något buller!«

De låg allesammans på golvet och kände sina hjärtan bulta mot stenhällarna i våldsam spänning, medan de tittade ner genom hålet i golvet. Stenplattan höjde sig åter, en femton centimeter denna gång, och de hörde en röst säga: »Hi å hej! Nu går hon! Hi å hej! Upp ska hon!«

»Han talar vårt språk«, viskade major Rytter. »Vem kan det vara?«

Nu höjde sig stenplattan där nere ännu mer, och de kunde se två par armar – gamla, magra, seniga armar – skjuta på. Den balanserade ett ögonblick på ena kanten och föll sedan bakåt med en skräll.

De hörde en röst från djupet där nere, en gammal, pipig, spräckt röst, som glatt förkunnade:»Ja, nu är ett nytt hinder övervunnet, du Strong! En ny gång är grävd, en ny väg är klarad. Gud bevare drottningen, vän Strong!«

»Gud bevare drottningen, Kalle Knekt«, svarade en annan röst, som också lät gammal, men djup och sträv.»*Ubique* är i sanning vårt motto, Kalle Knekt. Vi tar oss fram överallt!«

Sedan hörde de hur de båda gamla skrattade, och den ene av dem började sjunga en sång som den andre stämde in i. Orden var dessa:

Gräv, gräv, gräv, gräv bara på,
tills armarna knappast mera förmå!
Vi gräva om dagen, om natten me',
och så gå vi framåt – *ubique.*
Och börja vi gräva, kan intet oss stoppa,
vi gräva så kvickt som en loppa kan hoppa.
Knack, knack, knack – vi knacka med flit –
undan med gruset – en tändsticka hit –
en laddning vi gjort oss av fin dynamit.
Pang! pang! pang! Det är Englands sappörer,
det är drottning Viktorias ingenjörer!

»Det var som katten!« sade major Rytter.»Det kan inte vara sant!«

»Tyst!« viskade Dina.»Här kommer de!«

Ur hålet tittade två små gubbar fram. Båda var alldeles flintskalliga med bara en liten frans av vitt hår ovanför öronen, och båda hade långa, vita och ganska smutsiga mustascher. Deras ansikten var skrumpna och hade djupa fåror, men deras ögon, som var blå som ett sommarhav, lyste ännu klara. De var klädda i lappade och urblekta blå byxor, grå skjortor och breda, röda hängslen.

När de tagit sig upp på golvet i den undre fängelsehålan, gick de bort till den öppna sidan och tittade ut.

»Vilken härlig utsikt, du Strong«, sade den ene av dem.

»Underbart vacker«, sade den andre. »Det finns ingenting bättre än att vara sappör, Kalle. Det lär en att sätta värde på allt det sköna i världen. Har man i flera veckor varit nere i jordens innandöme, kommer man upp med nya ögon, friska och ivriga att glädja sig åt naturens under.«

»Alldeles sant, Strong, och mycket väl uttryckt, skulle jag vilja säga.«

Nu lutade sig major Rytter ner från den övre fängelsehålan och ropade plötsligt till dem:

»Mina herrar, vilka är ni?«

De små gamlingarna blev ganska förskräckta, och herr Strong skulle ha fallit utför stupet, om inte hans vän hade gripit tag i honom.

Major Rytter fortsatte:

»Vi är engelsmän liksom ni. Vi är fångar, och jag har varit här länge. Jag är major Rytter vid Kungliga Lätta Infanteriet, och de här« – han pekade på de andra, som de båda gamlingarna bara kunde se huvudena av – »de här är mina döttrar och en vän till dem, herr Gitarr, och ännu en annan av deras vänner, som råkar vara en puma.«

»Major?« sade den ene av de gamla männen. »Sa ni att ni var major?«

»Ja, så är det.«

»Och här står vi i våra hängslen«, sade den andre gamle mannen. »Kära hjärtanes!«

»Förlåt om vi drar oss tillbaka ett ögonblick!« sade den förste. Och innan någon hann svara hade de försvunnit genom hålet i golvet.

»Vad kan det vara för några?« frågade Dorinda.

»Tror ni de kommer tillbaka?« undrade Dina.

»Det är bäst vi går ner i den undre cellen«, sade major Rytter. De klättrade nerför stegen, och strax därpå dök de båda små gubbarna upp igen. De hade nu på sig blå vapenrockar lika gamla och lappade och urblekta som deras byxor, och låga soldatmössor av en modell som användes för länge, länge sedan. När de kom upp ur hålet igen, ställde de sig bredvid varandra i mycket stram givakt och gjorde högtidlig honnör för major Rytter.

»Vi önskar er välkommen hit«, sade de. »Har ni lust att inspektera vårt arbete?«

»Det ska bli mig ett stort nöje att få se på det«, sade major Rytter. »Men ni vill kanske ha vänligheten att presentera er först? Ska vi inte sätta oss, fast jag är rädd att det inte finns något annat att sitta på än golvet.«

»Jag heter Strong«, sade den ene av de båda gamlingarna, »och det här är min redbare vän Kalle Knekt. Vi är sappörer, ringa, men trogna soldater i Hennes Majestäts Kungliga Ingenjörkår.«

»*Hans* Majestäts, menar ni«, sade major Rytter.

»*Hennes* Majestäts«, sade soldat Strong nästan förargad. »Vi tjänar Hennes ärorika Majestät Drottning Viktoria.«

»Men hon är död, vet ni väl. Hon dog för många år sen.«

»Död!« utropade soldat Strong.

»Död!« sade Kalle Knekt. »Är Drottningen *död!*«

»Äh!« utropade båda två. »Åh!« Och så brast de i gråt.

»Se så, se så«, sade major Rytter. »Det hände för mycket länge sedan, och nu är ni skyldiga hennes efterträdare tro och lydnad, och det är Hans Majestät konung Georg den sjätte.«

»Georg?« sade soldat Strong och torkade sina våta ögon med baksidan av handen. »Ett sånt utmärkt namn. Jag heter också Georg.«

»Och kungen har två döttrar«, sade Dorinda.

»Döttrar!« utropade Kalle Knekt och torkade också sina ögon. »Så underbart! Jag tycker om när folk har döttrar. Och hur glad vår älskade drottning skulle ha varit! Vet du, Strong, jag tycker detta kräver att vi på något sätt ger uttryck åt vårt trogna och undersåtliga sinnelag.«

»Det gör det«, sade soldat Strong.

Åter ställde de upp sig i stram givakt. De andra stämde in, och i fängelsehålan skallade och återskallade kungssången:

> Gud skydde vår nådige kung,
> Må han leva, vår ädle kung,
> Gud skydde vår kung!
> Gör honom segerrik,
> Lycklig och ärorik,
> städs sina fäder lik,
> Gud skydde vår kung!

»Jag undrar om det är klokt att ställa till så mycket väsen«, sade major Rytter, just som de skulle ta upp den andra versen.

»Väsen?« sade soldat Strong. »Kallar ni det att ställa till väsen när man sjunger kungssången?«

»Ja, ljudlöst kan man ju inte göra det.«

»Det vore sannerligen en ynklig och bedrövlig kungssång, om den inte hördes«, sade Kalle Knekt ogillande.

»Låt oss inte disputera om det«, sade major Rytter. »Jag skulle gärna vilja höra var ni är ifrån och hur det kommer sig att ni är här.«

»Det är en lång historia«, sade soldat Strong.

»Mycket lång«, sade Kalle Knekt.

»Det började med att vi grävde en sapp«, sade Strong. Sedan vände han sig artigt till Dina och Dorinda och förklarade: »En sapp är eller kan vara ett slags eller en sorts tunnel. Sådana brukas mycket vid militära företag, och vi som genom att hugga, gräva och spränga gör de här tunnlarna eller sapperna kallas sappörer. Har ni förstått det? Gott. Nå, min vän Kalle Knekt och jag höll just på att bygga en sapp, den längsta och vackraste vi någonsin gjort, fastän sen dess har vi förstås gjort andra som varit ännu mycket längre. Men olyckligtvis hände det sig så, att den sapp vi höll på att bygga kom att gå alldeles i fel riktning, inte mot fienden, utan bort från honom. Och när vi så till slut kom ut i andra änden, upptäckte vi till vår häpnad att kriget var över, att belägringen var hävd och att alla våra trupper hade tågat hem.«

»Vad var det för en belägring?« frågade major Rytter.

»Sevastopols förstås.«

»Sevastopols!« utropade Dina. »Men det var ju under Krimkriget, och Krimkriget var – ja, när var det, Dorinda?«

»Det var mycket, mycket länge sen«, sade Dorinda.

»Ja, förfärligt länge sen.«

»Än sen då?« sade Strong förargad. »Det är mycket som har hänt för länge sen. Faktiskt har det mesta hänt för länge sen. Och det är väl inte något illa med det?«

»Nää, det är det nog inte«, sade Dina. »Men ni måste vara mycket gamla.«

»Det är vi«, sade Kalle Knekt. »Mycket, mycket gamla.«

»Men det mår vi inte illa av«, sade soldat Strong.

»Tvärtom, enligt min mening«, sade Kalle Knekt.

»Vi står nog rycken ett par år till, tänker jag.«

»Lita på det!«

Pigga och glada reste de sig åter, bugade sig för de andra och sjöng muntert:

> Veteraner aldrig dö,
> aldrig dö, aldrig dö.
> Veteraner aldrig dö,
> bara ble-ekna li-ite!

Därefter fortsatte soldat Strong sin historia.

»Föreställ er oss«, sade han, »alldeles ensamma på Krim. Övergivna i ett främmande land, långt borta från England. Från hemmet och våra kära! Men förtvivlade vi? Inte ett ögonblick. Vi såg framför oss ett väldigt, oöverstigligt berg. Kunde det ens för ett ögonblick framkalla hos oss tvivel och bestörtning? Nej.

Vi grävde och grävde som sanna sappörer tvärs igenom det och kom ut på andra sidan. När vi såg jämn mark framför oss marscherade vi. Vi marscherade ofta, men jag måste erkänna att vi kände oss lyckligast när vi träffade på oöverstigliga hinder, för då kunde vi bevisa vårt yrkes förtjänster genom att gräva oss fram inunder dem.«

»Men vad levde ni på?« frågade Dina. »Hade ni pengar?«

»Att börja med«, sade Kalle Knekt, »hade Strong fyra shilling och jag hade två shilling och nio pence. Men det räckte inte så långt.«

»Och vad gjorde ni sedan?« frågade Dorinda.

»Vi slog våra kloka huvuden ihop«, sade soldat Strong, »och frågade: Hur ska vi kunna skaffa oss lite mer pengar? Det ledde oss till en annan fråga: Hur kan så många människor som möjligt lättast förmås att ge oss pengar? Och detta föranledde en tredje fråga: Vad är det människor i allmänhet mest lider av? Svaret på det var lätt. Av tandvärk och oro. Och då började min vän här, Kalle Knekt, att uppträda som tandläkare, och jag blev spåman.«

»Alldeles som professor Grodenius«, sade Dina.

»Vem är det?«

»En vän till herr Gitarr.«

»Jag har inte nöjet att känna honom«, sade soldat Strong.

»Vill ni spå mig?« frågade Dorinda. »Jag vill så gärna få veta om vi ska lyckas fly.«

»Har ni några pengar då?« frågade soldat Strong.

»Nej, inte ett öre.«

»Ja, då kan jag inte spå er. Har ni inga pengar, så går det inte. Jag kan inte ödsla bort min tid på er. Vad var det jag sa när ni avbröt mig? Jo, vi blev alltså tandläkare och spåman, och vårt livsuppehälle var säkrat. Fria från tärande bekymmer och väl försedda med pengar kunde vi använda vår mesta tid och kraft på vårt verkliga yrke – som naturligtvis är sappörarbete – och så drog vi oss så småningom norrut och sedan västerut, tills vi efter en synnerligen behaglig och händelserik resa, för det mesta bekvämt under jorden, slutligen kom fram till Bombardiets östgräns. Detta hände helt nyligen: åtta eller nio år sen, skulle jag tro. Vi har tillbringat en lärorik och angenäm tid här i landet, och det inte minst intressanta av våra företag har varit att driva en sapp rakt in i detta vackra slott.«

»Ett arbete som blivit i särskilt hög grad belönat genom att vi nu fått göra *er* bekantskap«, sade Kalle Knekt och bugade sig i tur och ordning för majoren, Dina, Dorinda och herr Gitarr.

»Men så underligt«, sade Dina, »att ni skulle komma just hit. Till den här fängelsehålan, menar jag.«

»Jag kan inte se något underligt i det«, sade Kalle Knekt.

»Inte jag heller«, sade Strong.

»Ni vet väl vad vårt motto är?« sade Kalle Knekt. »Det är *ubique*. Det finns flera sätt att uttala det, men jag tror mitt är det rätta: U-bi-kve.«

»Så uttalar jag det också«, sade Strong.

»Som ni vet, betyder *ubique* överallt«, sade Kalle Knekt. »Och eftersom vår vana är att gå fram överallt, varför skulle vi då inte komma hit också?«

»Det skulle ha varit mycket underligare om vi inte hade gjort det«, sade soldat Strong.

»Ni borde tänka er för lite bättre innan ni talar, och försöka undvika oöverlagda påståenden«, sade Kalle Knekt.

»Förlåt«, sade Dina. »Jag tänkte mig inte saken på det sättet.«

»Om ni vore sappör«, sade soldat Strong, »fick ni lära er att tänka på allting på alla sätt.«

»Vad jag tänker på«, sade major Rytter, »är om vi ska kunna använda er sapp för att ta oss ut ur slottet.«

»Det är klart att ni kan det, om ni vill komma ut.«

»Ja, det vill vi verkligen!«

»Varför har ni inte sagt det förut? Kom då!«

Innan någon hunnit säga ett ord, hade Strong hoppat ner i hålet, ögonblicket därpå följd av Kalle Knekt, som i detsamma han försvann ropade till dem:

»Sista man lägger stenen på sin plats!«

36

»D E T är konstiga kurrar«, sade major Rytter, »men vi har inget annat val än att lita på dem.«

»Nej, och inte har vi något att förlora på det«, sade herr Gitarr.

»Gå ni först då, så ska jag lägga tillbaka stenen. Det är det minsta vi kan göra för att säkra oss mot förföljelse«

Gången var beckmörk och på sina ställen så låg, att ingen av dem utom Puman kunde gå rak. Den slingrade och krökte sig, var ibland trång, ibland förvånande bred. På högra sidan var klippväggen skrovlig och ojämn, på den vänstra mötte deras trevande händer ibland kall, våt lera. Det var tydligt att männen hade funnit en långt utdragen, sammanhängande släppa i berget som slottet stod på.

Fast herr Gitarr varit den förste som trängt ner i gången var det Puman som tog ledningen så snart de gått ett par steg. Hon var den enda som kunde se i mörkret. Dina följde henne hack i häl och höll henne i svansen. Bakom Dina kom herr Gitarr, sedan Dorinda och sist av alla major Rytter. Mörkret var ogenomträngligt, ingenstans lyste den minsta ljusstrimma in, och snart började de undra om de gamla gubbarna hade övergivit dem och lämnat dem åt deras öde att vandra och vandra och kanske gå hopplöst vilse i bergets svarta innandöme. Ingen sade något om denna fruktansvärda misstanke, men den rörde sig hos dem alla. Snart visste de inte längre åt vilket håll de gick, de visste bara att gången sluttade utför.

Och då, efter en ny krök, skymtade de ett ljussken, och där satt de båda gamlingarna på var sin sten med en lykta mellan sig.

»Skynda på lite«, sade soldat Strong. »Var har ni varit så länge?«

»Vi trodde att ni hade bråttom att komma ut härifrån«, sade Kalle Knekt. »Men i stället för att raska på går ni här och sölar.«

»Inte ens med en lykta till hjälp hade det varit lätt att ta sig fram«, sade major Rytter ganska andfådd, »och så kolsvart som här är, var det verkligen svårt att komma ur fläcken.«

»Svårt?« sade soldat Strong med ett skrockande skratt. »Då skulle ni ha sett några av de ställen Kalle och jag har tagit oss igenom. Det här är som en Storgata i jämförelse med många sapper som vi har fått nöja oss med.«

»Det är möjligt«, sade major Rytter, »men vi har tyvärr inte er enastående erfarenhet. Kanske ni vill tala om för oss var den här gången slutar?«

»Vid foten av kullen på andra sidan staden«, sade Strong.

»Vi råkade på en grotta där«, sade Kalle Knekt. »Det var grottan som väckte vårt intresse och gav oss idén att göra en gång under slottet. Hål i marken lockar oss alltid.«

»Men varför står vi här och ödslar bort tiden?« frågade soldat Strong. »Jag avskyr att sitta stilla och göra ingenting. Kom nu, allesammans!«

Förutom lyktan hade han med sig en hacka och ett reservskaft och en tung säck, medan Kalle Knekt bar en spade, en kofot och en reprulle. Men trots sina bördor rörde sig de båda gamla med stor hastighet, och de andra hade, fastän lyktan nu visade dem vägen, mycket svårt att hålla jämna steg med sappörerna. De var snart både upphettade och andfådda.

Så vandrade de en lång stund, och ofta stötte de sina axlar och armbågar mot de skrovliga väggarna. Dorinda blev till slut så trött att hon tyckte hon när som helst måste be om en liten stunds vila, men just då stannade plötsligt soldat Strong och höll lyktan tätt intill väggen.

»Titta på det här, du Kalle«, sade han.

Det syntes en lång, sned spricka i klippan, och när Kalle Knekt lade sin kind emot den, kände han ett litet luftdrag.

»Det finns något där på andra sidan«, sade han. »En gång, ett rum, en håla i berget, eller en annan sapp. Mycket intressant, eller vad tycker du?«

»Mycket intressant«, sade Strong. »Så underligt att vi inte märkte det här när vi högg oss väg uppöver. Men nu måste vi ta oss en ordentlig titt på det.«

Han öppnade säcken som han bar över axeln och som innehöll hans få personliga tillhörigheter, några paket bomullskrut, luntor och tändpatroner och ett stort slägghuvud. Snabbt och vant satte han fast detta vid reservskaftet och började liksom gripen av raseri att gå löst på klippan.

Major Rytter skrek av alla krafter för att göra sig hörd i larmet från hammarslagen:

»Är det alldeles nödvändigt att göra det där nu? Jag vill gå vidare och äntligen komma ut ur denna fasansfulla grav. Jag måste få frisk luft!«

Soldaten Strong slutade att hamra och sade i ytterst högdragen och sträng ton:

»Det här lovar att bli något *högst* intressant. Att gå vidare utan att ta reda på om det finns någon möjlighet att spränga en sidosapp härifrån in i hjärtat av kullen vore en verkligt brottslig försummelse. Var god och avbryt oss inte i vårt arbete.«

Det blev snart tydligt att klippan på detta ställe var mycket tunn, nästan bara en skiljevägg, och efter en halv timmes kraftig bearbetning med släggan och kofoten hade Strong och Kalle Knekt gjort ett hål, stort nog att krypa igenom. Strong var den förste som gjorde försöket.

De andra följde efter och fann honom stå där med lyft lykta och beundra det välvda taket i en trång men välkonstruerad valvgång.

»Vackert!« sade han. »Är det inte vackert?«

»Ett ädlare verk av människohand har jag aldrig sett«, sade Kalle Knekt vördnadsfullt.

»Hur ska man förklara detta?« frågade majoren.

Herr Gitarr gäspade.

»Det är en helt vanlig hemlig gång«, sade han. »Alla slott i Bombardiet har hemliga gångar. Men jag är trött på att färdas så här under jorden. Jag är utledsen på tunnlar och sapper och klippväggar och lera. Jag vill ut!«

»Det vill jag också«, sade Dina.

»Jag tycker inte om lukten här«, sade Dorinda.

»Men vi måste väl i alla fall ta reda på vart den tar vägen?« sade Strong.

»Det måste vi, det är klart«, sade Kalle Knekt. »Jag skulle aldrig förlåta mig själv om jag försummade att undersöka varenda vrå av ett sådant fullkomligt prov på ingenjörskonst.«

»Kunde vi inte ta närmaste vägen ut först?« undrade major Rytter.

De båda gamlingarna svarade honom inte. Efter en hastig överläggning om de skulle ta till höger eller vänster skyndade de vidare framåt gången, och de andra hade all möda att behålla dem och deras lykta i sikte.

Vägen tycktes dem ändlös, och fastän de borde ha varit lyckliga vid tanken på sin flykt, kände de sig nedstämda och betryckta av den trånga gångens mörka skuggor och luftens unkna, fuktiga dunster.

Äntligen stannade de båda sappörerna, som nu var minst femtio meter framför dem. De hade i själva verket inget val, för de kunde inte komma längre. Den långa gången slutade här. De stod framför en liten dörr, en liten tjock och stadig dörr, förbommad med en järnstång.

37

»HÖR du, Kalle«, sade Strong, »ta hit släggan är du snäll.«

»Tänker ni bryta upp dörren?« frågade major Rytter.

»Jag ser inget annat sätt att komma på andra sidan om den«, sade Strong.

»Men ni kanske bryter er in på enskilt område.«

»Innan vi kommit igenom kan vi inte veta om det är enskilt område eller allmänt område«, sade soldat Strong, svängde sin tunga slägga och riktade ett fruktansvärt slag mot dörren. Den öppnade sig genast.

»Den var inte låst!« utropade han. »Så slarviga människor är!«

De befann sig nu i vad som tydligen var källaren i ett hus. Där fanns två stora hyllor fulla med vinflaskor, tre ölfat och en gammal cykel.

»Hör på«, sade major Rytter nervöst, »nu är det av största vikt att vi går mycket försiktigt fram. Jag tar själv ledningen. Följ mig och undvik noga att göra något buller.«

En stentrappa ledde från källaren upp till en dörr, som majoren öppnade utan svårighet, sedan han först tittat genom nyckelhålet och övertygat sig om att rummet på andra sidan var tomt. Det var inte lätt att säga vad för sorts rum det var. Det fanns så många böcker i det, att det gott kunnat vara ett litet bibliotek, men där fanns också en smal säng med en madrass på, men utan filtar, så det kunde möjligen vara ett gästrum. Och samtidigt fanns det åtskilligt smått och gott där inne, som kom det att verka skräpkammare, såsom en symaskin utan handtag, ett par skridskor, en mycket gammal grammofon med trasig lur, små höga kinesiska vaser, alla spräckta, och ett par hantlar som hängde på en träsköld. Men fastän Dina och Dorinda var djupt intresserade av alla dessa ting, var major Rytter alldeles likgiltig för dem. Med ena handen lyft för att bjuda tystnad lyssnade han spänt vid en dörr i bortre änden av rummet. Då de andra också lyssnade hörde de ett svagt mummel av röster. Som för att skydda major Rytter mot ett plötsligt anfall stod Puman med lyft huvud tätt bakom honom. Herr Gitarr, Strong och Kalle Knekt kom också närmare. Strong hade ännu sin tända lykta i handen.

I en hel minut stod de alla orörliga som en grupp figurer i ett vaxkabinett. Men sedan inträffade en högst olycklig händelse. Den översta delen av lyktan var vid det här laget nästan glödhet. Strong som ivrigt lutade sig framåt och inte tänkte på lyktan, märkte inte att den kom i beröring med Pumans svans.

Med ett vrål av förskräckelse och smärta tog Puman ett språng framåt. Med nedböjt huvud och uppskjuten rygg störtade hon mot dörren, tryckte in den och kom nedtumlande i rummet på andra sidan. Major Rytter, som försökte gripa tag i henne och hålla henne tillbaka, drogs med och tumlade omkull, då mattan som han satt foten på gled undan på det blanka golvet. Strong, Kalle Knekt och herr Gitarr ville inte lämna honom i sticket utan följde skyndsamt efter, och Dina och Dorinda rusade också fram till dörren, ivriga att se vad som hänt.

Vad de såg var så oväntat och förfärligt, att det tog andan ifrån dem. För där satt vid ett litet bord mitt emot varandra professor Grodenius och greve Hulahu Blod.

Greve Hulahu hade genom en lönngång, som förde från hans våning i slottet, kommit till professor Grodenius hus för att bli spådd. Just när Puman sprängde dörren, hade hans händer legat framsträckta på bordet med flatorna upp, och professor Grodenius spådde honom att han snart skulle anträda en lång resa.

Men greve Hulahus äventyrliga liv hade lärt honom att röra sig med stor snabbhet, och i nästa ögonblick var han på fötter. De händer som professorn nyss läst i, höll nu var sin revolver.

»Heneg onti hat oink!« viskade han hotfullt.

»In i hörnet där«, mumlade herr Gitarr tyst och förskräckt. Långsamt och motvilligt trängde de sig samman. Professor Grodenius satt med fingertopparna i munnen och stirrade på dem häpen och bestört, men greve Hulahu tog långsamt ett steg framåt och lät sin blick gå från den ena till den andra med ett bistert, skadeglatt leende. Han började tala helt långsamt på bombardiska och slicka sina rödblå läppar, och herr Gitarr översatte vad han sade, alltjämt i förskräckta viskningar.

»Först var det bara en« – han pekade med den ena revolvern på major Rytter – »och sen kom det tre andra, en karl och två flickor. Ni är mycket magrare än när jag först såg er. Jag tycker om att se mina fångar magra och hungriga, men jag tycker inte om att de kommer undan. Nej, nej! Jag är alldeles för fäst vid dem för att låta dem rymma sin väg. Men hur hittade ni hit? Var det de där små gubbarna, de där små dvärgarna som hjälpte er? Vad är de för några? Var har de kommit ifrån? Och var fick ni tag i djuret?«

Puman hade lagt sig framför de andra. Hennes stora ögon lyste olycksbådande, håret reste sig på hennes hals, och hon blottade sina tänder. Då och då morrade hon dovt. Plötsligt, när revolvern sänkte sig och tycktes hota henne, tog hon med ett vilt rytande ett språng rakt mot greve Hulahus strupe.

Två skott knallade med ett öronbedövande brak i det lilla rummet. Greve Hulahu vacklade bakåt och föll till golvet med Puman över sig. Under några sekunder tycktes de brottas med varandra, sedan låg greve Hulahu alldeles stilla, och Puman kröp med trötta och osäkra rörelser ett litet stycke bort från honom och föll över på sidan.

Major Rytter tog duken från bordet, där greve Hulahu suttit för att bli spådd, och kastade den hastigt över tyrannens lik. Dina föll på knä bredvid den döende Puman och lade hennes huvud i sitt knä, medan Dorinda bittert gråtande gömde sitt ansikte i hennes päls.

»Ja nu är det slut«, sade Puman stilla. »Nu vet jag varför fru Häxelin lät er rädda mig från hundarna. Jag tror att jag ända sen vi kom hit har känt på mig att något sådant här skulle hända, och det är väl därför jag har varit lite dystrare än jag brukar vara. Men gråt inte! Nästan alla av min ras dör i strid, och vad gör det om striden utkämpas här eller i mitt eget land!« Dina och Dorinda grät båda så häftigt, att ingen av dem kunde svara henne. Men den ena snyftade: »Jag tycker så mycket om dig, Puma!« Och den andra sade: »Jag tycker mer om dig än om någon annan i världen utom Dorinda.«

»Ni har givit mig vad jag älskar över allt annat«, sade Puman. »Ni har givit mig en kort tids frihet. Har jag betalat min skuld?«

Dina kände att det ädla huvudet blev tungt i hennes knä, och de klara ögonen beslöjades. En liten skälvning löpte genom den guldglänsande pälsen, och så var Puman död.

»Kom«, sade deras far milt, »kom, kära barn, ni får lov att lämna henne. Vi är ännu inte i säkerhet. Andra faror hotar oss här i huset, och vi måste bereda oss att möta dem. Säg farväl till den stackars Puman och kom sedan genast.«

Den andra dörren i professor Grodenius rum ledde till en liten hall, och bortom den låg salongen. Hallen var nu full av upprörda människor, de flesta kvinnor, som herr Gitarr försökte lugna. Herr Gitarr hade fullständigt återvunnit sin fattning och talade med en hög, förtroendeingivande röst, som dock knappast kunde höras, därför att nio eller tio av damerna skrek ännu högre än han. Först hade de blivit skrämda av skotten, sedan hade de blivit skrämda av att se främlingar i huset, och slutligen blev de skrämda av soldat Strongs och Kalle Knekts underliga utseende.

Professorskan Grodenius skrek högre än alla de andra, för hon trodde av någon anledning att professor Grodenius hade blivit skjuten. Sedan fick hon syn på honom i dörren, slog armarna om hans hals och svimmade. Hon var mycket större och tjockare än mannen, och hennes tyngd var mer än han kunde bära. De föll därför båda tungt till golvet, professorn underst.

När hennes vänner fick se detta, slutade de att skrika och

skyndade fram för att hjälpa henne. Då hördes från den övergivna salongen en annan röst. En röst som var gäll och pipig och mycket genomträngande. Det var en babys röst, och när kvinnorna fick höra den, glömde de genast professorskan Grodenius och knuffades för att så fort som möjligt komma in i salongen.

Professorskan Grodenius hade nämligen ställt till ett stort dopkalas just denna dag för sitt första barnbarn, och babyn ville naturligtvis inte bli lämnad ensam vid ett så viktigt tillfälle. Därför satte den lilla flickan i att skrika. Hon var bara sex veckor gammal, men hennes röst var så stark, att ingen kunde tvivla på att hon skulle skrika högre än alla andra kvinnor i Bombardiet när hon blev stor. På tre sekunder var hallen tömd, och endast professorn och hans fru låg kvar på golvet.

Major Rytter grep genast tillfället. Han skyndade bort till ytterdörren och öppnade den. Framför huset stod en stor bil, prydd med rosetter och vita band. Den var hyrd för dopgästerna.

»Dina och Dorinda!« ropade han. »Herr Gitarr, Strong, Kalle Knekt! Här gäller det att raska på! In i bilen!«

Strong och Kalle Knekt, som aldrig förr åkt bil, kände större lust att öppna huven och ta en titt på maskineriet än att stiga in, men herr Gitarr, som nu var full av nervös energi, knuffade in dem i baksätet tillsammans med Dina och Dorinda, slog igen dörren med en smäll och hoppade upp i framsätet bredvid major Rytter.

»Jag tror jag hittar vägen«, sade majoren.

»Ta av till höger här«, sade herr Gitarr, och de svängde i full fart runt ett hörn. »Nu är vi inne på stora landsvägen till Miko.«

Professor Grodenius hus var ett av dem som byggts på sluttningen strax nedanför slottet, och major Rytter körde utför den branta och halsbrytande sicksackvägen med sådan fart att varenda en som de mötte stannade och stirrade av förvåning, och alla de vita banden slog och smällde i vinden som vimplar på en kappseglare.

»Vi behöver inte köra genom staden«, sade herr Gitarr rätt

som det var. »Ta av till höger här och sen till vänster vid det där trädet. Då kommer vi till en liten avväg som leder nästan ända fram till sidospåret där möbelvagnarna står. Det vill säga, om de inte redan är borta.«

Tjugo minuter senare lämnade de bilen på en äng och gick över ett fält till en liten skog. Bortom den stod på ett sidospår ett kort godståg med de fem möbelvagnarna tillkopplade. Det låg ett ställverk inte långt därifrån, och en man lutade sig ut ur ett fönster och ropade något till en annan man på andra sidan spåren.

»Vi måste gömma oss här i skogen tills det blir mörkt«, sade herr Gitarr.

»Men hur ska vi komma in i vagnen?« undrade major Rytter. »De är säkert låsta allesammans.«

»Det finns en lucka i taket.«

»Har ni tänkt på att vi inte har någon proviant för resan?«

»Det skulle kanske smaka med en tårtbit?« sade Strong.

Han öppnade sin säck – både han och Kalle Knekt hade med sig alla sina verktyg – och tog upp en väldig glaserad tårta, som vägde minst fem kilo.

»Doptårtan!« sade herr Gitarr. »Hur fick ni tag i den?«

»Den stod på ett bord i rummet där babyn skrek«, sade Strong. »Jag kom händelsevis att titta in där, och när jag fick se den tänkte jag att den kunde komma bra till pass.«

»Att skaffa proviant har vi alltid varit styva på«, sade Kalle Knekt självbelåtet.

Just då kom Falken nedfarande till dem.

»Jag är mycket glad att ni har kommit«, sade han. »För jag tror att tåget ska gå i natt. Ett lokomotiv är på väg hit från Mikos station. Var är Puman?«

Dina och Dorinda, som ännu hade alldeles förgråtna ögon, berättade för honom vad som hänt. Han hörde på dem med djupt allvar och sade sedan:

»Hon var en god vän och hade ett ädelt hjärta. Det gör mig mer bedrövad än jag hade trott möjligt att hon är borta, och jag kommer att sakna henne mycket. Men för oss stora fåglar och vilda fyrfotadjur är det bättre att få dö i strid än att småningom bli trötta på livet och känna kraften förrinna under en lång sjukdom.«

Kalle Knekt, som hade strövat omkring lite i skogen, kom nu hastigt tillbaka och ropade:

»Strong, Strong! Kom och se vad jag har funnit!«

»Vad är det, Kalle?«

»Ett hål! Ett finfint, djupt hål! Kom och titta på det.«

Hålet, dit det inte var mer än trettio steg, liknade mest en påbörjad brunnsborrning.

»Det är ett sådant där hål som jag berättade för er om«, sade herr Gitarr till Dina och Dorinda. »Det måste ha grävts på den tiden då alla här i Bombardiet sökte efter skatter.«

Strong hade kastat sig på magen och tittade ner.

»Det ser ut att vara mycket djupt«, sade han. »Det var inget dumt fynd. Gör fast repet vid trädet där borta, Kalle. Jag går ner.«

»Det hinner ni inte nu«, sade major Rytter. »Det blir mörkt om en liten stund – tillräckligt mörkt för att vi ska kunna klättra upp i möbelvagnen – och tåget kan gå när som helst. Vill ni komma med oss tillbaka till England så får ni inte krypa ner i det där hålet.«

»England!« sade Strong. »Det vore förstås roligt att återse England. Där har nog mycket förändrats, sedan vi reste till Krim.«

»Jag hade alltid svårt att trivas med klimatet«, sade Kalle Knekt fundersamt, »och det har nog inte förändrats.«

»Jag har ännu en obetald skräddarräkning där«, sade Strong, »och den skulle nog kunna skaffa mig en del obehag.«

»Det här hålet«, sade Kalle Knekt, »är ett av de mest lovande jag sett på länge. Det skulle vara ett högst intressant experiment att gräva en gång från botten.«

»Vi känner nog inte så många i England numera«, sade Strong.

»Nej, inte är det många«, sade Kalle Knekt.

»Och det är högst osannolikt att vi träffar på ett finare hål än detta.«

»Högst osannolikt«, sade Kalle Knekt.

»Jag tror vi stannar här«, sade Strong, »och fortsätter med att gräva gångar, för det är ett yrke som vi har hållit på med så länge nu att vi liksom är vana vid det. Men om ni skulle träffa Hans Majestät Kung Georg den sjätte, så hoppas jag ni vill försäkra honom att vi är honom lika trogna som vi i så många år har varit Hennes Majestät salig Drottning Viktoria.«

»Och glöm inte att framföra våra vördnadsfulla hälsningar till de båda prinsessorna«, sade Kalle Knekt.

Sedan tog Strong repet som Kalle Knekt hade gjort fast vid ett träd i närheten, svängde benen över hålets kant och började fira sig ner.

»Farväl«, sade han, just som huvudet försvann.

Kalle Knekt följde efter.

»Farväl!« ropade han och syntes sedan inte mer.

Dorinda lutade sig över kanten och skrek:

»Ni har glömt doptårtan! Vad ska vi göra med den?«

»Ta den med er!« hördes en röst långt nerifrån hålet. »Vi reder oss ändå. Vi är styva på att skaffa proviant.«

En stund därefter hörde de dova ljud och gnissel från spade och hacka. De båda små gubbarna var redan i arbete. Sedan steg deras röster svagt och dämpat. De sjöng:

> Gräv, gräv, gräv, gräv bara på,
> tills armarna knappast mera förmå!
> Vi gräva om dagen, om natten me',
> och så gå vi framåt – *ubique.*
> Och börja vi gräva, kan intet oss stoppa,
> vi gräva så kvickt som en loppa kan hoppa.
> Knack, knack, knack – vi knacka med flit –
> undan med gruset – en tändsticka hit –
> en laddning vi gjort oss av fin dynamit.

Pang! pang! pang! Det är Englands sappörer,
den gode kung Georgs arméingenjörer!

En lång, gäll vissling följde på sången. Den kom ur fjärran.

»Lokomotivet!« ropade major Rytter och reste sig hastigt. De andra följde hans exempel och alla skyndade tillbaka till skogsbrynet. I det tätnande mörkret såg de ett lokomotiv backa ner på spåret och närma sig vagnarna som stod där.

»Det är knappast ännu så mörkt att vi kan krypa in i vagnen utan att bli sedda. Jag undrar var den står som vi ska resa i?«

Dina frågade Falken och fick till svar:

»Den som har lucka i taket är längst från lokomotivet.«

Och nu kopplades lokomotivet till tåget.

»Det är verkligen inte mörkt nog ännu«, sade herr Gitarr oroligt, »men vi får lov att ta risken.«

»Jag har fått en idé«, utropade Dina och sade något till Falken.

»Ha, ha!« skrattade han. »Det ska jag göra!«

Han höjde sig hastigt i luften och flög bort till tåget. Från en höjd av hundra meter störtade han sig sedan med starkt vingbrus och under hesa skrik ner mot lokomotivet.

Lokomotivföraren och eldaren och mannen från ställverket, som hade kommit dit för att koppla till lokomotivet, tittade upp med stor förvåning.

»Nu«, sade Dina. »Nu är det vår tur. De kommer inte att se på någonting annat.«

De rusade ner till järnvägsspåret, Dorinda med doptårtan i famnen, och kom fram till vagnen. Falken, som gång på gång höjde och sänkte sig, fängslade helt lokomotivförarens, eldarens och signalmannens uppmärksamhet. Till slut blev de förargade och började kasta kolbitar på honom, men dem undvek han lätt.

Major Rytter, Dina och Dorinda och herr Gitarr klättrade skyndsamt upp på vagnstaket, öppnade luckan och kröp in. Ingen såg dem. Falken gick under höga skrik en sista gång till anfall och försvann sedan i det tätnande nattmörkret.

Fem minuter därefter gick tåget.

38

»D ET är inte lika trevligt här nu, som det var sist«, sade Dorinda.

»Nej«, sade herr Gitarr. »Det var fina rum som Grodenius hade ställt i ordning åt oss bland möblerna. Det blir ingen lyxresa den här gången.«

»Tycker ni om att fara tillbaka till England igen?« frågade Dina herr Gitarr. »Jag menar att Bombardiet är ju ert eget land, och ni har inte hunnit se mycket av det, och om ni har några släktingar...«

»Alla mina släktingar flydde till utlandet när greve Hulahu blev vår tyrann«, sade herr Gitarr. »Somliga for till Sydamerika, andra till Sydafrika och några till Sydengland. Jag for till Medelby, och där har jag mina elever som jag tycker om att undervisa. Bombardiet är vackert, men England är så att säga förmånligare, och jag är verkligen glad att komma tillbaka dit. Jag önskar bara att de hade lämnat några soffor och stolar här i möbelvagnen.«

»Det kunde vara värre«, sade major Rytter.

»Det kunde vara mycket värre«, sade Dina. »Vi kunde ännu vara kvar i fängelsehålan. Om inte Puman hade räddat oss hade vi fått vända tillbaka till den.«

»Kom nu«, sade major Rytter, »och hjälp mig att bädda.«

I vagnen fanns en hög med säckväv, som möblerna varit omsvepta med, och rätt mycket träull också. De samlade ihop allt detta och ordnade sovplatser åt sig på golvet. De blev ju inte så mjuka, men ingen klagade, och efter allt vad de upplevt under dagen var de nu mycket trötta och somnade snart.

Tåget gick sakta och stannade ofta, varför resan hem tog lång tid. De hade ätit upp doptårtan innan de kommit till Frankrike, men den kvällen fann herr Gitarr i ett vagnslider vid en liten bondgård nära järnvägen en höna som låg på elva ägg, och dem tog han med sig i sin hatt. Tre av dem var skämda, men de åt de andra råa. De fick två var och blev genast lite piggare.

Kvällen därpå kom de ombord på tågfärjan, och då äntligen kände de sig riktigt trygga. För nu visste de med säkerhet att de var räddade och snart skulle vara hemma igen. När ångbåten lade ut blev de plötsligt vilda av glädje. De var hungriga och smutsiga och trötta, men det brydde de sig inte längre om. De var fria, de var på väg hem, och ingenting annat betydde det minsta.

Kanalen var lugn som en insjö, och herr Gitarr klättrade upp på major Rytters axlar för att öppna takluckan – det var på det sättet de tog sig ut numera: först herr Gitarr, efter honom Dina och Dorinda, och sist hjälptes majoren upp av dansmästaren, som fattade om hans uppsträckta armar och hissade upp honom. När de alla denna kväll satt i skuggan av den stora möbelvagnen, där ingen kunde se dem, steg månen fram bakom ett moln och lyste med klar silverglans. Den var mycket blek och alldeles stilla och underbart vacker.

»Minns ni«, sade major Rytter, »sista kvällen i Medelby, då jag packade och ni klättrade upp i äppelträdet och band fast klockor på grenarna? Det är precis ett år sen nu, och månen – kommer ni ihåg det? – hade den gången en ovädersring omkring sig, och jag sa er att när det blåste en ond vind på månen, kunde den, om ni var stygga, blåsa rakt in i era hjärtan och göra så att ni fortsatte att vara stygga ett helt år.«

»Ja, hela tiden har vi väl inte varit riktigt snälla«, sade Dina, »men vi har lärt oss en massa saker som vi inte skulle ha lärt oss om vi hade uppfört oss precis som man ska.«

»Och vi har haft hemskt roligt«, sade Dorinda.

»Och vi har räddat dig, pappa«, sade Dina.

»Ja visst«, sade majoren. »Och om jag undantar all oro ni orsakat er stackars mamma och alla de timmar ni helst borde ha varit i skolrummet med fröken Tjatlund, har jag just ingenting att gräla på er för.«

»Det skulle verkligen vara otacksamt att gräla på dem för att de har räddat er ur greve Hulahus fängelsehåla«, sade herr Gitarr.

»När jag var en liten pojke«, sade major Rytter, »måste jag lyda mina föräldrar i allt.«

»Jag tycker om att tänka själv«, sade Dina.

»Det gör jag med«, sade Dorinda. »Fast ibland är det förstås en plåga, men när det inte är en plåga tycker jag om det.«

»Det är alldeles lugnt på månen nu«, sade major Rytter fundersamt. »Så det där att tänka själva, som ni säger, kommer kanske inte hädanefter att få så ovanliga följder som under det gångna året.«

Sedan kröp de in i vagnen igen och försökte sova. Men nu var de alldeles för uppspelta för att kunna ligga stilla, och därför gav herr Gitarr dem en danslektion. Han lät dem dansa en skotsk polska tills de var alldeles utmattade, och när de sedan lade sig somnade de med detsamma. Och när de vaknade, stod deras tåg på järnvägsstationen i Dover.

»Och nu«, sade major Rytter med hurtig och munter röst, »ska vi gå till ett hotell och få oss ett bad och lite frukost. Jag ska också ringa till krigsministeriet och rapportera min hemkomst och till er mamma och tala om att vi är välbehållna och kommer hem i kväll.«

Så klättrade de ner ur möbelvagnen, och när de såg på varandra i morgonens klara ljus, började de skratta. För de var alla så smutsiga och sjaskiga och trasiga som fågelskrämmor. Major Rytter hade ett stort skägg och herr Gitarr hade ett litet skägg, och båda hade fullt med träull i håret, och det hade Dina och Dorinda också. Deras ansikten var smutsiga, deras kläder dammiga och sönderrivna, och ju längre de såg på varandra, dess högre skrattade de. Och just som de skrattade som bäst hörde de en barsk röst säga:

»Vad är nu meningen med detta? Vilka är ni, och var har ni kommit ifrån?«

De vände sig om och såg en lång poliskonstapel, som med rynkad panna betraktade dem. Major Rytter ville förklara saken, men polisen avbröt honom och sade:

»Det blir att komma med mig allesammans, så får ni berätta er historia för kommissarien. Och ställ inte till något bråk, för jag tycker inte om bråk, jag tål inte folk som ställer till bråk, såna gör mig bara rasande och ilsken. Så det är bäst ni följer med lugnt och beskedligt.«

Det lovade de att göra och marscherade i väg till polisstationen, som inte låg långt borta. Men sedan major Rytter talat ett par ord med poliskommissarien blev de behandlade med stor vänlighet, och medan majoren telefonerade gav polisen Dina och Dorinda och herr Gitarr var sin stor kopp choklad med bröd och marmelad.

Sedan kallade major Rytter poliskommissarien till telefonen, och poliskommissarien talade i flera minuter, mycket, mycket vördnadsfullt, för han talade med någon i krigsdepartementet, och efteråt ringde han upp ett annat nummer, och tjugo minuter senare uppenbarade sig på polisstationen en elegant klädd herre i plommonstop, svart jackett och randiga byxor. Det var kassören från en bank i Dover, och fastän han blev något häpen över major Rytters utseende, gav han honom ändå femtio pund, och major Rytter gav honom ett kvitto på summan.

Vid det laget hade de alla tvättat sig och såg en smula hyggligare ut, fastän inte mycket. De tog emellertid farväl av polisen och gick ut för att köpa sig nya kläder. Major Rytter och herr Gitarr gick sedan till en frisör för att bli rakade och få sitt hår klippt, och samtidigt fick Dina och Dorinda i en annan del av frisersalongen sitt hår tvättat och klippt. När klockan närmade sig ett var de alla så fina och prydliga som om de skulle bort på bjudning, och då begav de sig till ett hotell och åt en storartad lunch. Strax därpå tog de tåget till Medelby.

Varenda människa i hela Medelby var nere vid stationen för att möta dem, och när tåget bromsade in klev pastor Nådendal upp på en stadsbudskärra och ledde kören som sjöng »Här komma de segrande hjältarna hem«.

Fru Rytter och fröken Tjatlund var de första som välkomnade dem, och fru Rytter sade till majoren: »Älskade, vad du ser trött ut! Jag tror det är bäst att du får din frukost på sängen i morgon.« Och till Dina och Dorinda sade hon: »Är det inte underbart att ha pappa hemma igen! Ni ska ha tack för att ni räddade honom. Jag har förlåtit er all den förfärliga oro ni vållat mig.«

Men fröken Tjatlund sade:

»Ni har ofantligt mycket att ta igen nu, och jag hoppas ni är beredda att arbeta hårt med era läxor, för jag är beredd att arbeta hårt med er undervisning.«

Sedan kom alla och skakade hand med dem, och så bildade de en lång procession, som följde dem hem hela tiden sjungande den ena sången efter den andra. Utanför villan hurrade folket i Medelby tre gånger för dem och sedan en extra gång för deras framtida lycka, och därpå trädde konstapel Svärd myndigt fram och skickade hem dem allesammans. Men alla hade så mycket att tala om att varken Rytters eller någon annan i Medelby kom i säng den kvällen förrän efter midnatt.

Falken satt på fönsterbrädet, när Dina och Dorinda äntligen kom upp på sitt rum, och eftersom han suttit där och tänkt på Pumans död och känt sig sorgsen och ensam, hoppade han in till dem och sov den natten på spiselhyllan.

Men han hade redan flugit sin kos när de vaknade, och de såg honom sedan inte på länge.

39

DE fann det mycket svårt att återgå till sitt vanliga liv igen efter de äventyrliga veckorna i Bombardiet, men fröken Tjatlund gjorde vad hon kunde för att hjälpa dem, för hon gav dem lektioner från morgon till kväll varenda dag, utom söndag. På söndagen gick de till djurparken och hade långa samtal med sina gamla vänner där. De hade också med sig presenter till flera av dem, däribland en helårsprenumeration på en daglig tidning för Grissles räkning, ett par handbojor till herr Högman, giraffen, vilka kom honom att känna sig förfärligt viktig, och ett ljusblått sidenband till fröken Lil, strutsens lilla dotter, som nu sprang omkring och var en ständig plåga för herr Bobadill.

Genom att uppbjuda hela sin viljekraft lyckades de i två eller tre veckor vara så snälla, att deras mamma blev alldeles förtjust och fröken Tjatlund till och med då och då gav dem ett vänligt och nådigt leende. Men en dag sade Dorinda:

»Nu står jag inte ut längre!«

Och Dina sade:

»Inte jag heller!«

Och så smet de ifrån fröken Tjatlund och sprang till Lyckoskogen.

Det var en kall dag, hösten hade kommit, träden hade fällt sina blad, och deras långa, smala grenar avtecknade sig kala mot den molniga himlen. Fastän det bara var några veckor sedan de hade längtat så ivrigt att vara hemma igen och trott att ingenting annat behövdes för att göra dem fullkomligt lyckliga, kände sig nu både Dina och Dorinda så underligt nedstämda, och livet tycktes dem pinsamt enformigt. De saknade Puman och Falken, och de kände sig sårade över att Falken, som det tycktes, hade farit tillbaka till Grönland utan att ta farväl av dem.

De gick genom skogen utan att säga något, för de kunde inte

hitta på något att säga, och båda var uttråkade och ganska sura. Just då hörde de högt över trädkronorna det gamla välkända vingbruset, och när de tittade upp, såg de Falken. Han kom nedskjutande genom den kalla luften, snabbare än en fallande sten, och med vingarna lite utbredda. Han sänkte sig ungefär i jämnhöjd med deras huvuden, lyfte sedan åter, men endast så högt som trädtopparna, och innan någon visste ordet av flög han ner och satte sig på Dinas axel, balanserande med de halvt utspända vingarna som lätt smekte hennes kind.

De var överlyckliga att se honom igen och ställde en massa frågor till honom utan att ge honom tid att svara på en enda. »Vi trodde att du hade farit tillbaka till Grönland«, sade Dorinda.

»Jag ska snart fara«, sade Falken. »Alldeles som ni längtade hem, så längtar jag också hem. Jag drömmer ständigt om de stora bergen av is och snö, om det tillfrusna havet, om den kristallklara luften och om jakten efter lämlar och harar och ripor bland klipporna. Jag får ingen ro i min själ, förrän jag återser Grönland. Men jag har andra nyheter, må ni tro, större nyheter än denna. Jag flög tillbaka till Bombardiet för att se vad som hände där sedan ni hade flytt. Där har varit en revolution. Alla fångarna som greven höll instängda i fängelsehålorna har frigivits, och varenda kväll dansar och sjunger folket på gatorna. De har begravt Puman i trädgården innanför huset där hon blev dödad, och de har satt upp en stor minnesvård över henne. På den står det:

TILL MINNE AV

GULDPUMAN

SOM DÖDADE GREVE HULAHU BLOD

OCH BEFRIADE OSS

FRÅN TYRANNIET

EN GÄRD AV STOR TACKSAMHET«

»Å, vad jag är glad för det«, sade Dina. »Det känns så skönt att veta att de förstod vad hon gjorde för dem.«

»Stackars Puman«, sade Dorinda. »En gravvård är då inte någon stor tröst, tycker jag.«

»Hon kunde i alla fall inte ha levat här«, sade Falken. »Hon skulle ha fått för många fiender. Jag håller också på att få fiender; en karl försökte skjuta mig i dag på morgonen för att jag tog en fasantupp. Det är bäst att jag flyger till Grönland medan jag ännu har mina vingar i behåll. Jag ska ta den gamla vägen, Vikingavägen, över Orkneyöarna till Färöarna och därifrån till Island och vidare till bergen ovanför Godthåb, där jag höll till förr i världen. Adjö, Dina. Adjö, Dorinda. Och lycka till, båda två.«

»Får vi aldrig se dig mer?«

»Vem vet?« svarade Falken. »Jag kan få lust att färdas långa vägar igen. Jag kanske kommer tillbaka. Men först måste jag återse de väldiga vidderna av snö och is. Farväl! Farväl!«

Han höjde sig på sina breda vingar, snövit mot vinterhimlen, kretsade över deras huvuden en stund, steg sedan ännu högre och satte kursen mot norr.

»Nu är vi ensammare än någonsin förr«, sade Dorinda. »Vi håller på att förlora alla våra vänner.«

»Vi har kvar herr Gitarr.«

»Ja, det förstås, men han är bara en vanlig människa som vi.«

»Han ser mycket stilig ut i sin nya kostym med den rutiga västen.«

»Och han är förfärligt snäll, men ändå…«

»Dorinda! Jag har fått en idé!«

»Vad då?«

»Vi går och hälsar på fru Häxelin. Vi ska inte be henne om någonting, för hon tycker inte om att man ber henne om saker nu för tiden, men vi kan berätta för henne hur tråkigt vi har och kanske få henne att tycka lite synd om oss, och då kanske hon själv erbjuder sig att hjälpa oss på något sätt. Hon kan till exempel tala om för oss hur man ska få saker att bli lite mer intressanta.«

»Får jag följa med?«

»Ja visst, jag lovade ju att du skulle få följa med nästa gång.«

»Å, Dina, vilken god idé, och så spännande! Kom, så skyndar vi oss. Jag känner mig redan mycket piggare!«

De började gå mycket fort, sprang till och med de delar av vägen där marken var fast, och till slut skymtade de mellan de kala träden det lilla gröna huset med gula gardiner och röd dörr, där fru Häxelin bodde. Men när de kom närmare, såg de något annat också. Det satt ett anslag på framsidan av huset, och på tjugo stegs avstånd kunde de tydligt läsa de stora bokstäverna:

ATT HYRA

»Hon är borta«, sade Dina.

»Och jag fick aldrig se henne«, klagade Dorinda. »Alla överger oss! Det är så man kan bli sjuk!«

»Det är sant«, sade Dina. »Det här hade jag då aldrig väntat.«

Nu kände de sig mer nedstämda än någonsin. De stod där i flera minuter och bara tittade och visste inte vad de skulle göra. Sedan gick Dina fram till den röda dörren och försökte vrida på handtaget. Det gick lätt, och dörren öppnades.

»Tror du att vi vågar gå in?« frågade Dorinda.

»Kom bara«, sade Dina.

Huset var prydligt och rent i varje vrå, och vid första anblicken såg det alldeles tomt ut. Varenda möbel var bortförd, och det föreföll nästan som om aldrig någon hade bott där. Men så upptäckte de på spiselhyllan i köket fru Häxelins gökklocka och under den en pappersbit. Dina lyfte upp klockan och läste vad som stod skrivet: »Till Dina och Dorinda med fru Häxelins bästa hälsningar. P. S. Jag har fått mycket svår reumatism, och doktorn säger att jag måste fara till Saharaöknen där klimatet är gott och torrt, så jag kan inte hjälpa er mer, men göken talar om för er vad ni ska göra.«

»Det är en gåva. En avskedsgåva. Tänk så snällt av henne!«

»Den har stannat«, sade Dorinda.

»Här är nyckeln. Dra upp den.«

Dorinda drog upp klockan och satte den sedan tillbaka på spiselhyllan. Den började genast ticka med ett högt, metalliskt ljud. Och sedan öppnade sig gökens lilla lucka, och göken själv hoppade fram. Han var en ganska skamfilad fågel med bruten näbb, bara ett öga och en släpande vinge, men vad som var förvånansvärt var hans talförmåga. Han var pratsammare än en papegoja.

Först hostade han ett par tre gånger för att klara rösten, och sedan läste han upp en lång vers:

> Tag av er era strumpor, betrakta era ben!
> (Vår jord rullar runt, och stjärnorna klinga)
> ni kan gå alla milen
> från Le Havre till Nilen.
> Blir ni trötta på att gå, kan ni springa.

> Med två goda ögon och öron på spänn
> (Amasonfloden flyter i Brasilien bred)
> kan ni lära känna jorden
> och de underbara orden
> som de stora skalder brukar, och dem bruka själva med.

> Högre än er näsa, men under edert hår
> (I Italien kallar man värdshus taverna)
> som en påse silverpence
> dväljes er intelligens.
> Ert huvud gömmer ej en rova, men en hjärna!

> Och överallt i världen finns hus och höga berg
> (Er atlas ligger på hyllan där borta.)
> Knacka bara på,
> sök att allt förstå.
> Med mod i barm ni kommer ej till korta...

Och nu började göken skaka på huvudet så häftigt att han nästan föll ut ur sitt bo. »Å, kära ni, kära ni«, klagade han, »jag kan inte komma ihåg något mer. Vad ska fru Häxelin säga! Det är tio verser till, och de är *alla* förfärligt viktiga och mycket vackra, och jag kan inte komma ihåg en enda rad till. Ack, vad jag är för en dum fågel! Kuku, kuku, kuku!«

Fortare och fortare ropade han sitt »Kuku!« tills fjädern med ett surr och ett rassel och en skräll gick av, och dödstystnad inträdde.

Dina och Dorinda gick genast med klockan till herr Kugge, urmakarn i Medelby, som behöll den i tre veckor och tog sju shilling för besväret. Under flera år gick den lika bra som stora klockan i kyrktornet, men göken talade aldrig mer, utom på tisdagar och torsdagar vid tedags, då han brukade visa sig och ropa med allvarlig och vred röst: »Kuack, kuack! Kuack, kuack!«

Alla som hörde honom brukade säga:

»En sån underlig fågel! Aldrig har man väl hört en gök säga ›Kuack!‹ förr!«

Då sade alltid Dina och Dorinda mycket stolta, men samtidigt lite sorgsna:

»Ser ni, den här göken är ingen vanlig gök, för den har en gång tillhört fru Häxelin.«

Modernista

ISBN 978-91-8023-098-8
Författare: Eric Linklater, 1944
Originaltitel: »The Wind on the Moon«
Originalförlag: Macmillan
Översättning: © Hugo Hultenberg, 1945
Omslagsillustration: © Uzay Sarı, 2021
Formgivning: Lars Sundh
Sättning: Rasmus Pettersson
Typsnitt: Minion & Neutraface
Tryck: ScandBook, EU, 2021

www.modernista.se